MINETTE WALTERS

Rūgšties kvartalas

Jotema

UDK 820-3
Va234

Minette Walters
ACID ROW
London, Pan Books, 2002

ISBN 9955-527-89-7

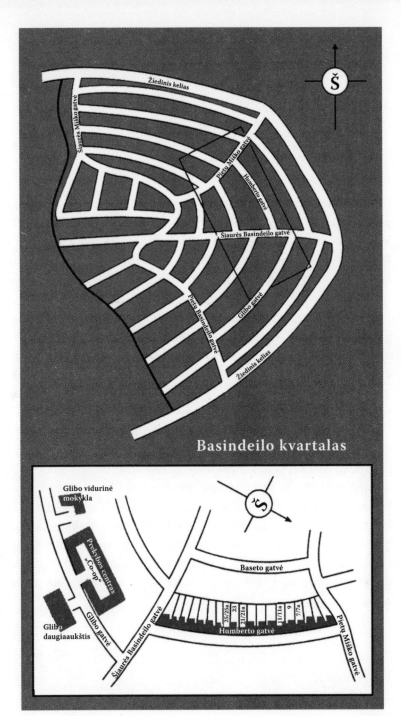

Basindeilo kvartalas

Neramumai liovėsi, kai gandas apie skerdynes pasklido po kvartalą. Žinios buvo labai miglotos. Niekas negalėjo pasakyti, kiek yra žuvusiųjų ir kaip su jais susidorota, kalbėta apie kastravimą, korimą ir smūgius peiliais. Gatvės žaibiškai ėmė tuštėti. Nors garsiai neįvardytos, tvyrojo visuotinės kaltės nuotaikos, ir niekas nenorėjo susilaukti bausmės už dalyvavimą žudynėse.

Jaunimėlis, barikadose sulaikęs policiją padegamojo skysčio buteliais, irgi buvo tos nuomonės. Vėliau jaunuoliai teisinsis, ir visai pagrįstai, nežinoję, kas dedasi, ir išsiskirstę pasiekus žinioms apie kruviną šėlsmą. Viena yra garbingai kautis su priešininkais, o visai kas kita — sulaukti kaltinimų dėl nusikalstamų riaušių Humberto gatvėje kurstymo ir dalyvavimo jose.

Laikraščių antraštės kitą — liepos 29-osios — rytą tiesiog rėkte rėkė. *Nevaržomas apsvaigusių linčiuotojų minios šėlsmas; Papjautas seksualinis iškrypėlis, 3 žuvusieji ir 189 sužeistieji po 5 laukinio siautėjimo valandų.* Pasaulis iš pasibaisėjimo net krūptelėjo. Žurnalistikos žvaigždės ėmėsi linksniuoti įprastus kaltuosius. Valdžia. Policija. Socialiniai darbuotojai. Švietimo įstaigų vadovai. Visoje šalyje pasitikėjimas valstybės tarnybomis smuko iki neregėtai žemo lygio.

Tačiau nė vienas iš keleto tūkstančių riaušininkų, kurie stumdydamiesi grūdosi, kad pamatytų kruviną susidorojimą, nė už ką nebūtų prisipažinęs ten dalyvavęs...

Oficialus Socialinės tarnybos direktoriaus pranešimas
2001 m. liepos 10 d., antradienis

PRANEŠIMAS SVEIKATOS APSAUGOS IR SOCIALINIAMS DARBUOTOJAMS

Konfidencialu

Perkėlimas: Milošas Zelovskis, Humberto g. 23, Basindeilas, atkeliamas iš Kalumo plento, Portisfildo.

Iškeldinimo priežastis: persekiojamas Portisfildo gyventojų nuo tada, kai vietos laikraštyje pasirodė jo nuotrauka.

Statusas: įrašytas į pedofilų įskaitą. 3 kartus per pastaruosius 15 metų teistas už seksualinę prievartą.

Grėsmė bendruomenei: minimali. Dėl nusižengimų pobūdžio rekomenduojama trumpalaikė priežiūra.

Grėsmė padariusiam prasižengimą: didelė.

Policija įspėja, kad Zelovskis gali nukentėti nuo vietos gyventojų, jeigu išaiškės jo tapatybė ir praeitis.

PIRMAS SKYRIUS

2001 m. liepos 19—20 d.

VOS KELETAS NAITINGEILO sveikatos priežiūros centro darbuotojų atkreipė dėmesį į žinutę, kad Basindeilo kvartale apgyvendinamas pedofilas. Ji pradingo po popieriaus šūsnimis biure ir galiausiai kažkurio tarnautojo, nusprendusio, kad su dokumentu jau susipažinta, buvo įsegta į bylą ir padėta į archyvą. Tiems, kurie šį dokumentą permetė akimis, tai buvo niekuo neišsiskiriantis raštas su naujo paciento pavarde ir gyvenimo aprašymu. Kitiems jis apskritai buvo visiškai nesvarbus, nes nebūtų galėjęs — ar nebūtų turėjęs — pakeisti požiūrio į žmogų.

Viena sveikatos prižiūrėtojų bandė tai aptarti susirinkime, tačiau jos vedėja, į kurios pareigas įėjo darbotvarkės planavimas, pasiūlymui nepritarė. Tarp dviejų moterų — abi laikėsi nuomonės, jog kita nesugeba deramai atlikti savo pareigų, — jau nuo seno tvyrojo priešiškumas, kuris ir nulėmė vedėjos sprendimą. Be to, buvo vasara ir visiems knietėjo kuo anksčiau parsirasti namo. Tačiau net jei gydytojai būtų nutarę, jog padėtis rimta ir neatsakinga apgyvendinti pedofilą kvartale, pilname vaikų, nieko nebūtų galėję pakeisti. Sprendimas perkelti žmogų priimtas policijoje.

Ta pati sveikatos prižiūrėtoja, mėgindama sukelti triukšmą ir taip pakeisti vedėjos sprendimą, kreipėsi į daktarę Sofi Morison. Žinoma, jai labiau knietėjo atsigriebti prieš vedėją negu kovoti su pedofilija, o Sofi Morison, naivią ir nepatyrusią biuro „vidaus reikalų" srityje, nebus sunku šiek tiek pagąsdinti. Bent jau tokia buvo Fėjos Boldvin nuomonė apie geraširdę jauną moterį, atėjusią pas juos dirbti prieš dvejus metus.

Fėja sulaukė vakarinio budėjimo pabaigos ir, kaip paprastai darydavo, apie savo apsilankymą pranešė smarkiai skrebendama į duris, ir tai visiems sukeldavo vienodą reakciją.

— Galima pasikalbėti? — energingai pasiteiravo, įkišusi galvą į kabinetą.

— Deja, ne, — atsiliepė Sofi, skubiai palinkusi prie klaviatūros. Ji ėmė rinkti vis tą pačią ekrane matomą eilutę: „Eglutė skarota, eglutė žalia, meškutė gauruota ją lanko šile". — Peržvelgiu keletą pranešimų, o tada — namo... *Apgailestauju*, Fėja. Gal rytoj?

Tačiau gudrybė neišdegė. Kaip paprastai. Nepageidaujama viešnia nieko nepaisydama įsmuko į vidų ir prisėdo savo kaulėtu kūnu ant stalo krašto. Kaip visada, vilkėjo nepriekaištingai pasiūta suknele, o dažyti plaukai buvo kruopščiai sutvarkyti. Tačiau šie visiems prikišamai rodomi išoriniai ženklai, neva liudijantys pavyzdinį profesionalumą ir darbštumą, iš tiesų sudarė kontrastą Fėjos mintims. Kažkoks užburtas ratas: kuo labiau desperatiškai moteris kabinosi į vienintelį dalyką, teikusį jos gyvenimui prasmę — savo darbą, tuo labiau kerojo neapykanta pacientams ir kolegoms — žmonėms, su kuriais darbe tenka susidurti.

Sofi tvirtino, jog geriausia išeitis būtų ją anksčiau laiko išleisti į pensiją ir skirti psichiatro pagalbą, kad šis padėtų jai susitvarkyti su vidine tuštuma. Vyriausiasis gydytojas, rodantis kur kas mažiau palankumo pagyvenusioms, frustracijos apimtoms senmergėms, kurių vienintelis sugebėjimas kelti vaidus, nenorėjo žadinti snaudžiančios gyvatės. Vyriausiasis laikėsi nuomonės, jog liko laukti mažiau nei trys mėnesiai iki to, kai jie galų gale jos atsikratys. Jeigu moteriškė būtų buvusi viena pacienčių, viskas gal būtų buvę kitaip, tačiau Fėja pamaiviškai vengdavo Naitingeilo gydytojų ir lankėsi pas konkurentus kitoje miesto dalyje. „*Tikriausiai* negalėčiau nuogai išsirengti prieš pažįstamus", — sakydavo.

Tarsi kam nors tai būtų rūpėję.

— Aš tik minutėlei, — sučiauškėjo Fėja savo mergaitišku balseliu. — Sofi, juk gali man skirti šešiasdešimt sekundžių?

— Jeigu tik neprieštarauji, kad tuo metu krausiuosi savo daiktus, — vogčiomis atsidususi atsakė gydytoja.

Ji išjungė kompiuterį, atsilošė kėdėje ir ėmė po šalis žvalgytis paciento, ką tik užpildžiusio prašymą, bylos. Su Fėja visada šitaip nutinka. Vengiant įkyrios lankytojos tenka susigalvoti kokių nors darbų.

— Aštuntą susitinkam su Bobu.

— Ar tiesa, kad tu išteki?

— Taip, — Sofi nudžiugo dėl saugios pokalbio temos. — Pagaliau jį prirėmiau prie sienos.

— Nesituokčiau su vyru, jeigu reikėtų jį versti.

— Aš pajuokavau, Fėja, — gydytojos šypsena prigeso, išvydus persikreipusias pašnekovės lūpas. — Pagaliau tai toli gražu ne pasaulinio masto įvykis.

Sofi permetė į priekį savo ilgą, liemenį siekiančią kasą ir ėmėsi šukuoti ją pirštais, nesąmoningai demonstruodama visą savo jaunatvišką grožį.

— Sužinojau iš Melani Paterson, — piktdžiugiškai tęsė Fėja, — Būčiau užsiminusi praeitą savaitę, bet ji sakė, jog tai lyg ir paslaptis.

Velnias, velnias, velnias.

— Nenorėjau bandyti likimo, jei kartais Bobas apsigalvotų, — Sofi visą dėmesį sutelkė į plaukus.

Žinoma, Sofi begėdiškai apšmeižė mielą sužadėtinį, tačiau jeigu tai užkirs kelią tolesnėms Fėjos kalboms apie tai, ką sakė Melani Paterson, tikrai vertėjo. Abi moterys praeitą savaitę beveik priėjo iki peštynių, ir Sofi nenorėjo, kad tai pasikartotų.

— Gyrėsi, kad pakvietei ją į vestuves.

Po velnių, po velnių ir dar kartą po velnių! Sofi atsistojo ir nuėjo prie veidrodžio kitame kabineto gale. Būtų padariusi bet ką, kad tik išvengtų priekaištingo moters žvilgsnio.

— Mes dar neapsisprendėm, — sumelavo ji. — Kvietimų ateinančias keturias savaites dar nesiųsime.

Fėjos veido išraiška veidrodyje šiek tiek sušvelnėjo.

— Ką norėjot aptarti? — pasiteiravo Sofi.

— Na, tiesą sakant, su tuo susijusi Melani, todėl gerai, kad apie ją prakalbome, — patenkinta savimi prabilo moteris. — Klerė paprasčiausiai atsisako manęs tuo klausimu išklausyti, vis kartoja, kad nėra ko čia svarstyti, tačiau bijau, kad negaliu su ja sutikti. Visų pirma, žiūriu į savo pareigas kur kas atsakingiau nei ji. Ir, antra, matydama, kaip Melani leidžia savo vaikams dūkti gatvėje...

Sofi ją nutraukė:

— Nereikia, Fėja, — neįprastai griežtai nukirto ji. — Jau praeitą savaitę visiems aiškiai atskleidėt savo požiūrį į Melani.

— Taip, bet...

— Ne, — jaunoji moteris atsisuko, ir jos akyse aiškiai atsispindėjo nepasitenkinimas. — Nesirengiu su jumis aptarinėti Melani. Argi nesuprantat, jog Klerė kaip tik bandė jums padaryti paslaugą?

Fėja tučtuojau atkirto:

— Neturėtum į tai žvelgti pro pirštus. Aš taip pat už ją atsakau.

Sofi pasiėmė rankinę.

— Jau nebe. Paprašiau Klerės priskirti Melani vieną mūsų jaunųjų darbuotojų. Ketino jums pranešti pirmadienį.

Panelė Boldvin pajuto, kaip nenumaldomai artėja pensija, ir gausiai dažytas jos veidas išblyško.

— Negali atimti iš manęs paciento tik todėl, kad nepritariu tau, — drėbė ji.

— Vadinti pacientę pasileidėle ir kale bei netekti savitvardos, kai apie tai užsimenama, yra kur kas daugiau nei nesutarimas, — šaltai atrėmė Sofi. — Tai neprofesionalu, Fėja.

— Juk ji tokia ir yra, — sušnypštė moteris. — Tu kilusi iš geros šeimos... Turėtum pati matyti, — seilės tiško jai iš burnos. — Ji miega su bet kuo, kas tik užsigeidžia... Dažniausiai būdama girta... Paskui atplaukia lyg gulbė, kad praneštų, jog vėl yra nėščia... Tarsi tuo reikėtų didžiuotis.

Sofi papurtė galvą. Įrodinėti — bergždžias reikalas. Ji vengė ginčų su šia moterimi, nes jie neišvengiamai pereidavo į asmeniškumus. Fėjos pažiūras suformavo jos dalia. Jai geriausiai būtų tikę darbuotis tais laikais, kada nesantuokiniai ryšiai buvo visuotinai smerkiami, o „sugedusios bei nepataisomos" merginos niekinamos ir slepiamos viešbutėliuose. Tuo atveju jos, kaip dorybingos moters, vardas būtų buvęs šio to vertas, o ne virtęs užuojautos ir pašaipų objektu kaip dabar. Nepaaiškinama tai, kad ji savo profesija pasirinko sveikatos priežiūrą, nors, kaip mėgdavo pabrėžti vyriausiasis gydytojas, neišprususių liaudies masių auklėjimas, mokymas ir švietimas tikriausiai buvo laikomas sveikatos priežiūra tais laikais, kai ji ėmė dirbti.

Sofi atidarė kabineto duris.

— Aš keliauju namo, — ramiai pasakė ir atsistojo šalia durų, tuo aiškiai leisdama suprasti, kad laukia, kol pirma išeis lankytoja.

Fėja atsistojo, jos skruostai tarsi senutės, sergančios silpnaprotyste, nevalingai trūkčiojo.

— Ką gi, vėliau nesakyk, kad aš tavęs neperspėjau, — iškošė ji. — Galvoji, kad su visais reikia elgtis vienodai... Tačiau tau nepavyks. Pažįstu tuos gyvulius... Mačiau, kokią žalą jie daro tiems vargšams mažutėliams, kuriuos tvirkina. Viskas kruopščiai slepiama... Daroma už uždarų durų... Ištvirkę, šlykštūs vyrai... Kvaišos moterys, užmerkiančios akis prieš tai, kas iš tikrųjų vyksta... Ir viskas dėl ko? *Sekso!* — Ji išspjovė tą žodį, tarsi jo skonis keltų pasibjaurėjimą. — Ką gi... Bent *mano* rankos švarios. Niekas neturės teisės tvirtinti, jog nesistengiau, — ir kaip nesava, tarsi medinėmis kojomis pasišalino iš kabineto.

Sofi susirūpinusi stebėjo ją nueinančią. Šventasis Dieve! *Gyvuliai?.. Ištvirkę, šlykštūs vyrai?..* Fėja visiškai neteko realybės pojūčio. Negerai išvadinti Melani kale. Bet šimtąkart blogiau ją ir jos meilužius apkaltinti seksualiniu vaiko išnaudojimu.

Tačiau Sofi dar nežinojo, kad ketverių metukų Rozos ir dvejų metukų Beno Patersonų kaimynystėje jau įsikūrė pedofilas.

Pavadinimas „atmatų kvartalas" galėjo būti sukurtas būtent Basindeilui, dunksančiam tarsi išsidriekęs paminklas XX a. šeštojo ir septintojo dešimtmečio socialinei pertvarkai, kada planuotojai įsiskverbė į žaliąją juostą, kad valstybės lėšomis aprūpintų būstu gyventojus, turinčius mažai pajamų. Šiuo atveju buvo iškirsta du šimtai akrų lapuočių miško, juosusio Basindeilo ūkį, ir mišką pakeitė betonas.

Tai turėjo būti idilė. Pokarinio sąjūdžio dėl lygybės ir vienodų galimybių vertas užmojis. Proga pagerinti gyvenimo sąlygas. Modernūs namai, apsupti laukų. Grynas oras ir plačios erdvės. Tačiau visi keliai, einantys laukų pakraščiais, niekur neveda. Tarsi rato stipinai jie baigiasi aklinu žiedu — namais, aptvertais blokų tvoromis, pastatytomis aplinkiniams pasėliams ir kaimenėms apsaugoti nuo neapgalvotai pastatyto kvartalo gyventojų ir jų šunų. Kvartalą išilgai kerta tik dvi magistralinės gatvės — Basindeilo gatvė ir Miško plentas, — vingiuojančios nesusijungiančiu apverstos W formos keliu, turinčiu keturis išvažiavimus pro betono sieną, užstojančią kvartalą nuo intensyvaus magistralių eismo. Iš aukštai Basindeilo ir Miško gatvės atrodė tarsi kokios išilginės voratinklio gijos, jungiamos skersines gijas atstojančių gatvių ir akligatvių. O ant žemės — tokios nuomonės laikėsi ir policija — tos gatvės primena tikrus įtvirtinimus, galinčius Basindeilą paversti tvirtove. Kvartalas primena užbetonuotą miną.

Iš tikrųjų.

Būstų paklausa, kilusi dėl didėjančio gimstamumo, vertė dirbti paskubomis, o tai lėmė prastą namų išvaizdą. Neišvengiamas atmestino požiūrio padarinys buvo ir brangi eksploatacija, nes rūpintasi tik pačiais svarbiausiais dalykais. Pasekmė buvo ir visuotinai pašlijusi sveikata, ypač vaikų ir senių, nes juos alino šaltis, drėgmė, prie kurių prisidėdavo ir prasta mityba. Depresija tapo įprasta tų gyventojų būsena, kaip ir priklausomybė nuo išrašomų vaistų.

Kaip ir kelias į pragarą, Basindeilo istorija prasidėjo gerais ketinimais, tačiau dabar kvartalas virtęs jau kažkuo daugiau nei visuomenės atstumtųjų užkampiu. Nepaliaujamai visuomenės lėšas čiulpiantis darinys, keliantis mokesčių mokėtojų apmaudą, policijos susierzinimą ir nenumaldomą neviltį mokytojams, sveikatos ir socialiniams darbuotojams, kurie turi čia dirbti. Daugumai gyventojų tai — įkalinimo vieta. Paliegę ir įsibauginę pagyvenę žmonės kiūto savo būstuose, nevilties kamuojamos vienišos mamos ir be tėčių augantys vaikai išvengia nemalonumų gyvendami savo gyvenimą už uždarų durų. Ir tik pykčio pritvinkę aršūs jaunuoliai, stebintys, kas vyksta gatvėse ir kontroliuojantys kvaišalų bei prostitucijos ver-

12   MINETTE WALTERS

slą, retkarčiais pagyvina šį skurdų peizažą. Beveik visi, žinoma, jau lankėsi kalėjimuose.

1954 m. idealistas leiboristas municipaliteto narys pasirūpino pastatyti ženklą Pietų Basindeilo gatvėje, kur ji susikerta su pagrindiniu keliu. Tai buvo nepretenzingas informacinis ženklas: „Sveiki atvykę į Basindeilą". Ilgainiui ženklas imtas nuolat terlioti grafitais, o vietos taryba taip pat atkakliai jį vis pakeisdavo. Tačiau 1990-aisiais, paskutiniais Margaret Tečer buvimo ministre pirmininke metais, ta pati taryba, spaudžiama sumažinti išlaidas, išbraukė iš savo biudžeto ženklų atnaujinimo eilutę. Taigi grafitų kūrinys taip ir išliko neliečiamas Basindeilo gyventojų, kurie manė, jog jis tiksliau apibūdina vietą, kurioje jie gyvena.

SVEIKI ATVYKĘ Į ASSI D ROW*

Rūgšties kvartalas. Susvetimėjimo erdvė, kurioje raštingumas buvo žemas, narkotikai — kasdienybė, o muštynės — įprastas dalykas.

Fėja Boldvin, mintyse vis perkratydama iš Sofi Morison praeitą vakarą patirto pažeminimo detales, stipriai suktelėjo ketverių metų Rozos Paterson rankutę, kad ji neišteptų savo nešvariais delnais ir nosimi ką tik išvalytos suknelės. Atsitiktinai pastebėjo ją su broliuku žaidžiančią gatvėje ir negalėjo atsispirti progai pamokyti jų nepilnametę nėščią mamą, ypač kol dar Melani nežino, kad jai paskirta kita sveikatos prižiūrėtoja.

Fėja dar kartą įsitikino savo teisumu, užtikusi merginą susirangiusią fotelyje su cigarete vienoje rankoje ir alaus skardine kitoje, žiūrinčią *Kaimynų* serialą. Tai įrodo kiekvieną jos žodį apie Melani netikimą motinystei. Tačiau moteriškę visai iš vėžių išmušė Melani apranga: aptempti marškinėliai ir ankšti šortai, atidengiantys ilgas rudas kojas ir suapvalėjusį pilvuką su augančiu šešių mėnesių vaisiumi.

---

* Išdarkytas užrašas „Bassindale Row", reiškiantis Rūgšties kvartalą.

Pavydas graužte graužė Fėją, bet ji nudavė esanti pritrenkta, išvydusi tokį begėdišką išsirengimą.

— Taip nevalia, Melani, — griežtai ėmėsi auklėti merginą. — Roza ir Benas yra per maži, kad vieni žaistų lauke. Reikėtų labiau jais rūpintis!

Mergina nė neatitraukė akių nuo muilo operos.

— Roza žino, kaip reikia elgtis, ar ne, brangute? Papasakok poniai.

— Nezaisti salia masinų. Nezaisti su svirkstais, — išdainavo ketverių metukų mergaitė ir davė savo dvejų metukų broliukui niuksą, tuo tarsi parodydama, kaip su juo susitvarko.

— Juk sakiau, — didžiuodamasi pasakė Melani. — Roza gera mergaitė, labai gera.

Fėja iš paskutiniųjų tvardėsi, kad nepliaukštelėtų antausio tai begėdiškai būtybei. Ji praleido trisdešimt metų šiame Dievo apleistame užkampyje stengdamasi ištisas kartas po truputį pratinti prie sveikos gyvensenos, higienos ir kontracepcijos, tačiau padėtis nepaliaujamai blogėjo. Ši mergužėlė pirmojo vaiko susilaukė keturiolikos, antrojo — šešiolikos, o dabar, dar nesulaukusi dvidešimties, laukiasi trečiojo. Ji neturi nė menkiausio supratimo, kas jų tėvai, ir tai jai nė kiek nerūpi. Ji dažnai palieka savo vaikus prižiūrėti mamai, kurios, beje, jauniausias vaikas yra jaunesnis už Rozą, o pati pradingsta ištisoms dienoms, kad „galėtų atsikvėpti“.

Mergina buvo gerokai tingi ir neišsilavinusi, ir ją apgyvendino šiame butelyje tik todėl, jog socialinė tarnyba manė, kad būdama toliau nuo žalingos savo mamos įtakos, ji galbūt taps geresne motina. Tai buvo bergždžios viltys — Melani gyveno visiškai apsileidusi, nuolatos būdavo apsvaigusi ar girta, blaškėsi tarp dosnios meilės vaikams, kai būdavo geros nuotaikos, ir visiško jų nepaisymo, kai apimdavo prastas ūpas. Sklido kalbos, jog „atsikvėpti“ jai padėdavo protarpiais (tarp nėštumų) daroma modelio karjera, tačiau kadangi ji nenorėjo netekti savo pašalpos, to neprisipažindavo.

— Juos iš tavęs atims, jeigu nesirūpinsi, — pagrasino moteris.

— Taip, taip, taip, lia lia lia, — Melani metė į ją supratingą žvilgsnį. — Juk jūs norėtumėte to, ar ne, panele Boldvin. Juos atimtumėte nė nemirktelėjusi, jeigu rastumėt prie ko prikibti. Tačiau nervinatės, kad nepavyksta.

Susierzinusi, moteris pritūpė priešais vaikus.

— Ar žinai, kodėl negalima žaisti šalia mašinų, Roza?

— Gausim nuo mamos.

Melani jai nusišypsojo ir patraukė cigaretę.

— Nesu tau sudavusi, brangute, — ramiai tarė ji. — Niekada nesuduočiau. Tu nežaidi šalia mašinų, nes jos pavojingos. Tai ponia ir norėjo jums pasakyti, — ji metė į Fėją piktdžiugišką žvilgsnį. — Ar ne, panele?

Fėja jos nepaisė.

— Sakei, kad tau negalima žaisti su švirkštais, Roza, bet ar tu žinai, kaip atrodo švirkštai?

— Aisku, kad zinau. Vienas mano tėvelių juos naudoja.

Suirzusi Melani nuleido kojas nuo fotelio ir įmetė nuorūką į alaus skardinę.

— Palikite ją ramybėje, — tarė ji. — Jūs ne policininkė, ne socialinė darbuotoja, ne jūsų reikalas kamantinėti vaikus apie jų tėvelius. Jie aprūpinti ir sveiki, laiku skiepijami, jų svoris reguliariai tikrinamas. Tai viskas, ką jums reikia žinoti. *Kapiši**? Neturite teisės čia sklaidytis ir daryti kas, po velnių, jums šauna į galvą. Tik vienas žmogus iš centro turi tokius įgaliojimus, ir tai yra Sofi.

Fėja išsitiesė. Kažkur giliai vidinis balsas atkakliai bandė sulaikyti, tačiau ji buvo per daug pasipiktinusi, kad jo klausytų.

— Tavo vaikai yra „pavojingajame" sąraše nuo pat gimimo, Melani, — drėbė ji. — Tai reiškia, kad aš turiu teisę *ir pareigą* lankyti juos kada tik manau esant reikalinga. *Pažvelk* į juos! Jie atrodo apgailėtinai. Kada juos maudei ar keitei drabužius?

— Socialinė žino, kad myliu savo vaikus ir tai, velniai rautų, svarbiausia.

— Jeigu mylėtum, pasirūpintum jais.

— Ką apie tai išmanot? Kur jūsų vaikai, *panele*?

---

* Capisci? (*ital.*) — Supratai?

— Puikiai žinai, jog neturiu nė vieno.

— Jūs velniškai teisi.

Melani arčiau prisispaudė dukrelę, ir jos vešlūs plaukai susipynė su vaiko plaukučiais.

— Kas tave myli labiau už viską, Roza?

— Mamytė.

— O ką tu myli, brangute?

Vaikas prispaudė pirštą prie mamos lūpų.

— Mamytę.

— Norėtum gyventi su mama ar su ponia?

Mergaitės akys paplūdo ašaromis.

— Su tavim, su tavim! — sukliko ji ir apkabino Melani kaklą, tarsi kas nors ketintų ją tučtuojau atplėšti nuo mamos.

— Matot, — pergalingai išsišiepė Melani. — Dabar pasakykit, kad nesirūpinu savo vaikučiais.

Fėjos viduje kažkas galutinai nutrūko. Galbūt bemiegė naktis padarė savo. Tačiau greičiausiai pusiausvyros neteko dėl šaipymosi iš nykaus gyvenimo.

— Dieve, tu tokia neišmanėlė, — užsipuolė ji. — Manai, sunku manipuliuoti vaiko jausmais? — Lankytoja piktai mostelėjo ranka lango link. — Jūsų gatvėje gyvena pedofilas, kuris tavo Rozą galėtų prisivilioti sauja saldainių, nes ji nesupranta, kokia meilė nuoširdi, o kokia — ne. Ir ką kaltintų visuomenė, Melani? Tave? — Ji garsiai nusikvatojo. — Žinoma, ne... Tu verksi krokodilo ašarom, o žmonės, kurie iš tikrųjų rūpinasi Roza, — aš ir socialinė darbuotoja, — būsime prikaltos prie kryžiaus, kad patikėjom mergaitę negalinčiai jos tinkamai prižiūrėti motinai.

Mergina prisimerkė.

— Nemaniau, kad man tai pasakotumėte.

— Kodėl ne? Tai tiesa.

— Tai kur tada pedofilas gyvena? Kuriame name?

Fėja per vėlai suprato, kad peržengė ribą. Tai buvo tarnybinė informacija, o ji, apimta pykčio, prasitarė.

— Tai nesvarbu, — netvirtai sumurmėjo.

— Dar ir kaip svarbu, velniai rautų! Jei kažkur greta gyvena psichas, aš turiu žinoti, — ji pašoko nuo sofos ir palinko virš nedidukės senmergės. — Žinau, jog laikote mane nevykusia mama, bet niekada jų neskriaudžiau ir kaip gyva to nedarysiu. Nešvara dar nė vieno vaiko nenužudė, kaip ir vienas kitas riebesnis žodelis. — Melani prikišo savo veidą prie Fėjos Boldvin. — Tačiau psichai juos žudo. Tai kur jis? Kokia pavardė?

— Man negalima to pasakyti.

Melani suspaudė kumščius.

— Norite, kad priversčiau?

Išsigandusi Fėja atsitraukė durų link.

— Lenkiška pavardė, — bailiai išlemeno prieš pradingdama.

Išėjusi į Humberto gatvę Fėja visa virpėjo. Kaip ji galėjo taip kvailai pasielgti? Ar Melani ją išduos? Ar bus atliekamas tyrimas? Ar tik nenukentės pensija? Moteris ėmė ieškoti pasiteisinimo. Vargu ar galima ją kaltinti. Tikra kvailystė apgyvendinti pedofilą Rūgšties gatvėje. Vis tiek kaip nors paslaptis būtų paaiškėjusi. Kvartalo vyrams kalėjimas — kaip antrieji namai. Kuris nors būtinai atpažins jį iš kalėjimo laikų. Baimė ėmė slūgti. Jei kas pasiteiraus, ji pasakys, kad girdėjo kalbas, esą kaip tik taip ir atsitiko. Kas atseks, kur čia gandai. Pačios neįtikimiausios kalbos plinta greičiau nei gaisras. Be to, Melani ji neišdavė pavardės...

Vis tvirčiau pasitikėdama savimi Fėja ėmė žingsniuoti gatve, dairydamasi į šalis, kol priėjo 23-iąjį namą. Lange išvydo pagyvenusį vyriškį. Jų žvilgsniams susidūrus, šis atšoko atgal, vengdamas būti pastebėtas, ir ji pasijuto galutinai išteisinta. Vyriškis atrodė blyškaus veido ir ligotos išvaizdos — tarsi koks vikšras, — ir instinktyvus moters pasipurtymas iš pasibjaurėjimo užgožė visus ketinimus įspėti jį arba policiją apie jo gyvybei gresiantį pavojų.

Šiaip ar taip, ji karštai nekenčia pedofilų. Per daug dažnai tenka susidurti su jų darbelių pėdsakais vaikų, kurie vadina juos tėveliu, galvelėse ir kūneliuose.

Straipsnis tinklapiui „Rūpestis dėl vaikų",
pasirodęs 2001 kovą

Žūstanti nekaltybė

Pasibaigus teismo procesui dėl vienos labiausiai pasibaisėtinų per pastarąjį dešimtmetį žmogžudystės bylų 44-erių Mari Teresė Kouao ir 28-erių jos sugyventinis Karlas Meningas buvo įkalinti iki gyvos galvos dėl Kouao giminaitės 8-erių metų Anos Klimbi žiauraus kankinimo ir nužudymo. Ana, gimusi ir augusi Dramblio Kaulo Krante, mylinčių tėvų buvo patikėta Kouao globai, nes žudikė teta, gausiai šeimai Afrikoje prisistatydavusi kaip „turtinga ir daug pasiekusi" moteris, pasisiūlė vaikui Anglijoje suteikti geresnį gyvenimą. Iš tikrųjų ji pasirodė esanti tik klastinga apgavikė, kuriai reikėjo „dukters", kad pasinaudotų valstybės parama.

Mažoji Ana mirė nuo šalčio ir bado, nes ji nuoga, surištomis rankomis ir kojomis buvo laikyta vonioje, pridengta tik maišu šiukšlėms. Ji buvo pririšta tarsi šuo ir mito maisto atliekomis, kurias valgė tiesiai nuo grindų. Ant kūnelio suskaičiuotos 128 mušimo žymės, o Kouao, dėdamasi mergaitės motina, teigė, jog ji pati save susižalojusi. Kouao netgi esą įtikinėjusi dvasininkus atlikti egzorcizmo seansą suluošintam ir iškankintam vaikui, teigdama, jog jis esantis apsėstas velnio.

Teismo metu Kouao, atsinešusi su savimi Bibliją, kad įtikintų teisėjus savo religingumu, pasiskundė, kad kalėjime, kur buvo laikoma, ją muša kitos kalinės. Tai buvo begėdiškas dvejopų standartų, kuriais vadovavosi šioji žudikė, pavyzdys. „Jos mušė mane ir laužė man kaulus, — raudojo ji. — Tai nepakeliama." Atsakydamas kryžminės apklausos vykdytojas piktai paklausė: „O ar lengva Anai buvo pakelti tai, ką su ja darėte?"

Kyla pagunda nurašyti Kouao atvejį kaip piktybinį išsigimimą, tačiau skaičiai apie vaikų žudymą Jungtinėje Karalystėje verčia sunerimti. Kiekvieną savaitę nuo savo tėvų ar globėjų rankos vidutiniškai žūsta du vaikai, tūkstančius kartų daugiau vaikų patiria tokią didelę prievartą ir skriaudas, kad jiems padaroma fizinė bei psichinė žala tampa nepataisoma. Ir priešingai — svetimųjų aukomis per metus tampa mažiau nei penki vaikai.

Kada News of the World, didžiausią tiražą Jungtinėje Karalystėje turintis dienraštis, vadovaudamasis Megano įstatymu JAV, praeitais metais pradėjo vajų „paviešinti" pedofilus ir paskelbė nustatytų prievartautojų pavardes, adresus ir nuotraukas, nuomonės apie akcijos naudą visiškai išsiskyrė. Visuomenė, sukrėsta kraupių, įtariamojo pedofilo neseniai įvykdytų vaikų žudynių, visuotinai tai palaikė. Policija, inspektoriai, prižiūrintys lygtinai nuteistuosius, ir vaikų prievartautojų advokatai įrodinėjo, kad tai sukels visai priešingus padarinius ir greičiausiai privers pedofilus mesti gydymą ir slapstytis, baiminantis gyventojų puolimų.

Jų įspėjimai netruko virsti tikrove. Remiantis inspektorių pateiktu raportu, seksualiniai prievartautojai visoje Britanijoje kėlėsi į kitas gyvenamąsias vietas, keitė pavardes ir nutraukė ryšius su policija arba ruošėsi taip padaryti. Dar didesnį susirūpinimą kėlė tai, jog sekmadieniniame bulvariniame laikraštyje paskelbus 83 pavardes, adresus ir nuotraukas, įniršusi minia užpuolė keletą šių tariamųjų pedofilų būstų ir siautėjo gatvėse.

Beveik visais atvejais auka tapdavo niekuo nekaltas žmogus, nes laikraštyje išspausdintas adresas būdavo netikslus ar pasenęs, o gyventojams būsto savininkas pasirodydavo panašus į kurį nors iš matytų nuotraukose. Didžiausias nesusipratimas įvyko, kai aklo įsiūčio vedama minia nusiaubė vienos pediatrės namus ir automobilį, nes pamanė, jog „pediatras"

— gydytojas, kurio specializacija yra gydyti vaikų ligas, yra „pedofilo" — suaugusiojo, jaučiančio seksualinį potraukį vaikams, — sinonimas.

Įvykus šiems incidentams *News of the World* sustabdė vajų, nors jo pradžioje žadėjo „įvardyti ir užtraukti gėdą" kiekvienam Jungtinės Karalystės pedofilui. „Mūsų užduotis yra priversti vyriausybę veikti [pagal Megano įstatymą], — pareiškė karingai nusiteikęs redaktorius, — ir mes įvardysim ir užtrauksim gėdą kiekvienam politikui, stosiančiam skersai kelio."

Ginčai, kaip elgtis su pedofilais, vyksta toliau, nors statistika liudija, jog tūkstančiai vaikų labiau nukenčia savo namuose nei gatvėse. Po neseniai vykusio pedofilų, platinusių nepadorius vaikų atvaizdus internete, teismo policijos atstovas spaudai pateikė sukrečiantį faktą, jog pornografija dabar kuriama namie. „Anksčiau vaikų pornografija būdavo filmuojama studijose, — pabrėžė jis, — tačiau paskutiniai vaizdai atrodo taip, tarsi būtų nufilmuoti pačių vaikų namuose. Kadro gilumoje matyti žaislai. Tai perša mintį, jog vienas ar abu tėvai dalyvauja prievartaujant vaikus."

Kad ir kaip patogu mums būtų įsitverti nuomonės, jog vaikai tampa tik sadistų iš šalies aukomis, mes verčiau turime sutelkti dėmesį į pedofiliją savo laiptinėje. Mažoji Ana Klimbi buvo kankinta ir nužudyta žmonių, turėjusių ja rūpintis. Nesuskaičiuojamą gausybę vaikų mirtinai sumušė pykčio pagauti globėjai. Vaikų linija kasdien sulaukia 15 000 skambučių iš smurtą patiriančių vaikų. Daugelis pedofilų vaikystėje patys buvo seksualiai išnaudojami. Vaikų pornografija gyvuoja, nes prie jos prisideda ir tėvai, parduodantys ar paliekantys savo mažuosius likimo valiai ir taip juos įstumiantys į ištvirkavimo liūną.

Ar esame pasirengę „įvardyti ir užtraukti gėdą" tikriesiems prievartautojams?

Ana Katrel

ANTRAS SKYRIUS

2001 m. liepos 20—26 d.

VISI ĮTARIMAI, susiję su Humberto gatvės įvykiais, krito ant 23-iojo namo, ir ne dėl lenkiškos gyventojo pavardės, bet todėl, kad vyras buvo neseniai įsikėlęs. Prieš tai ten gyveno Merė Falon, kol vienas iš penkių jos vaikų, laukdamas širdies operacijos, mirė nuo plaučių uždegimo. Taryba kratėsi atsakomybės, tačiau šeimą skubiai perkėlė į kur kas jaukesnį, pastatytą pasimokius iš Rūgšties kvartalo klaidų, Portisfildo rajoną, esantį už trisdešimties kilometrų, kitame miesto gale.

Paskui 23-iasis namas užkaltais langais ištisus mėnesius stovėjo tuščias, kol tarybos pavesti darbininkai staiga ėmėsi darbo: namą išvėdino, įleidę vidun malonios liepos šilumos ir uždažė aptrupėjusį bei paplėkusį tinką. Neilgai trukus ten įsikėlė naujas gyventojas. O gal gyventojai? Niekas tiksliai nežinojo, kiek jų ten iš viso yra. Kaimynai iš 25-ojo teigė, jog tai esą du vyrai — už sienos jie girdėję kažką karštai besiaiškinančiųjų balsus — tačiau apsipirkti visada išeidavo tik vienas. Tai buvo droviai besišypsantis pusamžis vyriškis šiaudų spalvos plaukais.

Niekas nepastebėjo nei kaip, nei kada jie atvyko, taip pat niekas negalėjo prisiminti gatvėje matęs furgoną su baldais. Sklido kalbos, kad jie su visa manta atvažiavo naktį, lydimi policijos, bet senoji ponia Kartju iš 9-ojo, ištisas dienas leidžianti prie lango, tvirtino, kad vyrus pirmadienio rytą atgabeno krovininis autobusiukas, ir jie net padėję vairuotojui jį iškrauti. Tačiau niekas tuo nepatikėjo, nes moteriškės protas dažniausiai būdavo aptemęs, ir neatrodė, kad ji pakankamai orientuotųsi tikrovėje, kad atskirtų, ar tai buvo pirmadienis, o juo labiau atsimintų kitus įvykius.

Policijos dalyvavimas buvo priimamas kaip kur kas patikimesnis liudijimas, nes tai atrodė labiau tikėtina. Ypač jaunuoliams, visur įžvelgiantiems sąmokslą. Kodėl vyrai atvyko prisidengę tamsa? Kodėl antrasis niekada nepasirodo dienos metu? Kodėl vaikščiojančio apsipirkti vyriškio veidas toks išblyškęs? Viskas bylote bylojo kažką nelemta. Kaip iš „X failų". Siautėjančios išsigimėlių vampyrų govėdos. Ponia Kartju teigė, kad jie yra tėvas ir sūnus, ji tvirtino, jog buvo pravėrusi langą, kad galėtų jų apie tai pasiteirauti. Niekas ja nepatikėjo, nes Rūgšties kvartale nėra lango, kurį sugebėtų praverti sukriošusi ir kvėštelėjusi senutė. Norint atlaisvinti langą nuo stringančių rėmų, tenka pasidarbuoti plaktuku ir kaltu. Ir net jeigu būtų ji buvusi pajėgi praverti langą, taip kaimyniškai pasikalbėti neįmanoma — jos namas stovi per toli nuo 23-iojo.

Visiems priimtiniausia atrodė nuomonė, kad vyriškiai yra homoseksualistai — taigi dvigubi iškrypėliai, — todėl dukterų motinos galėjo lengviau atsidusti, tačiau įspėdavo berniukus pasisaugoti. Vaikėzai porą dienų sukiojosi aplink tą namą, užgauliai šūkaudami ir rodydami užpakalius, tačiau kadangi dėmesio nesulaukė, ir name vis tiek nepasirodė jokių gyvybės ženklų, užsiėmimas įgriso ir jie grįžo į žaidimų aikšteles.

Tačiau moterys taip lengvai nenurimo. Jos vis dar tarpusavyje visa tai aptarinėjo ir įdėmiai stebėjo Humberto gatvės praeivius. Kai kurie iš socialinių darbuotojų atsakydavo į jų klausimus, bet atsakymai būdavo migloti ir palikdavo daug laisvės vaizduotei.

Žinoma, jie nepriveš iškrypėlių vien todėl, kad čia atmatų kvartalas. Patikėkit, jei kur netoliese gyventų pavojingas iškrypėlis, pirmoji apie tai sužinočiau...

Galbūt tai niekšiškas planas priversti jus prižiūrėti vaikus...

Klausykit, juk šiais laikais registruoti pedofilai yra nuolatos stebimi. Iš tikrųjų jums reikėtų baimintis dėl dar tik rezgančių nusikaltimus psichų, atklystančių iš kitur...

Šie atsakymai visos bendruomenės buvo be perstojo kartojami, todėl niekas nežinojo, ar tiksliai perduodama tai, kas buvo pasakyta. Tačiau faktas, kad įtikinamo paneigimo nesulaukta, buvo palaikytas įtarinėjimų patvirtinimu.

Rūgšties kvartale galioja savos taisyklės.

2001 m. liepos 26 d., ketvirtadienis
Humberto g. 21, Basindeilo rajonas

Kai Sofi Morison stetoskopu paklaũsė Rozos ir Beno širdelių, Melani pasiūlė viešniai arbatos. Mergina gulėjo ant sofos svetainėje ir juokėsi, kai vaikučiai, savo mažais piršteliais liesdami jos pilvuką, stengėsi pajusti, kaip juda jų mažasis broliukas ar sesutė.

— Argi jie ne mieli, — tarė ji ir apibėrė bučiniais papurusius šviesius plaukus, paskui nuleido kojas ant grindų ir atsistojo.

— Mielai išgerčiau puodelį, — šypsodamasi atsakė Sofi, nes pastebėjo du paauglius, sustojusius pro langą paspoksoti į nuogą suapvalėjusį Mel pilvuką. — Turi svečių, — sumurmėjo ji.

— Nuolat turiu, — patvirtino mergina ir timptelėjo žemyn pasikėlusius į viršų marškinėlius. — Čia visi viską mato.

Melani namas buvo vienas tų blokuotų Humberto gatvės namų, kuriuos prieš kokius trisdešimt metų padalijo pusiau, kad sukurptų du būstus, vieną — priekinėje namo dalyje, o kitą — užpakalinėje. Protingiau būtų buvę padalyti namą į butus, bet tuo atveju būtų tekę kirsti fasade naujas duris ir perdangą aptaisyti brangiomis garsą izoliuojančiomis medžiagomis.

Tačiau kažkoks gudruolis iš planavimo skyriaus sumanė kai ką geresnio. Jis pasiūlė greitesnį, pigesnį ir mažesnių pertvarkymų reikalaujantį būdą — ties viduriu namus perskirti šlakbetonio blokų sienomis, padarytame tarpe įtaisyti naujas duris ir atskirus laiptus atskirai abiem būstams ir pertvarkyti koridorių, virtuvių bei vonios kambarių laiptinę ir laiptų aikšteles.

Visiems tai buvo nemalonus sprendimas, padalijęs gyventojus į tris grupes. Vieniems, pavyzdžiui, vyriškiams iš 23-iojo, pasisekė gauti visą namą ir sodą. Kiti, kaip antai Granė Hovard, gyvenanti už Melani, džiaugėsi visu sodu. O tretiems liko mažas žolės lopinėlis ir nedidelė tvorelė prie gatvės. Humberto gatvė virto betono tuneliu, ir visų nusivylimas buvo nenusakomas, ypač tų, kurie negavo priėjimo prie sodų, esančių už namų.

— Ar Granė Hovard vis dar kelia tau rūpesčių? — pasiteiravo Sofi ir, ant rankų pakėlusi mažąjį Beną, priglaudė prie savęs; berniuko mama tuo metu sukinėjosi po virtuvę.

— Taip, ji vis dar beldžia plaktuku į sieną dėl vaikų keliamo triukšmo, o dėl sodo tai jau nuleidom rankas. Ji niekad neleis jiems ten nors truputį pažaisti. Mano Džimis bandė su ja pasikalbėti dar prieš jį pasodinant už vagystę, tačiau Granė jį išvadino juočkiu ir liepė nešdintis. Aš dar suprasčiau ją, jeigu ten viskas nebūtų apleista. Ji pati ir kojos ten nekelia.

Sofi atgalia ranka paglostė Benui skruostą. Ji niekaip negalėjo suprasti, kodėl Būsto departamentas laiko senutę, niekad neiškišančią nosies į lauką, užpakalinėje namo dalyje, o du mažyliai, norintys saugiai bėgioti ir žaisti, atkelti į priekį. Tačiau negali būti nė kalbos. Tarsi akmenyje buvo įrėžta, kad Granei Hovard nuo 1973 m. priklauso gyventi 21a bute ir ji ten gyvens tol, kol numirs.

— Kaip sekasi gėrimėlio ir dūmelio fronte? Bent kiek lengviau?

— Manau, taip, — linksmai atsiliepė mergina. — Sumažinau cigarečių iki penkių per dieną, o alkoholio — iki poros pusbutelių... Vienas pietaujant, vienas su arbata... Kartais du. Tačiau daugiau jokių didelių išgėrimų. Visiškai atsisakiau. Kartkartėmis vis dar užsuku į kokią užeigėlę, tačiau ne per dažniausiai, nes negaliu sau to leisti.

Sofi tai padarė įspūdį. Vos pastojusi, mergina sutraukdavo keturiasdešimt cigarečių per dieną, o didžiausias savaitės įvykis būdavo šeštadienio vakarais klubuose kaip reikiant prisigerti ir prisirūkyti. Net atsižvelgus į narkomanų polinkį iliuzijas laikyti tikrove, atrodo, Melani per pastaruosius du mėnesius tikrai nemažai pasiekė.

— Šaunuolė, — pagyrė gydytoja ir prisėdo ant sofutės, šalia palikusi vietos ir Rozai.

Kaip ir Fėja, Sofi matė, kad verkiant reikėtų nuprausti vaikus, tačiau buvo akivaizdu, kad jie tikrai žvalūs ir pasitikintys savimi mažyliai, ir jų fizinė bei dvasinė sveikata abejonių nekėlė. Priešingai, Sofi netgi manė, kad kai kuriems labiau pasiturintiems tėveliams derėtų kai ką perimti iš Paterson požiūrio į vaikų auginimą. Ją tiesiog siutino, kad daugelis tų tėvų kruopščiai, iki paskutinio mikrobo, išdezinfekuoja aplinką, kurioje auga vaikai, o vėliau dėl nesibaigiančio kosėjimo ir slogos prašo alergijos testų. Tarsi baliklis galėtų pakeisti natūralų imunitetą.

— Norėčiau, kad ta karvė panelė Boldvin manytų tą patį, — išrėžė su arbatos puodeliais pasirodžiusi Melani. — Ji mane pervėrė smerkiamu žvilgsniu, nes žiūrėdama *Kaimynus* traukiau dūmą ir gurkšnojau alų. Jei ji būtų bent pasiteiravusi, būčiau pasakiusi, kad tai pirmas dūmas tą dieną, tačiau ji ne tokia kaip jūs... Ji apie žmones visada galvoja kuo blogiau.

— Kada ji čia lankėsi? — pasiteiravo Sofi. Ji nuleido Beną ant grindų ir paėmė puoduką.

Melani klestelėjo šalimais.

— Nepamenu... Kažkada praeitą savaitę... Ketvirtadienį... Penktadienį... Jos nuotaika buvo visai sumauta. Puldinėjo mane kaip koks mažytis pasiutęs neūžauga terjeras.

„Kai jau žinojo, kad bus keičiama", — susierzinusi pagalvojo Sofi.

— Ar ji užsiminė, kad paprašiau vienos iš jaunųjų prižiūrėtojų ją pakeisti?

— Ne. Tiesiog atskaitė pamokslą, kaip visada. O kas tada ta naujoji?

— Vekė, — atsakė Sofi ir gurkštelėjo arbatos. — Rausvi plaukai... Juodi odiniai drabužiai... Kareiviški batai... Važinėja mopedu... Dievina vaikus. Tu ir ji atitiksite kaip kirvis kotą.

— O, tai šiek tiek skirsis nuo senosios surūgėlės?

Melani, apglėbusi delnais puodelį, stebėjo pieno ūkanas jame ir negalėjo apsispręsti, kaip pateikti rūpimą klausimą. Tik užsiminti ar eiti tiesiai prie reikalo? Vis dėlto nusprendė pradėti iš tolo.

— Kaip jūs žiūrite į pedofilus? — pasiteiravo ji.

— Ką turi galvoje?

— Ar pakęstumėte tokį kaimynystėje?

— Taip.

— Net jei žinotumėt, kad yra lindę prie vaikų?

— Bijau, kad taip. — Sofi nusišypsojo, įskaičiusi nepritarimą Melani veide. — Neturėčiau didelio pasirinkimo, Mele. Toks mano darbas. Negaliu atsirinkinėti pacientų. Kodėl klausi?

— Tiesiog smalsu, ar jūsų sąrašuose yra nors vienas.

— Kiek žinau, ne. Šalia jų pavardžių nededame varnelių.

Melani nepatikėjo.

— Tai kaip gali būti, kad panelė Boldvin žino, jog vienas gyvena mūsų rajone, o jūs — ne?

Sofi buvo nuoširdžiai apstulbusi.

— Apie ką tu kalbi?

— Maniau, kad pasakysite jo pavardę... Bent tą, kuria įrašytas. Matot, visi linkę manyti, kad tai naujai atsikėlęs žmogus, o aš galvoju, kad visai gali būti ir koks senbuvis, — mergina mostelėjo ranka lango link. — Toks seniokas iš 8-ojo; praeitais metais pusmetį buvo pradingęs, sakėsi lankęs gimines Australijoje. Ar tik nebus jis? Vis lenda prie mūsų Rozos ir nuolat kartoja „Kokia ji gražutė".

Sofi tiesiog nesitvėrė pykčiu.

— Ką tiksliai Fėja Boldvin tau pasakė?

— Kad rajone gyvena pedofilas ir kad jis nusivilios mūsų Rozą, kai tik užsigeis.

— *Dieve šventas!* Nuo ko pradėjot apie tai kalbėti?

— Kaip įprasta. Pamokslas... Pamokslas... Pamokslas... Bandė klausinėti Rozos apie jos tėvą, o tada pasakė man, kokia nevykusi mama esu, ir aš pasakiau šį tą, ką apie ją galvoju. Na, maždaug liepiau atšokti ir tada... Bam! Ji smogė man į paširdžius su tuo iškrypėliu, kuris sugundys Rozą saldainiais. Mirtinai mane išgąsdino.

— Apgailestauju, — atsiprašydama tarė Sofi, mintyse jau regėdama būsimus teismus. — Tądien ją nušalinau nuo tavo priežiūros, todėl ji greičiausiai jautėsi nuskriausta. Tačiau neturėjo teisės tavęs erzinti, ypač tokiais dalykais, — ji atsiduso. — Klausyk, Mele. Tai neliks neįvertinta, bet dabar ji turi šiokių tokių sunkumų. Bijosi netekti darbo... Jaučia, kad jos gyvenimas nykokas. Ir panašiai. Ji pati norėtų būti ištekėjusi ir auginti vaikus... Tačiau taip neįvyko. Suprask ją.

Melani patraukė pečiais.

— Ji man žiauriai įgriso, todėl ir įgėliau, kad neturi vaikų. Tada visai pasiuto. Ėmė taškytis seilėmis.

Sofi iš atminties išplaukė Fėja, purslojanti seilėmis per tą jų pokalbį.

— Jai tai subtili tema.

Gydytoja pakilo ir pastatė puodelį ant stalo. Stengėsi neišsiduoti, kaip smarkiai yra supykusi. Ji tiesiog matė vyriausiojo įtūžį, kuris kiltų, jeigu jiems tektų mokėti kompensaciją už „skausmą ir kančias". *Tos prakeiktos moteriškės jau seniai reikėjo atsikratyti.*

— Padaryk man paslaugą, Mele. Neimk į galvą, ką ji ten pliauškė. Buvo visai netekusi galvos. Nederėjo jai taip šnekėti. Tu per daug jautri ir priimi už gryną pinigą viską, ką tauškia Fėja Boldvin.

— Atrodė, kad tuoj apsidirbs iš baimės, kai pasakiau, kad neturėtų laidyti liežuvio apie tokius dalykus.

— Nesistebiu, — Sofi dirstelėjo į rankinį laikrodį. — Na, aš turiu eiti. Pasišnekėsiu su darbuotoja, kuri pakeis Fėją, papasakosiu, kas čia vyksta, paprašysiu užsukti į ASAP. Gali su ja plepėti apie ką tik nori — ji moka išklausyti, — ir pažadu, kad nesakys tau pamokslų. Tai kaip?

Melani iškėlė į viršų nykštį.

— Jėga.

Ji luktelėjo, kol užsidarė durys, ir pasisodino dukrelę sau ant kelių.

— Matai, brangute. Viskas slepiama. Viena karvė išsiplepėjo, nes ji tiesiog kvaiša, o visi apsimeta, kad nieko nežino.

Prieš akis iškilo sprunkančios Fėjos išgąstis.

— Tačiau kvaiša sakė teisybę, o kiti net susiriesdami skiedžia.

Žinutė, kurią Sofi, vos įsėdusi į automobilį, paliko Fėjos atsakiklyje, buvo tiesiog žudanti.

Man nerūpi tavo bėdos, Fėja... Nors esu tikra, kad tavo psichikos būklė labai pagerėtų, jei koks nors pienininkas tave rytoj tiesiog imtų ir patvarkytų... Tačiau jeigu dar kada bent prisiartinsi prie Melani Paterson, aš asmeniškai tave pristatysiu į artimiausią durnyną ir pasirūpinsiu, kad tave ten uždarytų. Ką tu, po velnių, išdirbinėji, tu kvaišų kvaiša?

Praėjus pusvalandžiui, už geros mylios nuo Naitingeilo sveikatos centro Fėja Boldvin drebančia ranka trynė žinutę iš balso pašto dėžutės. Melani ją išdavė.

TREČIAS SKYRIUS

2001 m. liepos 27 d., penktadienis
Portisfildo rajonas, vidurdienis

Automobilis dvidešimtį minučių stovėjo prie Portisfildo katalikų bažnyčios. Pro šalį praėjo keliolika žmonių, bet niekas į automobilį neatkreipė dėmesio. Vėliau vienas žmogus apibūdino jį kaip mėlyną roverį, kitas — kaip juodą BMW. Vežimėlį stūmusi jauna mama viduje pastebėjo vyrą, tačiau negalėjo nusakyti jo išvaizdos ir klausinėjama policijos pakeitė nuomonę — ėmė tvirtinti, kad tai galėjusi būti ir trumpai nusikirpusi moteris.

Praėjus dvidešimčiai minučių, liesa tamsiaplaukė mergaitė atidarė automobilio dureles, įsitaisė ant užpakalinės sėdynės ir, palinkusi į priekį, pakštelėjo vairuotojui į skruostą. Niekas nematė taip darant, tačiau jaunajai mamai dingojosi, kad, ko gero, jos žvilgsnis buvo užkliuvęs už mažos mergaitės, atitinkančios šį nupasakojimą, kelios minutės prieš tai sukusios pro Alenbio gatvės kampą. Toliau klausinėjama jaunoji mama ėmė svyruoti ir pasakė, kad mergaitė, galimas daiktas, buvusi ir šviesiaplaukė.

— Viskas gerai? — pasiteiravo vairuotojas.
Mergaitė linktelėjo.
— Ar atnešei man naujų drabužių? — paklausė ji.
— Aišku. Ar kada netesėjau žodžio?
Jos akys net sutvisko iš džiaugsmo.
— Gražūs?
— Ko prašei. *Dolce&Gabbana* marškinėliai. *Gucci* suknelė. *Prada* batai.
— Jėga.

— Važiuojam?

Mergaitė, staiga ėmusi dvejoti, nuleido akis į savo rankas.

— Bet kada gali apsigalvoti, brangute. Juk žinai, aš tik noriu, kad tu būtum laiminga.

Mergaitė dar kartą linktelėjo.

— Gerai.

KETVIRTAS SKYRIUS

2001 m. liepos 27 d., penktadienis
Alenbio gatvė 14, Portisfildo rajonas, 18.10 val.

Šeštą valandą saulė dar kabojo aukštai vakaruose, ir ūpas, iš vėsių parduotuvių ir biurų išėjus į alinantį tos liepos pavakarės tvaiką, tarsi nupuldavo. Pavargę darbuotojai, nekantraudami pasiekti namus, tiesiog spirgėjo perkaitusiuose automobiliuose ir autobusuose, o Lora Bidulf sulėtinusi žingsnį stengėsi dar kartą susikaupti kovai su Grego vaikais. Kažin ar būtų galėjusi pasakyti, kas labiau vargina — ar aštuonių valandų pamaina Portisfildo *Sainsbury* ar buvimas po darbo namie su Panele Kiaulaite ir Šlykštynėle. Ji visaip išsisukinėdavo, kad tik nereikėtų pasakyti teisybės. *Jūsų tėvas apgailėtinas... Nė nemanykit, kad noriu būti jūsų pamotė...* Akimirką ji labai patenkinta vaizdavosi save taip sakančią, tačiau atsitokėjo ir pagalvojo apie galimą alternatyvą. *Arba tai, kad jos nėra.* Santykiai apskritai grindžiami melu, tačiau visada kur kas labiau tikėtina, kad juo patikės koks nors prislėgtas vyras. Kas jiems lieka, jei nenori būti vieniši?

Lauke plieskianti saulė savivaldybės pastatus nutvieksdavo kažkokiu netikru grožiu. Panelė Kiaulaitė ir Šlykštynėlė lindėjo užsitraukę užuolaidas svetainėje ir per visu garsu plyšojantį televizorių pakabinę akis vėpsojo kažkokį muzikos kanalą. Loros, vos tik įžengusios pro duris, šnerves užgulė tvyrantis keptų dešrelių tvaikas, ir galėjai tik numanyti, kiek kartų tądien jie trypinėjo virtuvėje. Jeigu būtų jos valia, uždarytų vaikėzus į spintą tik su duona ir vandeniu, kol numestų šiek tiek svorio ir pramoktų gerų manierų, tačiau Gregą dėl nesėkmių graužė kaltės jausmas, taigi atžalėlės diena iš dienos ėjo pilnyn ir atžagaryn. Lora nusimetė medvilninį švarkelį, nusiavė savo plokščiapadžius pardavėjos konsultantės batelius, susirado šlepetes, stovinčias po drabužių kabykla, ir pakeitė pagiežingą savo veido išraišką nutaisiusi šiltą, malonią šypseną. Jeigu stengsis būti maloni, turės viltį, kad kas nors gyvenime pasikeis.

Moteris pravėrė svetainės duris, įkišo nosį į tvankią, nevėdintą patalpą, pridvisusią nuo paauglių gadinamo oro, ir šūktelėjo per visą triukšmą:

— Gėrėte arbatos, ar jums užplikyti?

Tai buvo kvailas klausimas — nešvarios lėkštės, išterliotos pomidorų padažu, kaip paprastai, mėtėsi ant grindų. Tačiau tai buvo nesvarbu — jie nebūtų atsakę, kad ir ko ji būtų paklaususi.

Šlykštynėlė, trylikametis berniokas, paženklintas plintančios egzemos ten, kur pagurklis trinasi į kaklą, tuoj pat pagarsino muziką. Panelė Kiaulaitė, penkiolikmetė it dirižabliai išsipūtusiomis krūtimis, atsuko nugarą. Tai buvo kasdieninis ritualas, skirtas atšaldyti tos džiūsnos kėslus tapti jų pamote. Ir, reikia pasakyti, veiksmingas. Jei ne duktė, kurią šiedu iškart priėmė į savo tarpą — jie elgiasi gerai, mamyte, kai liekam vieni, — ji būtų jau seniai šį reikalą metusi. Lora palaukė, kol Šlykštynėlė iškoš savo „eik šikt" — kitas ritualas, niekada nesikeisdavęs, — lengviau atsidususi uždarė duris ir patraukė į virtuvę.

Dar išgirdo, kaip už nugaros buvo iškart pritildytas televizorius.

— Aš grįžau, Eime, — šūktelėjo ji eidama pro laiptus. — Ko norėtum, brangute? Žuvies lazdelių ar dešrelių?

Grego vaikams toks švelnumas kaip peilis, mąstydavo ji, girdėdama iš svetainės atsklindančias pamėgdžiojančias replikas: „Brangute... Brangute... Mamyte... Mamyte..." Meilūs žodžiai jiems sukeldavo pavydą.

Tačiau šįkart nieko panašaus nepasigirdo, ir Lora, apimta neaiškios baimės, pažvelgė į laiptų viršų, laukdama pasigirstant džiaugsmingo dešimtmetės dukros kojyčių bildesio ir jos pačios, skriejančios žemyn, kad pultų mamai į glėbį. Tokiomis akimirkomis moteris įtikindavo save, jog elgiasi teisingai. Tačiau atsikratyti graužiančio netikrumo niekada nepavykdavo, o kai neišgirdo jokio atsako, jai staiga toptelėjo mintis, kad tai buvo tik savęs apgaudinėjimas. Šūktelėjo dar kartą, šįkart garsiau, užlėkė laiptais, šokdama iškart per du laiptelius, ir atplėšė mergaitės miegamojo duris.

O po kelių sekundžių Lora jau vėl buvo svetainėje.

— Kur Eimė? — pasiteiravo vaikų.

— Ką aš žinau, — abejingai atsiliepė Baris, vėl garsindamas televizorių. — Turbūt išėjo.

— Kaip tai išėjo?

— Išėjo... IŠĖJO... Po velnių, ne įėjo... Jėzau, tu kvaila, ar ką?

Lora čiupo valdymo pultelį ir išjungė televizorių.

— Kur Eimė? — įsakmiai paklausė ji Kimberlės.

Mergiotė gūžtelėjo pečiais.

— Gal pas Petsę? — keldama balsą atrėžė ji.

— Tai ten ar ne?

— Iš kur man žinoti? Ji neskambina kas valandą ir nepraneša, kur yra, — tačiau storulė, pažvelgusi į baimės apimtą moters veidą liovėsi maivytis. — Žinoma, kad ten.

Baris kažkaip neramiai sukrutėjo ant sofos, ir Lora atsisuko į jį.

— Kas yra? — paklausė.

— Nieko, — jis patraukė pečiais. — Ne mūsų kaltė, kad ji nenori būti kartu.

— Neužsimirškite, jog moku Kimberlei, kad ją prižiūrėtų, o ne kasdien išgrūstų pas draugę.

Mergaitė metė į moterį piktą žvilgsnį.

— Taip, žinoma, tačiau ji — visai ne tas mažytis angelėlis, kuriuo manai ją esant, ir ne taip lengva ją priversti likti su mumis, nebent suriščiau. Jos neužtikai tik dėl to, kad anksčiau grįžai. Ji būna pas Petsę kasdien nuo mokslo metų pabaigos ir dažnai vakare grįžta namo vos kelios minutės prieš tau pasirodant. Pasiutusiai smagu klausytis, kaip kvailai tada atrodai! — Ir Kimberlė ėmė tyčiodamasi mėgdžioti išlavintą Loros kalbėseną: „Ar buvai gera mergaitė, mieloji? Nepraleidai baleto pamokos? Ar įdomi ta knyga, kurią skaitai?" Meilutė... Gerutė... Mammmmytės mažulytė balandėlė, — ji prisikišo du pirštus prie burnos ir prasižiojo. — Net vemt verčia.

Turbūt buvau visai netekusi nuovokos, kad palikau Eimę su jais...

— Na, tačiau ji bent *turi* motiną, — tėškė Lora. — Kur tavoji, Kimberle?

— Ne tavo sumautas reikalas.

Moters pyktis išsiveržė ilgai kaupta tulžim.

— Kiekvienam aišku, kad tai mano reikalas. Manot, būčiau čia, jeigu nebūtų jūsų metusi, kad galėtų susilaukti vaikų su kuo nors kitu, — moters akys degte degė. — Tačiau aš jos nekaltinu, kad jus paliko. Manote, smagu būti Panelės Kiaulaitės ir Šlykštynėlės motina?

— Kalė!

Lora tik ramiai nusijuokė.

— Išgraužk. Aš jau bent *plona* kalė. O tu?

— Atstok nuo jos, — piktai įsikišo Baris. — Ne jos kaltė, kad yra stambi. Nemandagu ją vadinti Panele Kiaulaite.

— Nemandagu! — tarsi netikėdama savo ausimis sušuko Lora. — Dieve, jūs net nežinote, ką šis žodis reiškia. *Valgis* yra vienintelis tau suprantamas žodis, Bari. Tai priežastis, dėl kurios judu su Kimberle esate *stambūs*, — ji kalbėjo pašaipiai pabrėždama žodžius, — ir nieko dėl to negalite padaryti. Žinoma, jeigu bent retkarčiais pakrutėtumėt ir apsitvarkytumėt, dar skambėtų įtikinamiau, — ji įniršusi bedė pirštu į nešvarias lėkštes, — tačiau kiurksote čia visą dieną kaip prie lovio, o paskui nusvirduliuojate, tarsi koks tarnas po jūsų turėtų viską sutvarkyti. Galvojate, kad esate ponai, ar ką?

Lora buvo sau prisiekusi daugiau nesivelti į panašias rietenas. Kritika tik žaloja, ardo savigarbą ir pakerta pasitikėjimą savimi. Tomis retomis valandėlėmis, kai ji su Martinu, buvusiu savo vyru, sutardavo — dabar tai jau tolima praeitis, — jis tvirtindavo, jog tai liga. „Žiaurumas tiesiog tavo kraujyje, — sakydavo jis. — Kaip koks herpio virusas. Kurį laiką snaudžia, tačiau kai kas nors jį pažadina, jis ima ir išveši."

— Tai mano namai. Darau, ką noriu, — įniršęs atrėžė Baris, kojomis maldamas kilimą ir ieškodamas atramos, kad galėtų išsiropšti iš sofos.

Neaišku, ką jis ketino daryti, bet stebėti buvo linksma. Ir kai moteris tyčiodamasi uždėjo ranką jam ant kaktos ir stumtelėjo atgal, viskas atrodė dar juokingiau.

— Pažvelk į save, — tarė ji bjaurėdamasi, kai Baris nuvirto ant pagalvių. — Tu toks storas, kad net negali pasikelti.

— Tu jam *trenkei*, — triumfuodama metė kaltinimą Kimberlė. — Paskambinsiu vaikų linijai... Patirsi pamoką.

— Baik, mažvaike, — atšovė Lora numodama ranka ir nusisukdama. — Aš jam netrenkiau, aš jį stumtelėjau, ir jei kas nors tave būtų išmokęs geriau kalbėti angliškai, suvoktum skirtumą. Tas tavo „patirsi pamoką" toks pat nesusipratimas, kaip ir Bario pareiškimas, kad tai *jo* namai.

Net suvirpėjo oras, kai Kimberlė pašoko nuo kėdės, mėgindama sugriebti moteriai už palaidinės.

Daug negalvojusi Lora skėlė deginantį antausį mergaitei per veidą, išsisuko jos rankų, ir akimirką jos tarsi sustingo viena priešais kitą, degte degdamos abipuse neapykanta, kol Lora susivokė, jog reikia sprukti.

— KALĖ! KALĖ! — klykė įsiutusi paauglė, vydamasi moterį koridoriumi į virtuvę. — UŽMUŠIU tave!

Lora užtrenkė duris ir įsirėmė į jas pečiu, kad sulaikytų Kimberlę, o širdis krūtinėje tiesiog daužyte daužėsi. *Gal visai protas pasimaišė?* Tokio sudėjimo ji negali kaip lygi su lygia susiremti su mergaite, todėl, sugriebusi rankeną, iš visų jėgų laikė ją, neleisdama nuspausti žemyn — mat galėjo lažintis, kad Panelės Kiaulaitės pirštai slidūs nuo kemšamų į burną traškučių. Tačiau kova vis tiek buvo alinanti ir apmalšo tik Bariui šūktelėjus, jog tėtis užkurs pirtį, jeigu ji vėl sulaužys duris.

Lora pamažu atleido pirštus, pajutusi, jog spaudimas atlėgo. Ji atsirėmė nugara į duris ir keletą kartų giliai įkvėpė, kad nusiramintų.

— Baris teisus, — atsakė ji. — Gregas ką tik baigė dažyti duris po to karto, kai jūs prie jų stumdėtės.

— Užsičiaupk, kale! — sukliko mergiotė ir paskutinįsyk riebiu kumščiu jau ne visa jėga trinktelėjo į duris. — Jei tu tokia velniškai tobula, kodėl tavo duktė vadina tave „vagina". Turėk galvoje, kai kitą kartą dejuosi „ooo" ir „aaa", tėčiui išsitraukus savo nuostabųjį pimpalą. Jėzau, net tavo duktė žino, kad miegi su juo tik dėl stogo virš galvos.

Lora užsimerkė, prisiminusi Martino juoką, kai Eimė pirmą kartą pavartojo tą žodį. Dar žindomų vaikų lūpose jis skamba itin skaudžiai.

— Nuoma brangi, — sumurmėjo ji. — Seksas nieko nekainuoja. Dėl ko daugiau čia būti? Kimberlė turbūt laikė pridėjusi ausį prie plonytėlių durų, nes išgirdo kiekvieną raidelę ir sakinio tono niuansus.

— Perduosiu tėčiui.

— Pirmyn. — Mergiotė ištiesė ranką telefono link, tačiau, kartu remdama nugara duris, negalėjo jo pasiekti. *Kodėl Eimė jai nepasakė, kad eina pas Petsę? Gal tai tik akių dūmimas?* — Tačiau jis nesupyks ant manęs, Kimberle, jis įtūš ant tavęs. Buvo toks pasiutusiai vienišas išėjus jūsų motinai, kad būtų įsitraukęs į lovą net ir bedantę senę, jei tik ji būtų sutikusi. Kažin ką iš mūsų jis palaikys, jei bandysi mane išstumti?

— Mane ir Barį, kai išgirs, kad juo tik naudojiesi.

— Nebūk pusgalvė, — nuvargusiu balsu pasakė Lora. — Jis vyras. Jis visiškai nesirūpins, kodėl su juo miegu — iki tol, kol su juo miegosiu.

— *Norėtum!* — piktdžiugiškai tarė mergina.

— Ar daug moterų pas jus lankėsi, Kimberle?

— Velniškai daug, — pergalingai tėškė ji. — Tampomės čia su tavim tik todėl, kad nusimovei prieš jį kelnaites.

— Ir kiek iš jų dar kada nors atėjo?

— Kas man rūpi. Žinau tik, kad *tu* sugrįžai.

— Tik todėl, kad buvau visai praradusi viltį, — lėtai pratarė ji. — Jeigu nebūčiau taip jautusis, niekas nebūtų įkalbėjęs manęs čia sugrįžti, — ji klausėsi sunkaus mergaitės šnopavimo. — Negi iš tikrųjų manai, kad tavo tėvas to nesupranta?

Stojo spengianti tyla.

— Na, taip, tačiau jam nebereikėjo kekšės, — suniurnėjo mergaitė. — Jis net niekada nepasiteiravo mūsų su Bariu, ką apie tai manom. Jis *negali*... Tu vis painiojies... Tarški apie savo darbą... Vediesi Eimę žiūrėti tų kvailų jos šokių...

— Virtuvėje galbūt... Tačiau svetainėje — niekada. Jūs aiškiai davėte suprasti, kad aš ten nepageidaujama.

— Taip, aišku! — Pasigirdo į slopinamą verksmą panašus garsas. — Tikiuosi, perdavei tėčiui, kad jis ten taip pat nelaukiamas.

— Nebuvo būtina. Jūs su Bariu patys kuo puikiausiai pasistengėte.

— Kaip tai?

— Leidžiat visu garsu televizorių... Nesisveikinat, jam sugrįžus... Valgot atskirai... Niekad nesikeliat, kol mes dar neišėję į darbą... Ji nutilo. — Juk gyvenimas — ne vienpusio eismo gatvė.

— Ką tuo nori pasakyti?

— Išsiaiškink pati, — Lora palankstė pirštus, kad atsileistų raumenys. — Kodėl motina nepanoro kartu pasiimti bent vieno iš jūsų?

Kimberlė vėl sprogo.

— *Nekenčiu* tavęs! — suurzgė ji. — Geriausia būtų, jei atsikabintum ir duotum ramiai gyventi. Tėčiui tai nepatiktų, tačiau mums suteiktum daug džiaugsmo.

Teisybė, pagalvojo Lora, vogčiomis atsidususi, ir jeigu Eimė nebūtų apsimetinėjusi, jog jaučiasi laiminga, jos būtų jau seniai išėjusios. *Nesirūpink dėl to, mamyte... Tikrai, viskas kuo puikiausia, kai jūs su Gregu išeinat...* Lora tikėjo, nes taip buvo lengviau gyventi, tačiau dabar keikė save už kvailumą.

— Kodėl Eimė vis lankosi pas Petsę? — pasiteiravo ji.

— Nori ir eina.

— Tai ne atsakymas, Kimberle. Eimei nebūtinai gerai tai, ko ji nori.

— Tai jos gyvenimas, — maištingai pareiškė mergaitė. — Gali daryti ką nori.

— Jai tik dešimt, ir naktimis ji vis dar čiulpia savo nykštį. Net negali apsispręsti, ko valgyti prie arbatos — žuvies lazdelių ar dešrelių, tai kaip ji gali tvarkyti savo gyvenimą?

— Tai nereiškia, kad turi daryti, ką jai liepi. Ji neprašė, kad ją pagimdytum... Ji tau nė velnio *nepriklauso.*

— O kada sakiau, kad priklauso?

— Elgiesi, lyg taip būtų... Visada jai nurodinėji... Sakai, kad ji negali išeiti.

— Ji negali išeiti *viena*, — pataisė Lora. — Niekada nesakiau, kad ji negali eiti su tavim ir Bariu, jeigu vaikštote drauge, — ji piktai suspaudė kumščius. — Dievas mato, aiškinau tai jums daugybę kartų, kad kas neatsitiktų. Nepraėjo nei poros mėnesių, kai Eimė čia, ir jai vis dar sunku prisiminti adresą ar telefono numerį. Kaip ji suras kelią, jei pasiklys?

— Neįmanoma paklysti einant pas Petsę, — kandžiai tėkštelėjo Kimberlė. — Ji gyvena vos už kelių namų.

— Nereikėjo jos ten leisti.

— Ji verksnė, — niūriai burbtelėjo Kimberlė. — Ilgainiui ima tampyti nervus. Manau, kažkas jai darosi. Nuolatos lindi tualete ir dejuoja, kad skauda pilvą.

Lora staigiai atplėšė duris, ir mergaitė pasitraukė atatupsta.

— Tada grąžink man pinigus, Kimberle, nes neketinu mokėti tau už tai, kad varteisi ant sofos, — ji žvilgtelėjo į laikrodį. — Turi penkias minutes parvesti Eimei namo ir kitas penkias surinkti penkiasdešimtinei, kurią gavai iš manęs už dvi savaites tariamos vaiko priežiūros.

Moters akys įtikino Kimberlę atsitraukti dar per žingsnį atgal, brolio, stebinčio jas iš svetainės tarpdurio, link.

— Aš juos išleidau.

— Tai keliausime į artimiausią kasą, ir nuimsi nuo savo santaupų.

— Taip? O ką tu man padarysi, jei negrąžinsiu?

Lora abejingai gūžtelėjo pečiais.

— Tada sėdėsime ant krepšių ir lauksime, kol sugrįš jūsų tėvas.

Kimberlės galva veikdavo vangiai, ypač susidūrus su staigesniu minties šuoliu.

— Kokių krepšių? — nesupratingai nusistebėjo ji.

— Lagaminų, — nusišaipė Lora. — Tokių daiktų, į kuriuos dedami drabužiai, — ji, nuleidusi rankas prie šonų, suvaidino, jog neša kažką sunkaus. — Ką žmonės neša, kai kur nors iškeliauja visam laikui?

— A, tokius krepšius, — mergiotės akys staiga nušvito. — Ar tai reiškia, kad tu išeini?

— Kai tik gausiu pinigus.

Kimberlė spragtelėjo pirštais broliui.

— Kur tie penkiasdešimt svarų, kur tėtis davė tau maistui? — valdingai pareikalavo. — Žinau, kad juos dar turi, duok šen.

Baris nervingai metė žvilgsnį į Lorą.

— Ne.

Sesuo jam piktai stuktelėjo.

— Gal, velniai rautų, nori, kad sulaužyčiau tavo sumautą ranką?

Brolis žengė į koridorių ir pakėlęs kumščius pasirengė gintis.

— Nenoriu, kad ji išeitų... Bent kol grįš tėtis. Tai ne mano kaltė, todėl nenoriu už tai atsakyti. Tėtis visai pablūdo, kai mus paliko mama... O tu tik dar viską pabloginai, kai pasakei, jog taip tik geriau. Tu tokia sumauta kvaiša, jog turbūt ir vėl tą patį mekensi... Nenustebsiu, jeigu tėtis užsipuls tave... Tačiau jis užsipuls ir mane, o tai jau neteisinga, — iš šiaip jau nekalbaus vaiko žodžiai ėmė tiesiog pilte piltis: — Sakiau tau, kad deramai prižiūrėtum Eimę, bet nieko nepaisei, nes esi paskutinė tinginė ir avigalvė. Daryk tą... Daryk aną... Pabučiuok man į užpakalį, Eime... Bet jeigu prasitarsi mamai, gausi. Vaikas bijo tavęs. AIŠKU, ji šiek tiek tampo nervus, tačiau žinant, kaip ją prižiūrėjai, nenuostabu, kad dažnai ašarodavo. Tavo bėda ta, kad niekas tavęs nemėgsta. Turėtum būti malonesnė... Tada susirastum draugų ir kitaip į viską žiūrėtum.

— Užsičiaupk, šliuže.

Jis nuslinko koridoriumi.

— Eisiu ieškoti Eimės, — tarė atidaręs laukujes duris. — Ir velniškai tikiuosi pakeliui sutikti tėtį — išklosiu jam, jog tai ne mano kaltė.

— Asilas! Votis! — jam įkandin riktelėjo Kimberlė ir iš visų jėgų spyrė į sieną. — Apsimyžęs bailys!

Palinkusi į priekį ir atkišusi pečius, nelyginant kokia boksininkė, ji atsuko įraudusį, piktą veidą į Lorą. Tačiau jos akyse blizgėjo ašaros, tarsi ką tik būtų kuo aiškiausiai suvokusi, jog prarado vienintelį sau ištikimą žmogų.

> Policijos pranešimas visoms nuovadoms

> 2001-07-27

> 18.53

> SKUBIAI

> Dingo be žinios

> Lora Bidulf/Rodžerson, gyvenanti Alenbio g. 14, Portisfildas, praneša apie dingusią 10 metų dukrą.

> Vaiko asmenvardis: Eimė Rodžerson (atsiliepia šaukiama Bidulf).

> Ūgis: apie 145 cm. Svoris: apie 30 kg.

> Išvaizda: lygūs, ilgi rudi plaukai, apsirengusi mėlynais marškinėliais ir juodomis aptemptomis kelnėmis.

> Paskutinį kartą pastebėta kaimyno išeinanti iš Alenbio g. 14, 10.00 val.

> Gali vykti į tėvo namus Saudbanko kelyje, Bornmute.

> Tėvo asmenvardis: Martinas Rodžersonas.

> Pranešti visiems patruliams.

> Sekti tolesnę informaciją.

> Policijos pranešimas visoms nuovadoms

> 2001-07-27

> 21.00

> PAPILDYMAS — Dingo be žinios — Eimė Rodžerson/Bidulf

> Gali vykti į Larčesą, Heizo aveniu, Sautamptone

> Gyveno ten su motina pusę metų, iki balandžio

> Savininkas/gyventojas — Edvardas Taunsendas — šiuo metu išvykęs atostogų

PENKTAS SKYRIUS

2001 m. liepos 28 d., šeštadienis
Alenbio g. 14, Portisfildo rajonas, 01.15 val.

SANTYKIAI ALENBIO GATVĖJE 14 galutinai pašlijo, ir pareigūnė, teikianti psichologinę pagalbą, patarė Lorai Bidulf persikelti į laikiną būstą, kad nekiltų tikra šeimyninė audra. Paaiškėjus, kad Eimė pastarąsias dvi savaites kasdien pradingdavo ir tik vakarais pasirodydavo namuose, Lora kaip paskutinio šiaudo įsitvėrė vilties, kad ji susitikinėdavo su tėvu. Tačiau kai jai buvo pranešta, jog po paieškos Martino Rodžersono namuose nieko nebuvo aptikta, o policija išsiaiškino, kad jis visą dieną praleido savo biure Bornmute, viltį pakeitė baimė, ir moteris savo įtarimus nukreipė į Gregorį ir jo atžalas. Ji piktai vainojo juos liežuviu, o policininkams klausantis darėsi vis įdomiau, kodėl ji tada apskritai atsidūrė šitoje šeimoje. Nereikėjo būti ypač nuovokiam, kad pastebėtum į akis krintantį amžiaus, visuomeninės padėties, išsilavinimo ir patrauklumo skirtumą, ir, nors negalėjo būti nė kalbos apie meilę, atvirai moters reiškiamas atgrasumas Gregorui ir jo šeimai visiškai neigė bet kokį artimesnį ryšį. Gilėjant nakčiai, Lora darėsi vis atšiauresnė; ji sėdėjo susmukusi kėdėje priešais virtuvės duris ir neleido įeiti niekam, išskyrus policininkus. Kiūtojo paraudusiomis iš nuovargio akimis, sterblėje pasidėjusi radijo imtuvą, ir kaskart krūptelėjusi pakeldavo galvą, kai išgirsdavo minint Eimės vardą. Kai moterį globojanti policininkė pasiūlė užlipti viršun ir nusnūsti, nes poilsis būtinas, ji tik kimiai nusijuokė ir atsakė, kad tai nebūtų labai protinga. Žinoma, nebent policija trokštų Kimberlės Logan mirties.

O merginos klyksmas visus jau buvo bebaigiąs išvesti iš kantrybės. Nė kiek nepavargdama ji vis bliovė kitai policininkei, kad jos niekas nemyli, koks esą apgailėtinas jos gyvenimas ir kad ji niekam nenorėjusi padaryti nieko bloga. Ji atsisakė palikti kambarį, gerti raminamųjų ir negalėjo, o gal nenorėjo papasakoti, kur pastarąsias dvi savaites dienomis pradingdavo Eimė, tik nuolat kartojo, jog tai ne jos kaltė, jei mergaitė meluodavo būnanti su Petse Triu.

Jos brolis paniuręs kiurksojo priešais televizorių, kimšdamas iš policijos atgabentus sumuštinius, ir tvirtino, kad tai Kimberlė meluodavo. Pasak jo, jau nuo trečiadienio sesuo žinojusi, jog Eimė nesilankanti pas draugę. Petsė buvo užsukusi — ji pati tai paliudijo — ir pasakė, jog štai jau kelios dienos, kaip nematanti Eimės, ir pasiteiravo, kur ji prapuolusi. Kimberlė jai liepė „atšokti", nes tai esąs ne jos reikalas. „Tu Eimei nebepatinki", kikendama ji išdrožė Petsei, o ši apsipylusi ašaromis puolė laukan. „Jėzau, Eimė tikra nusmurgėlė, — tarė ji Bariui, grįžusi į svetainę. — Turbūt lindi kokioje nors skylėje, kad galėtų vaizduoti turinti draugą. Nenuostabu, kad tokia perdžiūvusi kaip šakalys. Pavalgo tik tada, kai grįžta ta kekšė."

Seržantas pasiteiravo Bario, kodėl jis nieko apie tai neužsiminė Eimės mamai. Jis atsakė, jog Kimberlė jam būtų užlaužusi ranką arba dar blogiau — nebūtų leidusi į virtuvę. Ar Kimberlė sukdavo rankas ir Eimei? Jis patraukė pečiais. Tik kartą. Po to sykio Eimė išeidavusi kasdien. Kodėl Kimberlė tai padarė? Jis kaltai pasimuistė dribliais savo pečiais. „Nes Eimė verkdavo, kai vadindavome jos mamą „vagina", — prisipažino jis. — Kimberlę tai suerzino."

Vaikų tėvas, neryžtingas ir ligotos išvaizdos penkiasdešimtmetis autobuso vairuotojas, kaip įmanydamas stengėsi pagerinti padėtį. Jis nepaliaudamas pro virtuvės duris pranešinėjo Lorai, kad iš policijos atnešta dar sumuštinių — tarsi maistas būtų vienintelis jo meilės liudijimas. Jis neatrodė gebantis nuoširdžiai užjausti, ir pareigūnė mintyse svarstė, kada paskutinįsyk buvo ką nors apkabinęs ir prisiglaudęs. Vyriškis šio to pasiteiravo apie Eimę, turbūt, pareigūnės manymu, labiau dėl to, kad bijojo išgirsti atsakymą nei dėl to, kad jam būtų buvę įdomu, ir ėmėsi taukšti apie tai, kaip policija švaisto laiką persekiodama vairuotojus, užuot gaudžiusi pedofilus.

Jei būtų jo valia, tuos šunsnukius jis kastruotų ir pakartų su galais burnose — viduramžiais taip bausdavo eretikus, — nes tie iškrypėliai prieš mirdami turį pasikankinti. Pareigūnė paprašė jo nešūkauti taip garsiai, nes baiminosi, kad tokios šnekos gali dar labiau sukrėsti Lorą Bidulf, bet, kaip ir dukra, jis triukšmavo norėdamas padrąsinti save.

Policininkams, apieškojusiems Eimės kambarį, kilo tik keletas papildomų klausimų, nes viskas buvo likę savo vietoje, išskyrus mėlynus marškinėlius ir juodas aptemptas kelnes, kuriomis, kaip manyta, ji mūvėjo išeidama. Eimė pasirodė esanti valyva mergaitė, viską laikanti tvarkingai, todėl buvo abejojama, ar ji būtų galėjusi pabėgti, nes viskas, kas jai buvo mieliausia — meškiukas, apyrankė, aksominiai plaukų kaspinėliai, — gulėjo nepaliesti. Vietoje buvo net pinigų dėžutė su penkiais svarais ir nedidelė krūvelė knygų, slepiamų po lova. „Kodėl ji jas ten laiko?" — pasiteiravo Eimės motinos policininkė. „Kad Kimberlė nustotų jas iš pagiežos lamdžiusi", — atsakė Lora.

Gregoris buvo apklaustas labai nuodugniai. Kiek laiko Lora čia gyvenanti? *Du mėnesius.* Kur su ja susipažinęs? *Keletą kartų važiavusi jo autobusu.* Kas žengė pirmą žingsnį? *Ne jis. Nesitikėjęs susilaukti jos dėmesio.* Kas pasiūlė jai čia apsigyventi? *Jis negalįs prisiminti. Tiesiog kartą taip pasisuko kalba.* Ar jis nustebo, jai sutikus? *Nelabai. Jie tuo metu jau neblogai vienas kitą pažinojo.* Kaip jis apibūdintų savo santykius su Eime? *Geri.* O su savo vaikais? *Taip pat.* Ar Eimė kada važiavusi jo autobusu? *Kelis kartus su mama.* Ką jis sutiko pirmą — Lorą ar Eimę? *Lorą.* Ar pažinojo Eimės tėvą? *Ne.* Ar Lora jam sakė, kaip ir kur jos su Eime prieš tai gyveno? *Tik tai, kad jų santykiai nenusisekė.* Ar jam buvo žinoma, kad Kimberlė kibdavo prie Eimės? *Ne.* Ar kada bandė prisiglausti Eimę? *Gal porą kartų buvo apglėbęs.* Ar jai tai patiko? *Nesakė, kad ne.* Ar ją apibūdintų kaip patrauklią mergaitę? *Ji buvo žavinga šokėjėlė.* Ar jam dažnai šokdavo? *Ji šokdavo visiems... Mėgdavo būti dėmesio centre.* Ar kada ieškojo dingsties pasilikti su ja vienas? *Ko čia, velniai rautų, klausiate?*

Loros atsakymai patvirtino tai, ką pasakojo Gegoris, išskyrus jo santykius su savo vaikais. „Negali jų pakęsti, — tvirtino ji. — Bijo Kimberlės ir niekina Barį už tai, kad jis bailys... Tačiau jis pats bailus, todėl manau, kad tai visai logiška. Jis visada buvo toks meilus Eimei. Manau, dėl jos išgyvena."

Ją virtuvėje apklausė tas pats detektyvas inspektorius Taileris, kuris prieš tai, norėdamas ištraukti viską apie Eimės tėvą, kalbėjosi su ja ištisas šešias valandas. Šįkart, jau surinkęs daugiau informacijos, pateikė dar keletą klausimų apie santykius su vyru. Ko gero, Lora nujautė, kur link pasisuks kalba, nes atsisakė pakilti nuo grindų ar pasitraukti nuo virtuvės durų, ir jos beveik nuolat nusvarinta į priekį galva ir akis slepiantys tamsūs plaukai trukdė stebėti jos veido išraišką. Visa tai kėlė abejingumo, o gal net išsisukinėjimo įspūdį.

— Kodėl jis dėl jos išgyvena?

— Papasakojau jam, kad jos tėvas su ja negerai elgėsi.

— Tai tiesa?

Ji vos truktelėjo pečiais.

— Nelygu ką laikysime negeru elgesiu.

— Kaip jūs pati tai suprantate, Lora?

— Prievartos naudojimas be meilės.

— Kaip priekabiaujant?

— Taip.

— Jūs tuo apkaltinote ir Kimberlę?

Ji delsė atsakyti, tarsi saugotųsi kokių spąstų.

— Taip, — sutiko ji. — Ji ir Martinas vienodi.

— Kuria prasme?

— Nevisaverčiams žūtbūt reikia dominuoti.

Taileris prisiminė pirmuosius įspūdžius, kuriuos sukėlė Martinas Rodžersonas, kai atidarė duris — vilkintis paprastais marškiniais jis draugiškai ištiesė ranką. Pateikiantys savo pažymėjimus policininkai įpratę susilaukti nuostabos ir vengimo — kiekvienas dėl ko nors būgštauja ar jaučiasi kaltas, — tačiau Rodžersonas nieko panašaus neparodė. Dvidešimt penkeriais metais vyresnis už žmoną — gerokai perkopęs penkiasdešimtį — išvaizdus, gerų manierų, pasitikėjimą keliantis advokatas, šiltai spaudžiantis ranką. Tikrai neatrodė kaip aršus priekabiautojas, kokį pavaizdavo žmona.

— Kaip Martinas skriausdavo Eimę?

— Jūs vis tiek nesuprasite.

— Pabandysiu.

Moteris prieš prabildama kurį laiką delsė.

— Jis versdavo ją tiesiog maldauti švelnumo, — tarė ji, — todėl mergaitė manė, kad jo meilė vertesnė nei manoji.

Tai buvo toks netikėtas atsakymas, kad Taileris juo patikėjo. Jis prisiminė matęs užguitą šunį, šliaužiantį pilvu jį čaižančio berniuko link, o kai jis pabandė įsikišti, šuo įkando.

— O jūsiškę atstumdavo? — pasiteiravo inspektorius.

Lora neatsakė.

Jis atsargiai pamėgino paklausti kitaip:

— Jeigu žinojote, kad Kimberlė priekabiauja, kodėl palikdavote ją su Eime?

Lora pirštu ant grindų braižė apskritimus. Nesusikertančius. Ir uždarus. Taileris svarstė, ką jie reiškia. *Martiną? Ją pačią? Eimę? Susvetimėjimą?*

— Taupiau įnašui už būstą, — atsakė virpančiu balsu. — Tai vienintelė mūsų galimybė. Eimė to nori taip pat, kaip ir aš, — ji atgniaužusi kitą savo kumštį atidengė suvilgytą skudurėlį ir prispaudė sau prie akių. — Eimė man vis prisiekdavo, jog Kimberlė visai kitokia, kai jos lieka vienos. Žinojau, kad sako netiesą... Tačiau iš tikrųjų maniau, kad blogiausiu atveju ji visą dieną viena prasėdi savo kambaryje. Ir tai neatrodė taip jau blogai... Juo labiau po to, kai...

Lora nutilo, vėl sugniaužė skudurėlį tarp pirštų, tarsi tai būtų koks nešvarus drabužėlis, kurį reikėtų slėpti.

— Juo labiau po ko?

Ji atsakė ne iš karto, ir inspektorius nujautė, kad kuria paaiškinimą.

— Tiesiog toks gyvenimas, — prislėgta atsakė. — Visiems čia buvo ne pyragai.

Taileris kurį laiką stebėjo nulenktą jos galvą, o paskui užmetė akį į pastabas savo užrašuose.

— Pasak jūsų vyro, jūs su Eime nebegyvenate pas jį jau devynis mėnesius. Jis sako, kad palikote jį dėl žmogaus, vardu Edvardas Taunsendas, ir kiek jam buvo žinoma, jūs vis dar gyvenate su juo.

— Meluoja, — atrėžė ji. — Puikiai žino, kad mudu su Edžiu išsiskyrėme.

— Kodėl jam dėl to reikėtų meluoti?

— Jis teisininkas.

— Tai dar nieko nesako, Lora.

Moteris į jo pastabą tik numojo ranka.

— Privalėjau pranešti jam, jeigu kas nors pasikeis. Tačiau to nepadariau. Tai formalumas. Martinas, žinoma, gali tai užginčyti, mat gavo informaciją ne iš manęs; atseit nepranešusi elgiausi prieš Eimės interesus, nes nuslėpiau tikrąją padėtį.

— Kas jam galėjo apie tai pranešti?

— Edis. Martinas — vis dar jo advokatas. Kalbasi su Edžiu daugiau, nei kada kalbėdavosi su manimi, — moteris tyliai ir karčiai nusijuokė. — Jis Edžio bendrovės teisinis patarėjas. Jie nuolat tariasi telefonu.

Taileris kiek patylėjo. Žmogaus prigimties vingiai jo jau seniai nebestebina. Rodžersonu dėtas, jis būtų visomis pastangomis stengęsis sužlugdyti kitą vyrą, žinoma, jeigu meilė dar nebūtų visai išgaravusi.

— Kodėl nepranešėte Martinui, kad palikote Edį?

— Bandžiau apsaugoti Eimę.

„Tiesiog pirmas pasitaikęs atsakymas", — pamanė sau Taileris.

— Ar yra kokių kitų priekabiavimo atvejų, apie kuriuos man nepapasakojote?

— Ne.

Taileris dar kartą dirstelėjo į savo užrašus, ir vėl stojo tyla. Tai buvo pabrėžtinai neigiamas atsakymas, ir jis pasvarstė, kad gal ji tikėjosi šio klausimo. Jis pats tikėjosi audringesnio atsakymo, karšto įrodinėjimo, kodėl tokia prielaida visiškai neturi pagrindo. Todėl atsakymas inspektoriui sukėlė abejonių, ypač prisiminus piktą jos vyro reakciją į panašų klausimą.

Jis nuvedė pirštą į puslapio apačią.

— Pasak jūsų vyro, ponas Taunsendas šiuo metu atostogauja. Jis su drauge išvykęs į Maljorką. Taunsendas yra jūsų vyro klientas jau daugiau kaip dešimt metų, — tęsė inspektorius. — Užsiima statybų verslu. Jie su žmona išsiskyrė prieš dvejus metus. Jūsų romanas prasidėjo netrukus po to, ir praeitą spalį pas jį atsikėlėte. Taunsendas gyvena Sautamptone. Jūsų vyras sutiko, kad jūs globotumėt Eimę jums gyvenant su Taunsendu. Vienintelė jo sąlyga buvo ta, kad santykiams nutrūkus jūs sugrąžinate Eimę jo priežiūrai, kol bus išspręsta jūsų skyrybų byla. Jis minėjo, kad gyvendama su Taunsendu grąžindavote jo siunčiamus čekius, o pati neturite galimybės jos išlaikyti. Tai tiesa?

Lora nepritariamai kilstelėjo ranką.

— Martinas niekad nebuvo, — ji ieškojo tinkamo žodžio, — toks *supratingas*.

— Jūs miegojote su jo draugu. Vargu ar jis galėjo tuo būti patenkintas.

— Aš ir nesitikėjau, kad bus, — rėžė moteris.

— Tai kas atsitiko?

— Su Edžiu nieko nepavyko, tai atsiradome čia.

— Gal yra kokia priežastis, dėl kurios nepavyko?

Moteris persibraukė veidą apkritusius plaukus.

— Vargu ar tai buvo įmanoma. Iš mūsų santykių tikėjomės skirtingų dalykų.

— Ko tikėjotės jūs?

— Pabėgti, — be užuolankų atsakė ji.

— Kodėl grąžindavote vyro siunčiamus čekius?

— Tai jau nebūtų buvęs pabėgimas.

— Ko norėjo Edis?

— Sekso.

— Juk ir Gregoris to nori?

— Taip.

— Jūs tikra spartuolė, — švelniai tarė Taileris. — Vieną akimirką dar su vadybininku Sautamptone, o kitą — jau su autobuso vairuotoju Portisfilde. Kaip jums tai pavyksta?

— Penkias savaites gyvenome viešbutyje.

— Kodėl?

— Dėl anonimiškumo.

— Slėpėtės nuo Martino? — Lora gūžtelėjo pečiais. — Nes jis būtų pasiėmęs Eimę?

— Taip.

— Kas mokėjo?

— Aš iš savo santaupų, — ji šiek tiek patylėjo. — Negalėjau dirbti, nes nebuvo su kuo ją palikti, o santaupos tirpte tirpo. Todėl reikėjo ieškotis kitos vietos.

Inspektorius apvedė akimis virtuvę.

— Kodėl kitas vyras? Kodėl neįsirašėte į laukiančių būsto sąrašą ir nesudarėte mergaitei tinkamų gyvenimo sąlygų?

Lora vėl ėmėsi brėžti apskritimus.

— Negalėjau rizikuoti. Jei būčiau pranešusi būsto rūpybai apie Eimės tėvą, pareigūnai, sužinoję, kad ji turi kur gyventi, būtų ją iš manęs atėmę, — pasigirdo duslus moters juokas. — Kad ir kaip ten būtų, Martinas juk snobas. Žinojau, kad jis mūsų čia niekada neieškotų. Jam nebūtų atėję į galvą, kad galiu apsigyventi savivaldybės name ir dirbti prekybos centre, kad tik nuo jo nepriklausyčiau.

— Kaip į tai žiūri Eimė?

Net tavo dukteriai aišku, jog miegi su juo tik dėl stogo virš galvos...

— Nežinau. Niekad nesiteiravau.

— Kodėl?

— Juk pats matėte Martino namus, — ji metė jam trumpą klausiamą žvilgsnį. — Kuriuos pasirinktumėt, jei būtumėt dešimties metų mergaitė?

Rodžersonas, išgirdęs, kur Eimė gyveno pastaruosius du mėnesius, paklausė to paties.

— Žinoma, jūsų vyro, tačiau jei ji taip nori, pačiai reikia leisti pasirinkti. Ji turi tiek pat teisių, kaip ir jūs, Lora, ir visiškai neprivalo būti įkaitė tėvų kare.

— Jei ji būtų įkaitė, — atšovė ji, — sėdėtų saugiai užrakinta savo kambaryje, ir dabar apie tai nesikalbėtume.

— Ne tai turėjau galvoje, Lora.

— Žinau, ką galvojate, — sumurmėjo ji ir pagarsino radiją, kad priverstų Tailerį nutilti. — Tačiau kalbate visai kaip Martinas, tai turbūt jo ir reikėtų klausti, ką jis turi galvoje.

* * *

... du šimtai vietos gyventojų prisidėjo prie policijos, kai buvo apieškomi aplinkiniai laukai...

... policija mano, kad Eimė gali vykti į tėvo namus Bornmute...

... pietinio rajono namų savininkų paprašyta apžiūrėti pašiūres, garažus, apleistas šaldyklas, namų pastatus... Dar lieka vilties, kad Eimė kur nors užsiglaudusi užmigo...

... NSPCC* atstovas spaudai pareiškė, kad vaiko dingimas yra sukrečianti nelaimė, tačiau priminė visuomenei, kad per savaitę savuose namuose du vaikai žūsta nuo žiauraus elgesio ir nesirūpinimo jais...

... policijos atstovas spaudai patvirtino, kad per aštuonias valandas nuo Eimės dingimo buvo patikrinti visi registruoti Hempšyro pedofilai...

... jokių pėdsakų...

---

* *The National Society for the Prevention of Crevelty to Children* — Nacionalinė žiaurumo vaikų atžvilgiu prevencijos draugija

2001 m. liepos 28 d., šeštadienis

10.00 — 19.00

ŠEŠTAS SKYRIUS

2001 m. liepos 28 d., **šeštadienis**
Glibo gatvė, Basindeilo rajonas

MELANI PATERSON SU SAVO mama sėdėjo ant suoliuko prie „Co-op" prekybos centro Glibo gatvėje ir paeiliui pasidalydamos traukė cigaretę. Tai buvo nusistovėjęs šeštadieninis ritualas, kurio metu jos, prieš eidamos kartu apsipirkti, apsikeisdavo naujienomis. Visai kaip ir seniau, kai dar gyveno drauge. Geinora išsitiesdavo ant sofos, Melani susirangydavo priešais, ir jos siurbčiodavo alų, rūkydavo perlaužtą į dvi dalis cigaretę ir postringaudavo apie viską iš eilės. Jos visada buvo artimos ir niekaip negalėjo suprasti socialinės tarnybos rūpesčio dėl nepaliaujamai gausėjančios jų šeimos.

Geinora atrodė kaip iš akies traukta duktė, tik vyresnė, ne tokia aukšta, bet tokių pačių vešlių šviesių plaukų ir švytinčių žydrų akių. Jos penktasis vaikas, mažiausias berniukas, gimė pusmečiu vėliau už savo dukterėčią Rozą, tačiau niekas iš Patersonų neįžvelgė čia nieko labai stebėtino. Jų giminėje logikos nepaisė niekas. Melani prosenelė, pati dešimties vaikų motina, gimė penkeri metai po vyriausiojo brolio žūties Pirmajame pasauliniame kare, tačiau laikė jo fotografiją prie lovos ir šnekėdavosi su ja, lyg būtų su tuo broliu artimesnė nei su kitais, likusiais gyvais. Galėjo būti ir taip, nes Patersonų vyrai garsėjo karingumu — *tai airiškas kraujas,* — kartodavo prosenelė, brėždama miglotą giją kažkokio tolimo protėvio link, kuris devynioliktame amžiuje perplaukė jūrą ir atvyko į Liverpulį, (o Patersonų moterys tuo, jog iš nuobodulio įsitaisydavo meilužių *...gerasis Viešpats nebūtų davęs mums įsčių, jeigu nebūtų norėjęs, kad jose megztųsi vaisiai).*

Tokiam požiūriui pritarė ir Melani su savo mama. Mokslus išėjusios sveikatos prižiūrėtojos galėjo užsimušdamos aiškinti apie kontracepciją, tačiau vaikų gimdymas joms buvo gamtos šauksmas. Kaip ir aibei moterų prieš jas. Patersonų moterys niekada nesilaikė požiūrio, jog savirealizacija pasiekiama per nuolatinį darbą ir iš jo gaunamas pajamas. Moteris turi gimdyti vaikus, ypač jei kas nors juos pasiruošęs išlaikyti. Taigi didžiausias Geinoros pasiekimas ir buvo vyriausioji duktė, visų numylėtinė ir savo ruožtu visus mylinti pati. Vyrai motinos ir dukters gyvenimuose pasirodydavo ir išnykdavo, tačiau jų tarpusavio ryšys likdavo nepajudinamas. Jos sutardavo dėl visko — simpatijų, antipatijų, įsitikinimų, požiūrių, nuomonių, priešų ir draugų. Praėjusį šeštadienį iš Melani išgirdusi, kad vos už kelių žingsnių nuo jos anūkų įsitaisė pedofilai, Geinora žinią sutiko nuspėjamu pykčiu.

— To jau per daug, — pasakė ji. — Socialiniai negali įbrukti psichų į jūsų gatvę ir tikėtis, kad nenuleisite nuo savo mažylių akių dvidešimt keturias valandas per parą. Tada išeitų, jog tos šiukšlės svarbesni už tave, mane, Rozą ir Beną kartu sudėjus... O taip nėra, brangioji. Tokius reikėtų visam laikui uždaryti... Va taip, — ji užsitraukė ir ištiesė cigaretę dukrai. — Neleisiu jums su vaikeliais būti pavojuje, — staiga ryžtingai tarė ji. — Tau reikia grįžti namo. Su mažaisiais galėsi gyventi Kolino kambaryje, o jis persikels pas Brajų ir mažąjį Džonį.

Tačiau Melani papurtė galvą.

— Džimis turi išeiti artimiausiomis dienomis. Jis mus apgins. Be to, manau, kad tai tos šiukšlės turėtų dingti, o ne mes... Taip ir pasakiau tai karvei iš Būsto skyriaus: socialiniai tikri smirdžiai, pasakiau, pamokslauja mums, ji parodė, kad cituoja, apie motinystę, o paskui nuteškia mums susmirdusius pedofilus nieko nepranešę. O ji man liepia nustoti keiktis, priešingu atveju padėsianti ragelį.

— Eik tu!

— Tikrai, o aš atsakiau, kad jei ji mano, jog keiktis blogiau, nei žudyti mažus vaikučius, tai tegu pasigydo. Pasakiau, kad tikriausiai jai nepatiktų, jeigu savivaldybė įkištų iškrypėlius šalia jos. Tada prasidėjo įprastas malimas... Ji nežinanti, apie ką aš kalbu... Tai neįeina į jos pareigas... Reikia kreiptis į socialinį darbuotoją. Visai įsiutau ir pasakiau, kad jeigu pati, po velnių, neiškeldins, tai patys gatvės gyventojai tai už ją padarys. Na, supranti, jiems mūsų vaikai visiškai nieko nereiškia, jeigu mano, kad nieko tokio, jeigu susmirdę šlykštūs seniai galės juos pasičiupti, kada tik jiems paniš... Tada ji padėjo ragelį...

Po savaitės, pakurstytas žiniasklaidos pranešimų apie Portisfilde dingusį vaiką, priešiškumas pedofilams pasiekė kritinį tašką. Kai paštininkas parodė kaimynui peradresuotą laišką, paaiškėjo, kad vyriškiai prieš tai gyveno Kalumo gatvėje, Portisfilde, todėl vėlų penktadienio vakarą minėtasis kaimynas paskambino buvusiai 23-iojo namo gyventojai Merei Falon, norėdamas išsiaiškinti, kas jai žinoma.

Merės galva tik tuo ir buvo užimta. Portisfilde knibždėte knibžda policininkų, kurie beldžiasi į duris, rodo vaiko nuotrauką ir klausinėja, ar kas jos nematė, o gal kas nors žinąs, kur ji lankydavosi pastarąsias dvi savaites. Jie užsimindavo apie „pažįstamą", apie kurį jos šeima nieko nežinojusi, tačiau net ir paskutiniam pusgalviui būdavo aišku kaip ant delno, kad „pažįstamas" iš tikrųjų reiškia pasalūnišką pedofilą. Du tokius prieš kokį mėnesį iškeldino iš Portisfildo, kai vienas jų buvo atpažintas iš fotografijos, ir Merė nebuvo vienintelė, siūliusi policijai jais pasidomėti. Mergaitė gyveno visiškai šalia jų dievažin kiek laiko, tad, galima lažintis, kad pedofilai, kaip žinia, nuolatos rezgantys savo darbelius — ieškodami apleistų ir pažeidžiamų vaikų, — buvo atkreipę į ją dėmesį. Todėl neverta manyti, jog ji laikoma kur nors netoliese, nes greičiausiai ją kasdien vežioja iš vietos į vietą.

Merė kokias penkias sekundes buvo praradusi amą jos bičiuliui pranešus, kad Portisfildo pedofilai įsikraustė į buvusį jos namą. Ji negalėjo tuo patikėti. Jos name! Tų dvokiančių atmatų namai! Koks kvailys nusprendė juos atkelti į jų kvartalą? Ten daugiau vaikų nei suaugusiųjų. Tai tas pats, kaip paskirti narkomaną saugoti vaistinę. Kaip juos suuodė? Gal kaip masalu pasinaudojo kokiu nors vaiku? Ar jie turi automobilį? Ar kasdien išeina iš namų? Gal kas nors pastebėjo mažą liesą tamsiaplaukę mergaitę?

Beveik visi atsakymai į jos klausimus buvo neigiami, tačiau

įtarimų tai nesumažino. Vyriškių atvykimas buvo toks paslaptingas, kad kėlė abejonių, ar jie apskritai gali be leidimo kur nors išeiti iš namų. Jaunesnysis tik retkarčiais išpėdina apsipirkti, ir tai tiesiog prasmunka gatve nepakeldamas akių, tačiau kas galėtų pasakyti, kur jis traukia pasukęs už Basindeilo kvartalo kampo ir ar kur slapta nelaiko pastatęs automobilio? Vyresnįjį, išblyškusio veido tamsiaplaukį, kartais pastebėdavo prie lango, stovintį šešėlyje ir spoksantį į praeivius, tačiau kas žino, kuo jis užsiima sutemus, kai padorūs žmonės miega? O dėl mažos mergaitės... Juk jie neparsivežtų jos namo vidury baltos dienos.

Savaitės pradžioje ketinta šeštadienio popietę apsupti Humberto gatvę ir priversti policiją iškeldinti iškrypėlius, nors aiškiai jautėsi nepasitenkinimas, kad tokių drastiškų... kitaip tariant, ryžtingų veiksmų nesigriebė Portisfildas. Tai išryškino požiūrių skirtumus, kuriems atstovavo šie rajonai — vienas šiuolaikiškas ir norintis iškilti, kitas — apgriuvęs varguomenės getas. Pasiturintieji skundėsi. Žemesnioji klasė veikė.

Savaime suprantama, Basindeile niekas nesivargino savo ketinimų pranešti policijai. Tikėtasi išgąsdinimu tuos šunis policininkus priversti iškeldinti iškrypėlius. Tuo pačiu ir nebūtų galimybių farams uždrausti eitynių, o paskui sulaikyti mėginančių nepaisyti draudimo demonstrantų. Šiaip ar taip, gausybė Rūgšties kvartalo paauglių savaitgaliais už bausmę dirba viešuosius darbus, tad net jei faraonai užuos grėsmę, pusė jų pajėgų negalės dalyvauti, nes turės saugoti nuteistuosius, kol pavojus praeis. Tai visuotinis protestas. Ir kuo daugiau dalyvių, tuo labiau reikės jų nuomonės paisyti... Ir mažiau tikėtina, kad nebus atsižvelgta į jų reikalavimą...

Geinora ir Melani didžiavosi, ir ne be tam tikro pagrindo, esančios numatomo žygio įkvėpėjos. Tai jos atkreipė bendruomenės dėmesį į iškrypėlius. Šių moterų ryžtas susilaukė kaimynų palaikymo. Jų pastangos pavertė mintis veiksmais, o paskatos buvo visai nesavanaudiškos. Geinora su Melani manė, kad savivaldybė, į kvartalą įsileidusi pedofilus, įstūmė vaikus į pavojų. Tai bus žūtbūtinė kova. Valdžia turės atsikratyti iškrypėlių, ir vaikai sau lakstys saugūs.

Tik jos nelabai galėjo numatyti, kas bus, nes net nenumanė,

kad jų vadovavimas nepastebimai bus perimtas, o protesto eitynės virs išpuoliu. Taip tikrai neatrodė patį vienos karščiausių metų dienų vidudienį.

Tačiau, kaip moteriškėms būtų galėjusi pasakyti policija, riaušės kyla, kai karštis perkaitina galvas.

Tą šeštadienį ant suoliuko prie „Co-op" parduotuvės Melani apšvietė motiną, kur ir kurią popietę rinksis protestuotojai.

— Daugiausia moterys su vaikais — manau, bus koks šimtas, tiek užteks priversti faraonus sėdėti kaip pelėms po šluota ir daryti išvadas. Džimis taip pat ten bus, ir kadangi mes su tavimi ateisime pirmos ir pavadovausime, viskas turėtų klotis kaip sviestu patepta, — duktė matė, kad motinos mintys klaidžioja kažkur kitur. — Tai svarbu, mama, — rimtai tęsė ji. — Jeigu tu ir aš laiku nepasirodysime prie mokyklos ir neprižiūrėsime to sumauto reikalo, nieko neišdegs. Žinai, kokie čia visi aplinkui. Nulėks į užeigą, jeigu niekas nenurodys, ką daryti.

— Taip, taip. Būsiu ten, širduže, — Geinora atsiduso. — Spaudžia širdį dėl mūsų Kolino. Tas Veslis Barberis vėl trinasi aplink, o Kolinas žino, kad negaliu jo pakęsti.

— Džimis taip pat jo nevirškina... Vadina atsilikėliu. Sako, kad jis užtraukė juočkiams blogą vardą, nes nuolat apkvaišęs nuo krištolinio meto*. Negalima leisti, kad Kolinas įjunktų į kvaišalus, mama. Džimis taip pat baigia reikalus su rūgštimi, o jeigu Kolinas į tai įklimps, tikrai pražus.

— O, Dieve! — Geinora susirūpinusi perbraukė sau plaukus. — Ką man daryti, brangute? Šiandien iki trijų nakties slankiojo su tuo šunsnukiu Kevinu Čarteriu. Jie kažką rezga, o aš nenumanau ką.

— Ką įpratę daryti penktadienio vakarais, — atsakė Melani. — Traukia į klubus ir mušasi. Kevas ne toks jau blogas, kaip Veslis.

Geinora papurtė galvą.

---

* Metamfetamino

— Kolas buvo blaivut blaivutėlis. Buvau taip įpykusi, kad laukiau jo sugrįžtančio — jis žino, kad laikysiu uždarius namie, jeigu jį vėl sučiups vagiant, — tačiau jis nesisakė, kur buvo... Tiesiog atsikirto ir pasakė, kad aš priekabi zyzlė.

Melani užsigalvojo apie savo keturiolikmetį brolį.

— Galbūt su kuo nors susigulė, — kikendama tarė. — Tai ne toks dalykas, apie kurį vyrukas pasisakys mamai.

Tačiau Geinorai tai neatrodė juokinga.

— Manau, kad važinėjasi svetimais automobiliais, — nelinksmai atsakė ji. — Nuo jo trenkė benzinu, todėl greičiausiai lindėjo mašinoje. Daviau jam kaip reikiant pylos... Pasakiau, kad vieną kartą užsimuš... Arba bus užmuštas... Bet tik paliepęs man žiūrėti savo reikalų jis nudrožė į savo kambarį.

— Gal man su juo pasikalbėti?

— Ar galėtum, brangute? Žinai, kad jis tavęs klauso. Tiesiog pasakyk, jog nenoriu, kad žūtų... Verčiau matysiu jį kalėjime nei apsivyniojusį apie stulpą. Bent turės progą užaugti ir kuo nors tapti.

— Rytoj taip ir padarysiu, — pažadėjo Melani, — kai tik atsikratysime iškrypėlių.

Pinderio gatvė, Basindeilo rajonas

Policininkė Henson, pasukusi į Pinderio gatvę, tiesiog negalėjo nepastebėti užrašo ant sienos. Jis buvo išpieštas ant baltos sienos pačiame terasos gale rėkiančiomis geltona ir rožine spalvomis — *Mirtis kiaulėms*, — o po užrašu karikatūriškai nupieštos į nacių svastiką sujungtos letenos. Vakar šio užrašo čia dar nebuvo, ir policininkė prisivertė atidžiai jį apžiūrėti. Juk negali būti, kad tai taikoma jai.

Moteris sustojo prie 121 namo ir užlipo laiptais, kad dar kartą pamėgintų iškvosti penkiolikmetį Veslį Barberį dėl miesto centre įvykdyto plėšimo ir pabėgimo. Na, tai buvo abejotina sėkmė. Tiesa, veikimo būdas buvo patikimas — auka buvo pro šonines pašto duris išėjusi pagyvenusi moteris, rankoje laikanti piniginę su pensijos pinigais, — tačiau liudininko apibūdinimas *milžiniško sudėjimo juodaodis berniukas išsprogusiomis akimis* neįtikins teisėjo, kad kaltininkas kas nors kitas, o ne mielo veido Veslis.

Protiškai atsilikęs berniukas — psichopatas, vartojantis LSD ir metamfetaminą, pasak jo auklėtojo, kuris į jo pravaikštas žiūrėjo pro pirštus — kad tik vaikas nepasirodytų mokykloje, — atrodė kaip šventasis. Tačiau visi dėl jo jau buvo praradę paskutinę viltį, įskaitant ir motiną, kuri didžiąją laiko dalį praleisdavo bažnyčioje melsdama stebuklo. Veslio niekad nebūdavo namie, kai ieškodavo policija, todėl viltis jį apklausti buvo menka.

Henson išgirdo šūksnius pačiame gatvės gale ir, pažvelgusi į tą pusę, išvydo iš už kampo išnirusią jaunuolių gaują, besistumdančią ir tarpusavyje besisvaidančią keiksmais. Ji skubiai nukreipė žvilgsnį į šalį, būgštaudama jų priešiškumo, tačiau vaikėzai, pastebėję policijos automobilį, nieko nelaukdami nėrė į šalį. Tačiau vienas jų pakankamai garsiai, kad net kuo aiškiausiai girdėjo ir ji, sušuko:

— Vieniša šliundra, velniai rautų. Be vargo ją patvarkytume.

Pareigūnė uždėjo ranką ant automobilio durelių, kad atgautų vidinę pusiausvyrą, ir tyčia pažvelgė jiems pavymui, tarsi svarstytų, ko imtis. Rūgšties rajonas ją gąsdino nuo pat pradžių. Ji lygindavo tą jausmą su baime šunims. Gali kruopščiausiai laikytis visų reikiamų elgesio taisyklių, bet jei iš tikrųjų bijai, gyvuliai pajunta. Ji mėgino tai paaiškinti savo viršininkui, tačiau už tai tik buvo išbarta.

— Nuo šiol Rūgšties kvartale patruliuosi dar daugiau, — atrėžė jis. — Toks mūsų darbas. Jei negali įsikirsti, verčiau tuoj pat išeik, nes jei dar kada pavadinsi tuos žmones „gyvuliais", nudirsiu kailį.

Henson ne tai turėjo galvoje. Tiesiog *baimę šunims* pavartojo kaip palyginimą, tačiau viršininkas negalėjo arba nesiteikė suprasti. Ji ieškojo paramos, o vienintelė pagalba, kurios sulaukė, buvo ta, jog jis ją privertė susidurti akis į akį su savo baime kasdien. Per tris mėnesius ji tiek daug laiko viena praleido kvartale, kad baimė tapo tiesiog liguista. Kad ir kur vaikščiotų, jautėsi nuolat sekama ir stebima. Jai atrodė, kad jaunuoliai buriasi į grupes ketindami užklupti ją nepasirengusią ir negalinčią apsiginti. Ji netgi galvojo kaip tipiška paranojikė, kad viršininkas rezga planus ją sunaikinti. Mat nuolat siunčia ją vieną...

— Ten vėl policininkė, — tarė Veslio motina, žvelgdama pro tinklines užuolaidas. — Ar šįkart kalbėsies su ja? Ji žinojo, kad jis padarė ką nors blogo. Niekada nesuklysdavo. Nors nuolatos melsdavosi, giliai širdyje žinojo, kad sūnus nebeišsigelbės. Pastorius jai sakė, kad jis vartoja narkotikus, tačiau ji tuo netikėjo. Tiesiog Veslį, kaip ir jo tėvą, apsėdusi piktoji dvasia.

— Nė už ką. Bando man prikabinti plėšimą.

Ponios Barber žvilgsnis verte pervėrė sūnų.

— Tavo darbas?

— Aišku, kad ne, — atsakė jis beveik įsižeidęs.

— Tu, melagiūkšti, — tarė ji ir šėrė per galvą savo mėsinga ranka. — Kiek kartų tave įspėjau? Kitą kartą kai pačiupsi kokios pagyvenusios ledi pinigus, pati tave vaikysiuos po gatves.

— Baik, — sušuko jis. — Tai ne aš, mama. Kodėl niekad manim netiki?

— Nes tu — savo tėvo sūnus, — apmaudžiai atsakė motina. Vėl nusisukusi ji ėmė pro langą stebėti policininkę Henson, išbalusiais pirštais įsikibusią į automobilio dureles.

— Atrodo išsigandusi, — sumurmėjo ji. — Gal su savo draugeliais vėl kažką ruošiate? Ko jie ten šūkavo?

— Ką aš žinau, — sumelavo jis ir nulapnojo į koridorių, svarstydamas, ką ji pasakytų, jeigu sužinotų, kad jis pilstė benziną į butelius. — Pasakyk policininkei, kad neįsivaizduoji, kur aš, — ir išrūko pro galines duris. — Iki pasimatymo, mama.

Tačiau ponią Barber labiau domino išblyškęs kaip drobė policininkės veidas. Sunkia širdimi ji svarstė, ką tokio Veslis bus iškrėtęs šįkart, kad ta moteris taip bijo su juo pasikalbėti.

> Policijos pranešimas visoms nuovadoms
> 2001-07-28
> 12.32
> Basindeilo kvartalas
> Milošas Zelovskis, Humberto g. 23, pranešė apie jaunuo-
lių siautėjimą gatvėje po rytinio pokalbio dėl dingusio
vaiko
> Vyksta patrulinis automobilis 031

> 2001-07-28
> 12.35
> Basindeilo rajonas
> Ponia Dž. Makdonald, Pietų Miško g. 84, praneša pastebėju-
si Eimę Bidulf Basindeilo kvartale vakar 22.00
> Praneša, kad 25 kartus mėgino prisiskambinti
> Policijos telefonai nuolat užimti

> 2001-07-28
> 12.46
> Basindeilo kvartalas
> Patrulinė mašina 031 nuvyko apklausti ponios Dž. Makdo-
nald, galbūt pastebėta Eimė Bidulf

SEPTINTAS SKYRIUS

2001 m. liepos 28 d., šeštadienis
Humberto g., Basindeilo kvartalas

DŽIMIS DŽEIMSAS PABANDĖ apglėbti Melani per liemenį, kai ji statė lėkštę su valgiu ant stalo, tačiau Melani pasirodė vikresnė ir išsisuko jo rankos grakščiu piruetu. Roza kitame stalo gale suprunkštė.

— Matai, brangute, — sučiauškėjo mama, — sakiau, kad jam paleistam bus tik viena galvoj.

— Neturėtum mergaičiukei kalbėti tokių dalykų, — atsiliepė Džimis. — Ji dar visai mažutė.

— Tegu žino, kokie tie vyriukai, — rimtai atsakė Melani, belsdama į jo lėkštės kraštą šaukštu. — Pavalgyk ir gausi tą savo užpakaliuką. Tu ne toks girtas, kad nesuvoktum, kas čia pas mus kaupiasi.

Gražiai nuaugęs, išvaizdus juodaodis skusta galva, ką tik kalėjime praleidęs keturis mėnesius už virtinę nedidelių grobimų, neturėjo jokio noro vėl ten sugrįžti. Melani jis tvirtino, jog dėl to, kad ji nešioja jo vaiką, tačiau iš tikrųjų (tai prisipažindavo tik pats sau) darėsi vis sunkiau atsėdėti bausmę.

— Taip, aišku, kad dar ne toks, Mel, — irzliai tarė jis ir nupriegė pirštu šaukštą į šalį. — Gatvėje šįryt uoste užuodžiu kažką negero ir neketinu sukiotis kur netoliese, jeigu užgriūtų policija.

— Tavęs niekas nesulaikys už dalyvavimą demonstracijoje, — tarė ji. — Čia laisva šalis. Protestuoti neuždrausta.

— Nelygu koks protestas. Jūs su Geinora labai klystat, jeigu manot, kad rūgščiagalviai darys ką paliepti. Viskas gali išvirsti riaušėmis, o tai jau, velniai griebtų, ne juokas, Mele.

— O kaip su ta mergaite? Ją vakar vakare matė kvartale, ir visi mano, kad tos šiukšlės ją laiko įkalinę.

— Nebūk kvaila, — pašiepiamai atsakė Džimis. — Ko porelei homoseksualių smirdžių reikėtų iš mažos mergaitės? Kaip tau atrodo?

— Iškrypėliai yra iškrypėliai, — tėškė ji nuvalkiotą frazę.

— Būtent, velniai griebtų. Aš kalėjime su vyrukais nemiegojau vien dėl to, kad paukštyčių ten nė su žiburių nerasi. Traukia, kas traukia, ir nieko čia nepadarysi. Tas pats tinka ir pedofilams.

— Iš kur tu žinai?

— Turiu smegenis ir su jomis pasitariu, — Džimis patapšnojo sau per viršugalvį. — Jus su Geinora uždarys už riaušių kurstymą, jeigu skleisite tokias nesąmones, ir dėl to kas nors nukentės.

— Galbūt nežinai tiek, kiek manaisi žinąs.

Džimis gūžtelėjo pečiais ir atsisvėrė ant dviejų kėdės kojų atgal, kad galėtų į ją pažvelgti.

— Na, gerai. Kas pastebėjo vaiką ir kur? Tikiuosi, ne tas lunatikas Veslis Barberis, kurį, pakilusį nuo rūgšties, penkias valandas laikė ateivių erdvėlaivyje ir paėmė spermos, kad būtų sukurti antžmogiai, — vyrukas išsišiepė, pamatęs draugės veido išraišką. — Išmok vadovautis galva, lėlyte, ir leisk man ramiai pavalgyti. Nenoriu, kad mano užpakalis kentėtų dėl kažkokios baltosios mergaitės iš pasiturinčios šeimos, kuri greičiausiai jau negyva.

Ji kumštelėjo jam į ranką.

— Privalai ten ateiti, Džimi. Renkamės prie Glibo vidurinės, ir jeigu nepasirodysi kartu su manimi, žmonės ims kalbėti.

— Turi galvoj, moterys ims malti liežuviais, — pašiepė jis. — Kas čia nauja? Jos nieko kito ir nedaro, tik padėjusios užpakalius taršo į skutelius savo vyrus.

— Tu toks pimpis, — Melani pamėgino užgauti draugužio savimeilę. — Vaizduojiesi esąs Maikas Taisonas, tačiau vos susidūręs su kokiu rimtu reikalu dedi į kojas.

— Na, dabar negaliu sau leisti veltis į nemalonumus, — atsakė jis, vėl statydamas priekines kėdės kojas ant grindų ir piktai besdamas šakute į valgį. — Turiu keletą reikaliukų ir nesiruošiu sėsti už porelės šiukšlių pjudymą jų pačių namuose.

— Visi pamanys, kad tu už juos, — ji susirūpino dėl to, kaip vyriškis atrodys kitų akyse. — Ką žmonės pasakys, jeigu atsisakysi prisidėti, kai aš visiems papasakojau, koks mano vyras kietas riešutėlis. Jie pamanys, kad kalėjime su jais susiuostei ir todėl ėmei prijausti.

Džimis kurį laiką kramtė tylomis, svarstydamas, ar ji bent nutuokia, kaip arti tiesos yra. Pirmasis kameros bendras buvo gražiai apdūmęs akis, ir Džimis nenorėjo, kad jam kas nors tai primintų. Tas vyrukas buvo muzikos mokytojas, kurio įkalinimo laikas jau slinko į pabaigą. Jis išmokė Džimį pažinti natas per tas tris savaites, praleistas drauge. Jis buvo savotiškas genijus, žinojo viską, kas tik įmanoma, apie džiazą ir mokėjo balsu mėgdžioti instrumentus. Baigiantis trečiajai savaitei jis sukūrė muzikinį foną Džimio repavimui, ir Džimis jau ėmė svajoti apie rimtą muzikinę karjerą. Jie įpusėjo kurti demonstracinę kasetę. Viskas atrodė tiesiog puikiai, kol pa sklido kalbos, kad jo bendras pasodintas už tai, jog glostinėjo keletą vaikinukų mokykloje, kurioje dirbo. Po kelių dienų duše jam sulaužė visus pirštus.

Džimiui iš pradžių visa tai netilpo galvoje. Niekšelis kaip įmanydamas mėgino tai nuslėpti, kai buvo perkeltas iš griežtojo režimo kalėjimo Vaito saloje. Tvirtino, kad sėdi už padirbtą čekį, ir tai skambėjo visai įtikinamai — išsilavinęs žmogus gali tai padaryti, tačiau kažkas, veikiausiai koks pareigūnas, prasitarė, ir mokytoją saugumo sumetimais teko perkelti į nukentėjusių kalinių skyrių. Džimis jo daugiau nesutiko, nors kartkartėmis apie jį pagalvodavo. Tai buvo vienintelis jam patikęs kalėjime sutiktas vyrukas, ir jį tiesiog pritrenkė žinia, jog malonumą jis patirdavo *glamonėdamas* kitus, nors daugumos vyrų širdžiai mielesnis atvirkštinis variantas.

— Tegu galvoja ką nori, — tarė jis Melani ir atstūmė beveik nepaliestą lėkštę. — Turiu rimtesnių užsiėmimų nei šaukti įžeidimus savotiškos pakraipos vyrukams.

Glibo mokykla, Glibo gatvė, Basindeilo rajonas

Govėdos įkaušusių jaunuolių jau malėsi aplink mokyklos kiemą. Plempdami alų jie kaitino vieni kitus prieš susidūrimą su iškrypėliais. Tarp jų pasipūtėliškai staipėsi Veslis Barberis, pliurpdamas, kokią pirtį jis užkursiąs toms šiukšlėms... Padegsiąs mokyklą... Apiplėšiąs „Co-op"... Paskersiąs tuos šunis. Jis įsijautęs kretėjo galva kaip šuo, užuodžiąs rujojančią kalę, paskui, mėgdžiodamas Veslį Snaipsą iš filmų *Viską griaunantis* bei *Ašmenys*, ėmė raižyti orą karatė smūgiais ir tuo prajuokino kitus vaikinus.

— Jėzau, tu toks skystaprotis, Vesli!

— Šoki, pusgalvi?

Kolinas Patersonas ir Kevinas Čarteris sugriebę atitraukė jį atgal.

— Nusiramink, velniai rautų, — sušnypštė Kolinas. — Mama įsius, jeigu išgirs tave varinėjant tokias kalbas. Iškvies policiją, jei matys, jog rengiesi iškrėsti kokią kvailystę. Tai bus demonstracija, mėme.

Kolinas jautėsi drąsiai, nes buvo apgirtęs, taigi nekreipė dėmesio, jog tas bukaprotis buvo iki kaklo prisišniojęs platintojų pardavinėjamo mėšlo. Net ir gerai nusiteikęs Veslis puldinėdavo kaip pasiutęs šuo, ir dažniausiai Kolinas nesikišdavo. Tačiau šiandien kas kita. Šįkart, kaip sakė Kevinas, jiems reikia psicho, kad padėtų Melani.

Veslis tampėsi, mėgindamas išversti bičiulius iš kojų ir išsiveržti iš gniaužtų.

— Sakei, kad ruošiamės sutvarkyti kraugerius iškrypėlius, — klykė, tarsi apimtas isterijos priepuolio, — gerai įkrėsti tiems šunsnukiams. Melavai, ką?

— Jėzau, šįkart jam visai susisuko protelis, — tarė Kolinas. — Pažvelk jam į akis. Kaip kokio pastirusio zombio.

Kevinas, vienintelis iš visų gebantis suvaldyti Veslį, užgriebė ranka jam aplink kaklą ir užlaužė riešą už nugaros.

— Ar pagaliau neužsičiaupsi, asile? — sušnypštė jam į ausį. — Nes jeigu ne, matysim iškrypėlius kaip savo ausis. Kolas teisus. Jeigu jo mama bent užuos neramumus, nebus nei demonstracijos, nei karo. Pagavai? Linksmybės baigsis nė neprasidėjusios... O tu būsi kaltas, kad sugadinai mums dieną.

Įsiūtis Veslio akyse užgeso taip pat žaibiškai, kaip ir įsidegė. Veidą nušvietė rami, taiki šypsena.

— Aišku, — atsakė jis. — Nereikia manęs vadinti asilu, Kevai. Supratau. Tai tik demonstracija, — jo veidas staiga vėl tapo mielas, kokiu jau ne sykį buvo suklaidinęs ne vieną pareigūną. — Tik duosim kraugeriams suprasti, kad juos susekėm, teisingai?

— Taip, — Kevinas paleido Veslį ir pakėlęs ranką sumušė su juo delnais.

— Na, Kolai, suplok su juo vyriškai, — liepė jaunesniam berniukui. — Mes juk draugužiai, ar ne?

— Tikriausiai, — atsakė Kolinas ir gavo geliantį smūgį į delną. Tačiau jis nebuvo toks apdujęs, kad kitoje Veslio rankoje nepastebėtų slepiamo lenktinio peilio.

506 *butas, Glibo daugiabutis, Basindeilo kvartalas*

— Jau turiu eiti, — pasakė policininkė Henson iškaršusiam seniui iš aptriušusio buto šeštame aukšte, viename iš Basindeilo kvartalo daugiabučių. — Apgailestauju, kad niekuo negalėjau padėti.

Beprasmybė ją slėgė, tartum girnapusė po kaklu. Tai buvo beprasmiškas, tuščias iškvietimas, kaip ir kiti tądien. Nepavyko nuveikti nieko vertingo. Ji jautėsi esanti tuščia vieta, visiškas niekas... Pareigūnė, neturinti jokio autoriteto.

Oras bute buvo troškus kaip rūsyje, tarsi langai ir durys niekad nebūtų praveriami. Ponas Deris sėdėjo nuolatinėje prieblandoje, užsitraukęs užuolaidas nuo saulės, prikaustęs akis prie kampe staugiančio televizoriaus, tarsi muilo operų herojai būtų vienintelė tikrovės sala šiame bauginančiai painiame pasaulyje. Pokalbis su juo tik dar padidino slogutį, nes proto nušvitimas, paskatinęs žmogelį ryte paskambinti policijai, išnyko vos šis padėjo ragelį.

Senis vartė rankose klausos aparatą.

— Ką?

Ji pakėlė balsą.

— Turiu eiti.

— Ar suradote tuos vaikėzus?

Ji kantriai atsakinėjo į tą patį klausimą jau ištisą pusvalandį, tačiau šįkart praleido jį pro ausis. Nėra prasmės kalbėtis. Senis pranešė, kad iš jo virtuvėje stovinčio arbatos indo pavogti 200 svarų, tačiau nė nenumanė, kada jie pradingo ir kieno tai darbas. Viskas, ką jis galėjo nurodyti, — tik tai, kad kartą į jo duris paskambinę trys vaikiščiai, tačiau, kadangi jų išvaizda pasirodžiusi įtartina, neįleidęs jų vidun. Pareigūnė pastebėjo prieštaravimą — jei vaikėzų neįleido, vadinasi, jie negalėjo paimti pinigų, — tačiau senis laikėsi savo. Jis užuodžiąs nusikalstamą veiklą iš už mylios.

Henson apsimetė tirianti, tad apžiūrėjo šiukšlyną virtuvėje. Tačiau ten nebuvo jokio arbatos indo — tik popierinė „Tetley" dėžutė su arbatos pakeliais, kurių galiojimas pasibaigęs jau prieš keliolika mėnesių, — ir jokių žymių, kad kas nors kitas pastaraisiais mėnesiais būtų prisilietęs prie sluoksniais nugulusių dulkių. Gal jis kalbėjo apie tai, kas nutiko vakar... O gal prieš penkiasdešimt metų... Senio protas buvo prigesęs, o atmintį graužia kamuojanti silpnaprotystė, todėl jis tik nuolatos kartoja apsėdusias mintis.

Kaip jis vienas ir susitvarko? Kas juo rūpinasi? Policininkė pajuto, kaip užlieja liūdesys, kai pažvelgė į metų metais besikaupiančius nešvarumus ant vyryklės ir apaugusią nuosėdomis kriauklę. Norėjo nusiplauti rankas, tačiau dvokas iš kanalizacijos pykino. Visur aplink knibždėte knibžda mikrobų. Moteris tiesiog jautė, kaip jie skverbiasi jai pro odą, rausiasi į galvą ir palaužia valią. Kokia prasmė taip gyventi? *Kokia apskritai prasmė gyventi?*

Ta mintis per visą pokalbį su juo nedavė ramybės, ir staiga ji pagalvojo, ar tik neištarė jos balsu, nes senis nekantriai į ją atsisuko.

— Ką? — paklausė, taškydamasis seilėmis. — Mergaite, pakartok. Negirdžiu, ką sakai.

— Turiu eiti, — pasakė lėtai, tarsi apgirtęs žmogus tardama žodžius.

Jis krūptelėjo.

— Kas tu tokia? Ką čia veiki?

Kelintą kartą jau to klausia? Kiek kartų ji atsakė?

— Policininkė, pone Deri.

— Ar suradote vaikiščius?

Tarsi klausytųsi sugedusios plokštelės. Ji papurtė galvą.

— Paprašysiu, kad sveikatos prižiūrėtoja jus aplankytų ir pasikalbėtų, — tarė ji. — Ji susipažins su padėtimi ir greičiausiai pasiūlys persikelti į prieglaudą, kur jausitės saugesnis ir būsite geriau prižiūrimas.

Jis vėl nusigręžė į televizorių.

— Reikėjo atsiųsti vyrą, — suniurzgė.

— Atsiprašau, ką sakote?

— Laukiau tikro policininko... O ne pamaivos, krūpčiojančios nuo savo šešėlio. Nesistebiu, kad čia tiek daug nusikaltimų.

Tai buvo paskutinis lašas. Galva plyšte plyšo jau nuo pat darbo kvartale pradžios, ir bandymai perrėkti pono Derio kurtumą tik dar labiau paaštrino skausmą. Norėjosi jam išrėkti, ką iš tikrųjų galvoja, tačiau jautėsi per daug prislėgta, kad taip beatodairiškai pasielgtų.

— Vyras nebūtų varginęsis, kad jus išklausytų! — pyktelėjo ruošdamasi kilti Henson.

— Taip manai? O gal man neįdomios tingios mergiščios, tik nuolat sėdinčios, o ne dirbančios. Ką dabar atsakysi, a?

Henson ėmė nekęsti senio visa širdimi. Iškaršusio, šiurkštaus ir bjauraus. Viskas, ko tik ji prisilietė šioje šlykščioje vietoje, rodos, paliko ant jos žymę.

— O ko jūs norėtumėt? — paklausė ji. — Kad išeičiau ir sulaikyčiau pirmus pasitaikiusius tris vaikėzus tik todėl, jog teigiate, kad kažkas pavogė jūsų pinigus? Neaišku, ar apskritai jų turėjote, — ji staigiai pašoko ir mostelėjo drebančia ranka, rodydama kambarį. — Negyventumėt štai taip, jeigu laikytumėt 200 svarų arbatos dėžutėje.

Staigus judesys jį išgąsdino. Jis čiupo sunkų senovinį telefoną nuo stalelio ir ėmė mosikuoti jai rageliu.

— Dink iš čia, — šaukė. — Iškviesiu policiją. Kas tu? Ką čia veiki?

Ji pajuto, kad tuoj nualps, tačiau akimirką prieš tai aiškiai iš-
vydo visą situacijos komizmą.

— Aš ir esu policija, — prieš keliams sulinkstant ir jai su-
kniumbant senio link išgirdo savo balsą ir juoką.

406 butas, Glibo daugiabutis, Basindeilo rajonas

Pagyvenusi moteriškė iš buto po pono Derio butu sekundę nu-
stojo kalbėjusi telefonu ir įsiklausė į garsų bildesį viršuje.

— Tas sukriošęs pirdžius vėl kažką išdirbinėja, — pyktelėjo
ji. — Jeigu taip ir toliau, lubos nugrius. Kaip manai, ką jis ten daro?
Apimtas pykčio svaido baldus?

Draugės tai nedomino.

— O, Dieve aukščiausias, Eilina! — susijaudinusiu balsu šūkte-
lėjo ji penkiais aukštais aukščiau. — Kodėl nesiklausai? Žiūrėjau pro
Volio žiūronus — visur pilna berniūkščių. Gal jie girti?

— Iš kur man žinoti?

— Pažvelk pro langą. Ten jų ištisi pulkai. Verčia mašinas prie
įvažiavimo į Basindeilą.

Eilinai Hinkli buvo taip smalsu, kad ji net praskleidė užuolaidą,
tačiau gyveno kur kas žemiau, tad vaizdą užstojo stogai.

— Iškvietei policiją?

— Negaliu prisiskambinti. Linijos perkrautos.

— Tai skambink 999.

— Tai ir *darau*, tačiau kaskart, kai mane sujungia su policija,
pasigirsta pranešimas, kad jie žino apie neramumus Basindeile ir
prašo netrukdyti.

— Dėl Dievo meilės!

— Aš taip ir sakau. Tačiau pro žiūronus nematyti nė vieno po-
licininko, — balse pasigirdo baimė. — Mus visus užmuš. Ką daryti?

Eilina, nuo trankomų durų bildesio ėmus siūbuoti sietynui,
metė žvilgsnį į lubas.

— Užsirakinti ir laukti, kol viskas praeis, — ramiai tarė ji, sėk-
mės dėlei sukryžiavusi pirštus. — Ką gali žinoti... Gal išeis į gera. Gal
tie galvažudžiai vienas kitą išpjaus... Tada lengviau atsikvėpsime...

Policijos pranešimas visoms nuovadoms

> 2001-07-28
> 13.55
> Basindeilo kvartalas
> Milošas Zelovskis (slapyvardis Nikolas Holisas), Humberto g.
   23, prašo apsaugos arba perkėlimo į kitą namą
> Siunčiamos papildomos policijos pajėgos

> GELBĖJIMO TARNYBŲ LINIJOS PERKRAUTOS

> 2001-07-28
> 14.01
> Basindeilo rajonas
> Anonimo skambutis — Basindeilo rajone statomos barika-
   dos
> Tikėtina paskirtis — neleisti patekti patrulių automobiliams

> GELBĖJIMO TARNYBŲ LINIJOS PERKRAUTOS

> 2001-07-28
> 14.08
> Basindeilo rajonas
> SKUBIAI
> Patrulis 031 praneša, kad visi įvažiavimo keliai į Basindeilą
   atkirsti

> GELBĖJIMO TARNYBŲ LINIJOS PERKRAUTOS

AŠTUNTAS SKYRIUS

2001 m. liepos 28 d., šeštadienis
Basindeilas

SAUGIU ATSTUMU DU POLICININKAI IŠ 31 patruliuojančio ekipažo stebėjo dygstančias barikadas. Jie išvažiavo iš kvartalo Pietų Miško gatve, ketindami palei pagrindinį kelią pasiekti Šiaurės Basindeilo gatvę ir užsukti pas Zelovskį Humberto gatvėje. Bet jie pavėlavo. Basindeilas jau buvo neprivažiuojamas, ir, mintyse atgaminę savo maršrutą, patruliai įsitikino, kad visi keturi įvažiavimai į kvartalą užtverti.

— Pasinaudos tomis betono užtvaromis, — tarė vyresnysis pareigūnas ir įjungė radijo telefoną. — Sakiau, kad tai gali virsti įtvirtinimais, jeigu tie šunsnukiai įsismarkaus, — jis nuleido lango stiklą ir nusispjovė ant žolės. — Mano nuomone, kalti architektai. Prieš statydami betono džiungles ir prileisdami jas gyvulių, turėjo atsiklausti policijos nuomonės.

— Taip, taip, — pritarė jo partneris, tokius žodžius girdėjęs kokį tūkstantį kartų, — jis žvalgė teritoriją pro žiūronus. — Pasiruošę iš anksto... Greičiausiai numatyta antrą valandą, — policininkas švilptelėjo pro sukąstus dantis. — Manau, lengvai atsipirkome... Dar penkios minutės su ta Makdonald, ir spąstai būtų užsitrenkę, — jis nukreipė žiūronus žemiau. — Kokia velniava ten vyksta? — paklausė. — Juk jei Eimė yra kvartale, kodėl tie idiotai neįsileidžia mūsų?

Jo bendras metė suirzusį žvilgsnį.

— Jos ten nėra. Jei moteris būtų galėjusi pasakyti, bent kokiais marškinėliais ji vilkėjo, gal ir būčiau patikėjęs, — jis gūžtelėjo pečiais, — tačiau koks čia atsakymas: mėlynais? Ji mums persakė, ką girdėjo per televiziją.

Policininkams su tuo jau ne sykį teko susidurti.

— Ką mes galvojame, Džordžai, ne taip svarbu, svarbiau, kas tų jauniklių makaulėse, — jis galva parodė jaunuolių, šmėžuojančių barikadose, link. — Na, aišku, jeigu jie apskritai mąsto, — ir vėl pakėlė žiūronus. — Mėšlas! Susisiek su bosu ir pasakyk, kad judintų savo subinę, jei nenori, kad supleškėtų visas rajonas. Tie kretinai pila į butelius degalus, o bent pusės jų burnose smilksta cigaretės. Jėzau! — policininkas stebėjo, kaip vaikas — ne daugiau kaip dvylikos metų — švysteli butelį draugui. — Ką, po paraliais, jie ten rengia?

Ta pati mintis atėjo ir Sofi Morison, kai ji staigiai užgulė stabdžius, kad išvengtų susidūrimo su grupe svirduliuojančių paauglių Glibo gatvėje. Vienas abiem rankomis ėmė rodyti nepadorius ženklus, tarsi tai būtų buvusi jos kaltė, kad jis per daug prisilupo, kad pereitų gatvę kaip priklauso, o ji pro priekinį stiklą riktelėjo „žioply". Buvo beveik tikra, kad jis atsakys kumščio smūgiu per kapotą — įprasta Rūgšties kvartalo kalba, — tačiau vienas bendrų pastūmė jį šaligatvio link, ir ji nuvažiavo, vaikėzams irgi parodžiusi du iškeltus pirštus. Galinio vaizdo veidrodėlyje matė, kaip tas bendras maloniai nusišypsojo ir, pažinusi vieną iš savo pacientų, nepadorų gestą baigė pasisveikinimo mostelėjimu. Ji gerbė čionykščius gyventojus — kaip ir visi profesionalai, — tačiau jų nebijojo. Žinoma, imdavosi visų atsargumo priemonių. Važinėdavo nepravėrusi langelių ir užsirakinusi dureles, slėpdavo mobilųjį telefoną savo medicininiame lagaminėlyje, pasirūpino, kad pacientai įsidėmėtų, jog niekada nesivežioja vaistų, kreditinių kortelių ar didesnių pinigų sumų, kaskart laikydavo automobilį gerai apšviestose vietose ir nieku gyvu vakarais nevaikščiodavo tamsiomis alėjomis. Be to, kelnių kišenėje nešiodavosi ašarinių dujų balionėlį, kurio vis dar neprireikė.

Per dvejus metus nuo tada, kai baigė mokslus ir ėmėsi praktikos, Sofi stebėtinai pamėgo Rūgšties kvartalą. Žmonės čia bent jau atviri ir nesigėdija savo negalių — dažniausiai depresijos ir vienatvės, susijusių su alkoholiu, narkotikais ir prostitucija, — o pasiturinčiųjų kvartale visi tvirtina, kad jų alkoholizmą, priklausomybę nuo raminamųjų ir lytiniu būdu plintančias ligas sukelia stresas. Derinimasis prie jų respektabilumo jai atrodė tuščias laiko švaistymas, varginantis ir erzinantis, kur kas labiau prie širdies — šio kvartalo gyventojų tiesmukumas.

„Duokit *prozako*, daktare, vyras už grotų, o vaikai baigia išvaryti iš proto..."

Tačiau dėl to nė kiek ne lengviau juos gydyti. Kaip ir dirbant su visais pacientais, daugiausia laiko tenka skirti įtikinėjimams, kad gyvenimo būdo pakeitimas būtų veiksmingesnis nei vaistai, tačiau teigiami pokyčiai Rūgšties kvartale suteikdavo daugiau džiaugsmo, nes čionykščiams pacientams kur kas sunkiau tam ryžtis.

Natūralu, jog daugelį vyresnio amžiaus pacientų sudaro moterys, ir Sofi, vos atvykusi, iš jų sužinojo tą patį. Vyrai jau mirę. Draugės neiškelia kojos iš namų. Dėl negalios arba baimės. Arba dėl abiejų priežasčių. Tos moteriškės gali pabendrauti tik su slaugytojomis, per jaunomis, kad jas suprastų, arba neturinčiomis kantrybės klausytis.

Gydytojai labai greitai pasidarė aišku, jog viskas, ko toms moterims reikia, — tai bent retsykiais paplepėti su likimo sesėmis, ir, įtikinusi tris aktyviausias sukaupti telefono numerių knygą, sukūrė nuolat augantį pokalbių tinklą, atliepiantį jų poreikius. Šis tinklas buvo pavadintas „Draugystės linija", ir susidomėjimas tokio tinklo veikla jau nusklendė per Atlantą, kaip parodė neseniai atėjęs paklausimas iš Floridos būsto plėtros tarnybos.

Dukart suskambo telefonas, ir Sofi susiraukusi pasuko į šalikelę. Du skambučiai reiškė ligoninę, trys — sužadėtinį. Surinko skaičių derinį ant lagaminėlio, spragtelėjusi atidarė mobilųjį ir spustelėjo mygtuką 1.

— Tikiuosi, kad naujienos geros, — tarė ji paskambinusiai registratorei, — nes žadėjau Bobui iki šeštos parsirasti į Londoną.

— Tai priklauso nuo to, ar jau išvažiavote iš Basindeilo, — atsakė Dženė Monro. — Jeigu taip, pamėginsiu kreiptis į Džoną. Vyriškis atrodė kaip reikiant išsigandęs.

— Kas nutiko?

— Tai dėl jo tėvo, sako, kad neprakvėpuoja. Jam astma ir visas tiesiog mėlsta. Ponas Holisas iš Humberto gatvės 23. Nauji pacientai, priregistruoti vos prieš kelias savaites, todėl dar neturime jų bylų. Sūnus sako, kad jam septyniasdešimt vieneri ir sveikata šlubuoja. Pasiūliau išsikviesti greitąją, tačiau sakėsi taip ir padaręs, bet niekas neatvyko. Jis aiškiai apimtas panikos. Ar galite padėti?

Sofi pažvelgė į laikrodį. Ėjo jau antra valanda po budėjimo pabaigos, tačiau Humberto gatvė — visai netoliese už kampo. Vienas skersgatvių, jungiantis Basindeilo ir Miško gatves. Ji mintyse apmetė maršrutą. Pirma į kairę Glibo pabaigoje į Šiaurės Basindeilo gatvę, tada dešinėn — į Humberto, paskui — dešinėn į Pietų Miško gatvę. Bus pusiaukelė nuo namų. Neturėtų ilgai užtrukti.

— Kur Džonas?

— Vakarų alėjoje. Dvidešimt minučių kelio.

— Gerai, — Sofi galva prispaudė ragelį ir pasičiupo parkerį. — Pakartok pavardę ir adresą, — ji pasižymėjo duomenis užrašų knygutėje. — Kažin kodėl neatvyko greitoji?

— Tikriausiai užversti darbu. Jie atvyksta kaskart vis lėčiau.

Galvodama kažką kita Sofi iš kelnių kišenės išsitraukė užpakalį badantį ašarinių dujų balionėlį.

— Nežinau, gal įvyko kokia avarija ar panašiai, — tarė ji ir įsimetė balionėlį į lagaminėlį. — Prie mokyklos mačiau sukinėjantis velniškai daug žmonių.

— Kiek žinau, ne.

— Na, žiūrėk. Tu būsi kalta, jeigu pavėluosiu, ir Bobas supyks.

— Kaip visada, — linksmai atsakė Dženė ir padėjo ragelį.

Policijos pranešimas visoms nuovadoms

> 2001-07-28
> 14.15
> Basindeilo kvartalas

> GELBĖJIMO TARNYBŲ LINIJOS PERKRAUTOS

> Karpenterio gatvės 105-ojo gyventojai praneša, kad prie
  Glibo vidurinės būriuojasi minia
> Sklinda kalbos, kad Humberto gatvėje vakar vakare paste-
  bėta mergaitė, panaši į Eimę
> Galima auka — Milošas Zelovskis, Humberto g. 23
> Zelovskis į skambučius neatsiliepia
> Padėtis įtempta

> GELBĖJIMO TARNYBŲ LINIJOS PERKRAUTOS

> 2001-07-28
> 14.17
> LABAI SKUBIAI
> PAREIGŪNĖ Henson greičiausiai yra Basindeile
> NEATSILIEPIA

> 2001-07-28
> 14.23
> Policijos sraigtasparnis parengtas

DEVINTAS SKYRIUS

2001 m. liepos 28 d., šeštadienis
Humberto g. 23, Basindeilas

VYRAS, IŠKIŠĘS GALVĄ iš už pravertų durų, murmėjo atsiprašymus, kad šeštadienio popietę kviečiasi daktarą. Jis mostelėjo galva į namo gilumą — esą jo tėvas vos prakvėpuoja. Vyriškis kalbėjo pašnibždomis, tad jaunoji gydytoja turėjo palinkti į priekį ir ji nugirdo nuotrupas: „baimės priepuolis" ir „astmatikai tikri teatralai". Iš menkinamų žodelių Sofi suprato, kad pašnibždomis kalbama todėl, kad tėvas neišgirstų.

Iš saulės nutviekstos gatvės atsklido vaikiškas balsas: „Ei tu, mėšlinas psiche! Nešdinkis!", tačiau tokie šūksniai, ypač iš vaikų lūpų, Rūgšties kvartale nėmaž nestebino, ir Sofi į juos neatkreipė dėmesio. Jai atvykus gatvė, išskyrus būrelį vaikų ant šaligatvio, buvo tuščia, ir jai terūpėjo kuo greičiau apsisukti per šį paskutinį iškvietimą. Ji peržengė slenkstį ir palaukė, kol durys paskui ją trakštelėdamos užsivėrė.

Tamsiame prieškambaryje vyriškis atrodė nesveikai išblyškęs, o veidas prieblandoje švytėjo nelyg mėnuo. Vengdama jo žvilgsnio, moteris nukreipė akis koridoriaus link ir todėl nepastebėjo, kaip jis tiriamai ją nužvelgia nuo galvos iki kojų. Jam ji pasirodė menkutė ir maža kaip kokia mergaitė, todėl jis prisispaudė prie durų, kad kūnai prasilenkiant nesusiliestų. Kodėl atsiuntė moterį? Ji stovėdama nugara į vyriškį laukė, ką jis toliau pasakys, tačiau šis kurį laiką stovėjo it įbestas, stebeilydamas į plonas jos šlaunis ir blizgantį apsiaustą, laisvai kadaruojantį tarp menčių. Lengvai palaikytum vaiku, jeigu ne sklindantis pasitikėjimas savimi ir brandaus žmogaus akių žvilgsnis, kai ji nekantraudama atsisuko ir paprašė rodyti kelią.

— Jūs — nauji pacientai, — priminė vyriškiui. — Nežinau, kuriame kambaryje jūsų tėvas.

Jis atidarė duris dešinėje. Kambaryje užuolaidos buvo užtrauktos ir tik stalinė lempa metė blyškią švieselę. Ten tvyrojo nemalonus senatvės kvapas, o pats nutukęs senis gulėjo ant sofos gaudyte gaudydamas orą, jo susispaudusi gerklė švokštė mėgindama įtraukti oro, išsprogusios akys išdavė baimę, kad kiekvienas įkvėpimas gali būti paskutinis. „O, varge", — priekaištaujamai pagalvojo Sofi. Gal sūnui ne visi namie? Gal laukia tėvo mirties? Dievas mato, nereikia būti Einšteinu, kad suprastum, jog įkišti astmatiką į orkaitę nėra jau toks geras sumanymas.

Ji pritūpė šalia senio ant sofos.

— Tuojau jums padėsiu, — padrąsino, pastačiusi lagaminėlį ant žemės. Užraktas spragtelėjo. — Aš esu daktarė Sofi Morison. Viskas bus gerai.

Gydytoja kalbėjo norėdama numalšinti senio baimę ir įteigti, kad pavojinga būklė sutvarkoma. Ji skubriai mostelėjo ranka sūnui, kad šis atitrauktų užuolaidas.

— Man reikia daugiau šviesos, pone Holisai, ir apskritai derėtų praverti langus ir įleisti gaivaus oro.

Tėvas prieštaraudamas sunkiai pakėlė ranką.

— Jam nepatinka, kai kas spokso į vidų, — pasakė sūnus ir įjungė šviesą viršuje. — Šitas priepuolis ir prasidėjo, kai jis lange išvydo kažkieno veidą, — sūnus kalbėjo nedrąsiai, tarsi rinkdamas žodžius. — Tėvas turi inhaliatorių, — pridūrė ir parodė mėlyną plastiko vamzdelį senio rankoje, — tačiau iš to inhaliatoriaus maža naudos, kai jis tokios būklės. Negali sulaikyti kvėpavimo, kad imtų veikti vaistai.

Pro seniai nesipraus
usio tėvo dvoką dvelktelėjo moters odos aromatas. „Abrikosai", — pagalvojo vyriškis.

— Kiek laiko tai jau trunka? — pasiteiravo Sofi, liesdama senio veidą. Nepaisant kambaryje tvyrančio karščio oda buvo vėsi ir sudrėkusi, ir ji priklaupusi šalia lovos lagaminėlyje ėmė ieškoti stetoskopo.

— Bus kokia valanda. Jau buvo pradėjęs rimti, kai ėmė šūkauti vaikai... — vyriškio kalba nutrūko.

— Nesiskundė skausmais krūtinėje ar kairėje rankoje?

— Ne.

— Kada paskutinįsyk purškėsi vaistų?

— Kai buvo ramesnis. Gal prieš kokį pusvalandį.

— Geria kokius nors kitus vaistus? Migdomuosius? Raminamuosius? Nuo depresijos?

Vyras papurtė galvą.

Senis vilkėjo palaidais baltais marškiniais, ir kažkam — veikiausiai sūnui — užteko nuovokos atsagstyti ir atidengti jo plačią apžėlusią krūtinę. Šyptelėjusi nuo minties, kad dabar galėtų būti apkaltinta netinkamu elgesiu, Sofi atsegė jam diržą, kad atlaisvintų diafragmą, ir pridėjo stetoskopą tarp krūtinės gaurų. Garsas toks, tarsi klausytųsi širdies pro pneumatinio plaktuko bildesį. Tegirdėjo gergždžiantį švilpesį gerklėje. Nusišypsojo žvelgdama į baimės sklidinas jo akis.

— Kuo jis vardu?

— Franekas. Lenkas.

— Kalba angliškai?

— Taip.

Ji uždėjo rankas vyriškiui ant kaklo ir ėmė švelniai masažuoti, giliai traukdama orą pro nosį ir skatindama Franeką sekti ja. Tuo pat metu švelniai kalbino, kreipėsi į jį vardu sklaidydama baimę, ramindama, ir palengva klaikiai trūkčiojantis kvėpavimas ėmė retėti ir rimti. Tai buvo savotiškas pantomimos vaizdelis, išmokti būdai pacientui nuraminti, tačiau iš dešiniosios pono Holiso akies ištryško ir nuriedėjo ašara, tarsi švelnumas jo gyvenime būtų retenybė.

— Man nebūtų leidęsis, — karčiai tarė sūnus. — Kaskart jam prireikia daktaro. Tikriausiai manim nelabai pasitiki.

Sofi, tarp delnų šildydama stetoskopo galvutę, nuoširdžiai nusišypsojo jaunesniajam vyrui ir tada pridėjo ją prie senio širdies. Pritūpusi pasiklausė rimstančio ritmo ir pajuto palengvėjimą.

— Tai ne dėl nepasitikėjimo jumis, — tarė ji stebėdama, kaip išvargęs pacientas grimzta į miegą tarsi kūdikis, — jis tiesiog žino, kad daktarai turi atsarginių priemonių, jeigu nuraminti nepavyksta, — Sofi sulankstė stetoskopą ir įsidėjo į lagaminėlį. — Ar dažnai užeina tokie priepuoliai?

— Kartkartėmis. Šiaip gelbstisi inhaliatoriumi, bet kai išsigąsta... — Jis bejėgiškai patraukė pečiais. — Tai ir teko kviesti daktarą.

— Minėjote, kad viskas prasidėjo nuo lange šmėkštelėjusio veido, — priminė ji. — Kodėl? Bijo, kad apvogs?

Jis šiek tiek sudvejojo, paskui patvirtinamai linktelėjo galva.

Sofi atsistojo ir vogčiomis dirstelėjo į laikrodį. Reikia iki pusės keturių grįžti namo, jeigu ketina šeštą susitikti su Bobu.

— Jus anksčiau buvo apvogę?

— Ne, tačiau jis bijo ir savo šešėlio. Tai pavojingas kvartalas.

„Negali ginčytis", — mintyse šyptelėjo Sofi. Net jos aptrintas senutėlis automobilis tapdavo taikiniu, kai jį palikdavo. Dienos metu statydavo automobilį taip, kad matytų „Draugystės linijos" moterys pacientės, vildamasi, kad jos iš smalsumo stovės prie langų ir stebės, ką ji lanko, o kartu ir jos automobilį. Šiandien budi ponia Kartju, negaluojanti nuo švelnios silpnaprotystės formos ir reumatinio artrito, tačiau Humberto gatvė, šiaip jau pilna triukšmingų paauglių, tądien buvo neįprastai ištuštėjusi, ir buvo kilusi didelė pagunda pasistatyti automobilį prie pat Holisų durų. Tik karti patirtis nuo to sulaikė.

— Gal kur nors galėtume pasikalbėti, kad jam nekliudytume? — pasiteiravo ji siekdama lagaminėlio. — Išrašysiu nestiprių migdomųjų receptą, kad šį savaitgalį būtų lengviau, tačiau siūlyčiau pirmadienį atvežti jį į ligoninę, kad galėtume nuodugniai ištirti. Taip pat galėčiau pamokyti kvėpavimo pratimų — turėtų praversti.

Sūnus nesiklausė, tarsi visa tai būtų jau ne sykį girdėjęs.

— Virtuvė ten.

Ji nusekė iš paskos koridoriumi ir įsitaisė ant taburetės.

— Kiek laiko čia gyvenate? — pasiteiravo, vėl atsidarė lagaminėlį ir išsitraukė receptų knygutę.

— Dvi savaitės.

— Kur gyvenote prieš tai?

76   MINETTE WALTERS

— Portisfilde, — nedrąsiai atsakė.

Sofi staiga susidomėjo.

— Gal pažįstate vargšę mergaitę, dingusią be žinios — Eimę Bidulf? Visą dieną skelbia per žinias. Regis, pranešė, kad gyveno Olenbio gatvėje.

— Ne, — vyriškio Adomo obuolys nevalingai trūktelė jo. — Mes iš Kalumo gatvės... Maždaug už pusmylio.

— Pasitaiko tokių neatsakingų tėvų, — papriekaištavo Sofi, rašydama receptą. — Pasak radijo, pradingo vakar ryte, tačiau policijai niekas nepranešė, kol namo negrįžo motina. Tokie dalykai tiesiog siutina. Kas leistų dešimtmetei visą dieną trintis po gatves?

Stojo sunki tyla.

— Per televiziją rodė jos tėvą. Verkė, maldaudamas tų, kurie laiko pagrobę Eimę, ją paleisti, — Adomo obuolys darsyk smarkiai trūktelėjo. — Žinoma, ne visada kalti tėvai, — berte išbėrė jis. — Neįmanoma vaiko stebėti kiekvieną minutę.

Susidarė įspūdis, kad jis žino, apie ką kalbama, ir Sofi mintyse spėliojo, ar jis pats turi vaikų. Jeigu turi, tai kur jie?

— Kodėl persikėlėte į Basindeilą?

Vyriškis kiek patylėjo.

— Portisfilde jau buvome pradėję vienas kitam tampyti nervus, todėl savivaldybė pasiūlė erdvesnį būstą čia.

— Jums pasisekė, kad negavote padalyto namelio. Jie tiesiog klaikūs.

Jo akys nukrypo lango link.

— Pasakėme, kad nevyksime, jeigu bus mažesnis. Tačiau šitas kaip tik.

Gydytoja juo nelabai patikėjo. Iš kalbos tono neatrodė, kad ši vieta — „kaip tik". Basindeilas — ne tas kvartalas, į kurį keliamasi savo noru.

— Apgailestauju, — sumurmėjo ji jausdama tikrą užuojautą. — Pagyvenę vyrai visada yra laukiančių būsto sąrašo apačioje. Tikriausiai buvote iškeldinti dėl kokios nors šeimynėlės, turinčios mokyklinio amžiaus vaikų?

Vyras pajuto jai dėkingumą už tokį naivumą.

— Kažkas panašaus.

— Tada nesistebiu, kad jūsų tėvą ištinka baimės priepuoliai. Jums abiem tikrai nelengva.

Moters dėmesys vyrišką galutinai nuginklavo.

— Ne taip jau blogai, — paprieštaravo jis. — Turime sodą.

Ji linktelėjo ir pirmąkart atidžiai jį nužvelgė. Tai vienas iš tų niekuo neišsiskiriančių žmonių, neturinčių jokių ypatingų bruožų, už kurių užkliūtų akis, na, išskyrus išsišovusį Adomo obuolį, ir ji suabejojo, ar pažintų jį sutikusi kur gatvėje. Net jo plaukai bespalviai, išblukusių šiaudų atspalvio ir nė trupučio nepanašūs į tankiai sužėlusius juodus tėvo gaurus.

— Kuo jūs vardu? — paklausė Sofi.

— Nikolas.

Ji draugiškai nusišypsojo.

— Tikėjausi išgirsti kokį nors lenkišką.

— Krikštijo Milošu.

— Ar lenkiškai tai Nikolas?

Jis linktelėjo.

— Tai iš kur Holisų pavardė?

— Iš mamos. Jos mergautinė pavardė.

Vyriškis atsakinėjo kapotais sakiniais, tarsi viešnios smalsumas būtų įkyrus, ir Sofi teko pačiai sukti galvą, kodėl jie su tėvu lenkišką pavardę iškeitė į anglišką. Galbūt kad būtų lengviau ištarti?

Ji išplėšė lapelį su receptu ir padėjo ant stalo.

— O lagaminėlyje neturite vaistų?

— Niekada jų nesinešiojame Rūgšties kvartale. Užpultų nespėjus praverti automobilio dureles, — moteris pastebėjo, kad jis svaido įtampos kupinus žvilgsnius koridoriaus link. — Kas yra? — pasiteiravo ji.

— Argi negirdite jų?

Iš gatvės atsklido tolimų balsų aidas.

— Šiek tiek triukšminga, — sutiko ji, — tačiau čia tai įprasta. Vaikai neturi kuo daugiau užsiimti ir laido gerklę vieni ant kitų, ypač šeštadienio popietę, kai pradeda jau nuo vidudienio pilti.

Jis nieko neatsakė.

— Vasaros atostogos, — priminė Sofi. — Jiems nuobodu.

Nikolas įkvėpė oro, tarsi ketintų ginčytis, tačiau tik bejėgiškai papurtė galvą, pasiėmė receptą nuo stalo ir įsikišo į kelnių kišenę. Nėra prasmės ilgiau ją laikyti.

— Aš jus palydėsiu.

Sofi uždarė lagaminėlį ir atsistojo.

— Šįvakar budės vienas mano kolegų, — tarė jam, — tačiau jeigu jūsų tėvą ištiks dar vienas priepuolis, verčiau kvieskite greitąją. Paprastai atvyksta greičiau nei mes. Galėjau taip skubiai pasirodyti tik todėl, kad buvau čia pat, už kampo, — staiga Sofi pajuto jam užuojautą. — Tačiau nemanau, kad turėtumėte dėl ko nors labai nerimauti. Baimė atima jėgas. Jis tikriausiai išmiegos pernakt, o rytoj, kai gatvės aprims, stebėsis, ko taip išsigando.

— Tikiuosi, jūs teisi.

— Jeigu prieš eidamas miegoti išgers migdomųjų, manau, rūpesčių neturėsite, — užtikrino Sofi, eidama iš kambario. Ji ir vėl dirstelėjo į laikrodį. — Vaistinė Trejybės gatvėje dirba iki šešių, taigi iki uždarymo turite sočiai laiko ten nukakti.

Pagauta gailesčio, gydytoja sustojo prie laukujų durų ir, norėdama atsisveikinti, ištiesė ranką.

Tarsi mažytis paukščiukas būtų nutūpęs ant delno. Nikolas pažvelgė į moterį, pajutęs keistą susižavėjimą. Norėjosi ją laikyti, traukti gaivų jos odos kvapą, tačiau vyriškio ranka virpėjo, ir jis ją atitraukė.

— Dėkui, kad atvykot, daktare Morison, — padėkojo ir pro jos petį ištiesęs ranką atidarė duris.

Buvo akimirka, kaip Sofi vėliau nuolat galvodavo, kad ji dar galėjo palikti tuos namus tokia pat, kaip ir į juos įėjo. Tačiau laiko apmąstymams neturėjo — tik akimirką sprendimui priimti, bet ji to nė nesuvokė. Tai buvo tylos sekundė prasivėrus durims, kai ji turėjo išeiti, tačiau to nepadarė — nes paciento sūnus padėkojo, ir ji sustojo, kad atsakytų jam šypsena.

> Policijos pranešimas visoms nuovadoms

> GELBĖJIMO TARNYBŲ LINIJOS PERKRAUTOS

> 2001-07-28
> 14.35
> Basindeilo kvartalas
> LABAI SKUBU
> Anonimo skambutis iš mobiliojo telefono praneša, kad per
  200 žmonių minia pasuko į Humberto gatvę
> Ginkluoti akmenimis ir buteliais
> PATEKTI NEĮMANOMA

> GELBĖJIMO TARNYBŲ LINIJOS PERKRAUTOS

> 2001-07-28
> 14.37
> Policijos sraigtasparnis ore

DEŠIMTAS SKYRIUS

2001 m. liepos 28 d., šeštadienis
Humberto g. 23, Basindeilas

TAI, KAS ATSITIKO VĖLIAU, užgriuvo kaip devintoji banga. Uraganu į veidą bloškėsi garso pliūpsnis, šimtams balsų išrėkus kovos šūkį. Sofi atsidūrė tiesiai prieš plytgalį, kuris atskriejo ir kirto jai per dešiniąją ranką. Viskas buvo taip netikėta, kaip griaustinis iš giedro dangaus, ir moteris, staigiai užtrenkusi duris, liko kalėjimo viduje.

Girdėjo save keikiantis, tačiau žodžius nustelbė akmenų, pasipylusių į medines namo sienas, kruša, ir Sofi susilenkusi ėmė repečkoti nuo pavojaus. Matė, kaip nuo puolimo subraškėjo durys ir šūktelėjo Nikolui, kad jis spruktų. Vyriškis išplėtęs akis žiūrėjo į ją, o burna nebyliai žiopčiojo, tarsi bandytų kažką pasakyti. Vieną kraupią akimirką jai pasirodė, jog jis ketina išeiti apsidairyti, tačiau paklusęs savisaugos instinktui ėmė šliaužti jos link. Jiedviem pabudo giliai glūdintys gyvuliški refleksai, ir tarsi kokie gyvūnai, palenkę galvas, jie ėmė slėptis nuo gresiančio pavojaus ir už durų tykančio priešo. Net jeigu kuris nors jų ir spėjo susivokti, kas dedasi, svaidomų akmenų dundėjimas užgulė ausis ir atėmė žadą.

Sofi žvelgė į pravertas svetainės duris kaip į išsigelbėjimą nesuvokdama, jog belangis koridorius tūkstantį kartų saugesnė vieta.

Bildančia širdimi ji pasikėlė ir metėsi į kambarį, kad užtrenktų už Nikolo duris. Buvo tikra, kad Franekas jau pašokęs ant kojų, net tiesė jo link pagalbos ranką, kai staiga langas sudužo, vidun pasipylė stiklai, ir stiklo šukės, prakirtusios lengvutes užuolaidas, įleido vidun šviesos spindulių pluoštelių. Tai įvyko akimirksniu, tačiau

Sofi taip aiškiai viską matė, kad vaizdas visam laikui liko atmintyje. Gražus tuo, kad į kambarį pliūptelėjo šviesa. Ir baugus dėl to, kas neišvengiamai turėjo atsitikti po to. Po senio nužudymo.

Ji jau regėjo jį pasruvusį kraujais, nes dėl pakibusios grėsmės vaizduotė viską piešė ryškiau, nei buvo iš tikrųjų. Tačiau vaizduotė klydo. Kai ji visu balsu įspėjamai klykė — Franekai, traukitės, traukitės! — o šis pasisuko į ją, stiklo šukės žiro ant grindų nieko nesužeisdamos, nes jų smūgio jėgą sugėrė užuolaidos. Senį turbūt išvydo žmonės lauke, nes jie vėl ėmė garsiai šaukti, ir jau kuo aiškiausiai pasigirdo paskiri žodžiai:

— *Gyvulys!..*

— *Šūdžius!..*

— *Iškrypėlis!..*

Nikolas, sugriebęs tėvui už rankos, išstūmė jį į koridorių ir šūktelėjo Sofi, kad uždarytų duris.

— Virtuvėj, — klyktelėjo jis, stumdamas tėvą pro laiptus. — Ten yra telefonas.

Viskas įvyko žaibiškai. Sofi protas šaukė, kad jie patys lenda į spąstus, tačiau sekdama išsigandusiu vyru ji nevalingai pajudėjo virtuvės link. Franekas sudribo ant grindų po kriaukle, šaukdamas sūnui lenkiškai ir piktai rodydamas į Sofi. Nikolas atsakinėjo trumpais, kapotais sakiniais, modamas, kad senis pasitrauktų nuo jos. Čiupęs telefoną ėmė spaudinėti mygtuką, palaukė ištisinio signalo, o paskui, metęs telefoną, puolė remti virtuvės duris stalu.

— Ką čia darote?

Sofi balsas virpėjo nuo įtampos.

— Telefonas neveikia.

Ji mostelėjo durų link.

— Taip, bet aš nesuprantu, kas čia vyksta. Ko lauke susirinko tie žmonės? Ko jie klykia ant tavo tėvo?

Dar vienas Franeko pliūpsnis lenkiškai.

— Ką jis sako?

— Nėra laiko kalbėtis, — Nikolas perkėlė nedidukę mikro-

bangų krosnelę ant stalo, kad bent kiek sutvirtintų skystoką už-
tvarą. — Reikia tvirtinti barikadą.

Franekas prabilo nuo grindų, šįkart angliškai.

— Ar ji mus apsaugos, kol sulauksime pagalbos?

— Abejoju.

Sofi mėgino suvaldyti drebantį balsą.

— Ko jie čia susirinko? Kodėl neveikia telefonas?

Nikolas spėliodamas gūžtelėjo pečiais.

— Tikriausiai nupjovė laidus.

— Kodėl? — ji pati pakėlė ragelį ir pridėjo prie ausies. — Kodėl
to prireikė?

— Kodėl? Kodėl? Kodėl? — atsiliepė senis nuo grindų. — Per
daug klausinėji. Verčiau imkis ko nors. Padėk Milošui užremti
duris.

— Bet, — Sofi bandė sutelkti mintis, — galbūt man reikėtų
pabandyti su jais pasikalbėti? Galėčiau grįžti į svetainę ir šūktelėjusi
pro langą praneščiau, kas esu. Daguma jų veikiausiai mane pa-
žintų. Humberto gatvėje turiu keliolika pacientų. Galbūt lauke yra
policininkas.

— Ne, — nutukęs senis uždėjo ranką sau ant krūtinės ir švoks-
damas įkvėpė. — Liksi čia, — ir kažką pridūrė lenkiškai.

Jo sūnus apgailestaudamas patraukė pečiais.

— Baiminasi, kad numirs.

— Ne jis vienas, — ryžtingai išrėžė Sofi, — ir, jeigu atvirai,
nemanau, kad gera mintis čia slėptis. Jei jie išlauš laukujas duris,
būsime kaip spirgai keptuvėje.

— Jis sako, kad jaučia artėjantį naują priepuolį.

Gydytoja piktai papurtė galvą.

— Jam viskas gerai, — išdrožė. — Atlėkė čia kaip koks jaunuo-
lis. Vis tiek prieškambaryje pamečiau savo lagaminėlį.

Jeigu Nikolą ir nustebino ryžtinga jos šneka, jis neišsidavė.

— Greitai pasirodys policija. Tada būsime saugūs.

Sofi koridoriuje klausėsi garsų, tačiau girdėjosi tik kartkartė-
mis pasigirstantys paskiri prislopinti šūksniai, sklindantys, atrodo,
pro langą.

— Ar minia gali užeiti iš kitos pusės?

Sunerimęs Nikolas pasekė moters žvilgsnį.

— Ten sodai. Turėtų išlaužti tvoras, kad mus pasiektų, — jis nutilo ir įsiklausė. — Sklinda nuo kelio, — pridūrė.

Sofi sugriebė stalo kraštą ir atstūmė nuo durų.

— Na, aš nesu tuo tikra... O šitas laužas net vaiko nesulaikytų. Irzliai mostelėjusi ranka Franekui, duodama ženklą keltis, ji pasuko rankeną ir žvilgtelėjo pro plyšį. Tarsi bloga lemianti tyla prieš audrą, šūksniai nuo gatvės, atrodė, pritilo, tačiau durys vis dar buvo uždarytos, ir prieškambaryje nieko nebuvo matyti.

— Nuveskite tėtį aukštyn, o aš pasiimsiu savo lagaminėlį. Žvilgtelėsiu pro plyšelį laiškams, kas ten vyksta.

Pasigirdo dar vienas lenkiškas Franeko žodžių srautas, ir jam nutilus Nikolas čiupo gydytojai už rankos ir atitraukė ją atgal.

— Aš paimsiu lagaminėlį, — tarė jis. — Jūs prižiūrėkit tėtį.

Ji nustūmė jį šalin.

— Pasitraukit nuo manęs!

Sumurmėjęs „atsiprašau", vyriškis ją tučtuojau paleido, bet jo tėvas stambia savo plaštaka užspaudė jai burną, o kita apglėbė per liemenį. Senis skubiai nusitempė ją laiptų link, jai savo mentis įbedus į karštą nuogą jo krūtinę.

— Nekvailiok, mergaite, — sušnibždėjo jai į ausį, — nes perlaušiu stuburą kaip šapelį. Tu mus saugosi, kol atvyks policija. Supratai?

VIENUOLIKTAS SKYRIUS

2001 m. liepos 28 d., šeštadienis
Tyrimo štabas, klebonija, Portisfildas

Nuo Eimės dingimo jau buvo praėjusios daugiau kaip dvidešimt keturios valandos, ir telefonai tyrimo štabe skambėjo be perstojo nuo tada, kai jos nuotrauka buvo parodyta per televiziją. Nuotrauką išvydo visoje Britanijoje, ir kiekvienas pranešimas privalėjo būti kruopščiai patikrintas. Daugiausia vilčių teikė pranešimai apie mergaitę, pastebėtą vyrų draugijoje, tačiau pačiame atostogų sezono įkarštyje tai nebuvo taip jau neįprasta. Tėvai dažnai lydėdavo degalinėse apsiperkančias dukteris ar lūkuriuodavo jų prie moterų tualeto. Kaskart, kai nauji pėdsakai nuvesdavo klaidingu keliu, viltys vis labiau blėso.

Be šitokio plataus masto tyrimo, kokio panašiais atvejais policija visada imasi, inspektorius Taileris ir jo žmonės sutelkė savo dėmesį, kad išsiaiškintų, kur Eimė pastarąsias dvi savaites lankydavosi. Ryškėjo keistas įvykių vaizdas. Pasak Bario, Eimė išeidavusi kasryt dešimtą — jį pažadindavęs durų trinktelėjimas, — o grįždavusi kiekvieną vakarą be penkiolikos šešios pranešdavo, kad svečiavosi pas Petsę. Tačiau kai Kimberlė trečiadienio vakarą ją išvadino melage, Eimė staiga persimainė ir virto „tikra raganiūkšte".

Berniukas, klodamas, kas įvyko, jautėsi nesmagiai.

— Šiaip tai tikra mėmė — nuolat žliumbia, nemėgsta žiūrėti teliko. Kai Kim pavadina ją melage, ji tiesiog pašėlsta. Spardosi ir grumiasi, ir tik kai Kim pažadėjo nieko nesakyti mamai, Eimė apsiramino. Buvo sutarta, kad ji turi grįžti prieš Lorą, antraip Kim neteks pinigų už vaiko priežiūrą.

— Tai buvo trečiadienis?

Baris linktelėjo.

— O jos susitarė ketvirtadienio vakare?

Dar vienas linktelėjimas.

— Ar kuris nors jūsų bandė išsiaiškinti, kur ji eidavo?

— Lyg ir. Kim vis bandė jai įgelti, jog šliaužianti į kokią nors skylę, nes neturinti draugų.

— Kaip ji reaguodavo?

— Tik pasakė, kad jei žinotume, sprogtume iš pavydo.

Visą vakarą trukusi Loros Bidulf ir Martino Rodžersono giminių apklausa nedavė jokių rezultatų. Rodžersono tėvai gyveno senelių prieglaudoje Braitone ir nebuvo matę savo anūkės jau beveik dvejus metus.

— Ji atvyko tik kartą. Martinas norėjo pataisyti pašlijusius santykius... Nesikalbėjome nuo jo skyrybų... Tačiau Eimė buvo labai atgrasi... Vis žliumbė... Manėme, kad jai ne visi namie... Vis lakstė į tualetą dėl pilvo skausmų, bet jai nepraėjo... Keista mergaitė... Labai varginanti... Bus paveldėjusi iš mamos... Martinas tikrai neteko pusiausvyros. Paprašėme daugiau jos nesivežti — net nenumanėme, kad jiedu su Lora išsiskyrę...

Jo sūnus iš pirmosios santuokos mergaitės nepažinojo.

— Perspėjome prieš tuokiantis, kad palaikysime motiną... Koks jis buvo tėvas? Laikėsi atokiai... Šaltas... Niekad neatrodė, kad mus labai mėgtų... Ar mušdavo, jei neklausydavome?.. Kad ne... Iki vėlumos negrįždavo namo... Auklėjimas įėjo į mamos pareigas...

Bidulf tėvai, pensininkai, gyvenantys Oksfordšyre greta vyriausiosios dukters, Eimę taip pat matė vos kartą, kai Lora ją pasiėmė kartu per savo netikėtą apsilankymą praėjusią vasarą. Kaip ir Rodžersonai, jie sudarė atsiribojimo nuo vaiko, kuris juos liūdino, kaip šios santuokos vaisius, įspūdį. Daugiausia kalbėjo ponas Bidulfas.

Ar Lora minėjo kokius nors santuokos nesklandumus? *Niekada nebūtų... Per daug bijojo išgirsti „o ką mes tau sakėme? Jiems nepatinka Martinas? Aišku, kad ne... Ne ką geresnis už kokį pedofilą... Ima visai jaunutę nuotaką, kaip savo turtų įkaitą... Ar jie žinoję, kad Lora ketinusi jį palikti? Ne... Tarsi perkūnas trenkė iš giedro*

dangaus, kai ji paskambino ir pranešė, kad gyvena su kitu... Ar kada
matėsi su Taunsendu? *Ne...* Lora apie jį pasakojo? *Atrodo, minėjo,
kad jis statybininkas...* Ar Eimė kalbėjo apie Martiną viešėdama pas
jus? *Ne... Apie jį nenorim nieko girdėti.* Ar Lora mylėjo savo dukrą?
*Jeigu turite galvoje tai, kad jos nė per žingsnį nė akimirką nesitraukė
viena nuo kitos, tai ne... Mes nelinkę rodyti jausmų...* Ar jie pastebėjo
ką nors, kas bylotų apie fizinį smurtą prieš Eimę? *Kieno...? Martino
ar Loros...* Bet kurio. *Ji nė musės nenuskriaustų... O Martinas... Iš jo
gali visko tikėtis.*

Loros sesuo šiuos atsakymus nušvietė kitaip.

— Mamai buvo keturiasdešimt aštuoneri, kai gimė Lora. Ji
manė, kad jai jau menopauzė, o čia netikėtai iššoka dukrytė. Man
buvo aštuoniolika, o broliui — šešiolika. Galvojome, kad tai muilo
burbulas... Žinot, juk po keturiasdešimt penkerių apie pusiaują ima
kauptis riebalai. Ir še tau, pasirodė tikra mažoji žvaigždutė. Daino-
rėlė, šokėjėlė ir triskart mielesnė už mus. Ją visiškai išpaikino. Tėtis
buvo ką tik išėjęs į pensiją ir staiga atrado sau tėvystės džiaugsmus, o
vargšelė sena mama buvo nustumta į antrąjį planą. Tėtis gali kaltinti
tik save, kad ji ištekėjo už Martino. Kaldavo jai, kaip lengvai gražios
merginos gali apie mažąjį pirštelį apvynioti pagyvenusius vyrus.

— Ar su ja palaikote ryšį?

— Galima sakyti, nepažįstu. Tarsi kokia tolima giminaitė.

— Ar jai nepavydite?

Sesuo buvo pasiturinčio ūkininko žmona vėjo nugairintu vei-
du ir įdiržusiomis nuo darbo rankomis.

— Pavydėdavau, — prisipažino, — dabar jau ne. Ištekėjusi už
Martino neteko viso spindesio.

— Ar susitikote su Eime joms atvykus?

— Taip, žinoma. Vieną vakarą Lora ją atsivedė kartu.

— Kokį įspūdį jums paliko?

Ji kreivai šyptelėjo.

— Tikra mamytės kopija. Dainuoja, šoka, tarsi bijotų, kad
antraip apdulkės nuo rutinos... Ir liks kaip kokia pelytė po šluota.
Nespėjau nė mirktelėti, kai iš vyro išviliojo 50 pensų. Ji jam pasirodė
mieliausias vaikas, kokį tik yra sutikęs.

— O jūs? Ar *jus* pakerėjo?

Ji kiek susimąstė.

— Manau, kad tam tikra prasme taip. Ji kaip rylininko beždžionė... Vis tiek kaip nors įsiteikdavo... Žinoma, tai jau paveldėta iš Loros. Mes tik pakštelim viena kitai į skruostą susitikusios, vis dėlto Lora atrodė stebėtinai santūri. Tai visai nepanašu į Bidulfus, — ji nutilo. — Arba gal tik atrodė santūri, — tarė pati nustebdama. — Mintimis grįždama į praeitą vasarą, neprisimenu jokių emocijų.

Kaimynai Portisfilde karštai troško padėti — kartais net per daug, — tačiau jų žinios buvo pernelyg jau miglotos. Pažinoję Eimę pastarąsias dvi savaites jos nematė, o nepažinoję siuntė policiją karštais pėdsakais.

Reikėtų apieškoti namą Trejybės aikštės gale... Ten toks tipas sukiojasi apie vaikų žaidimų aikšteles. Mano nuomone, turėtumėt jį kaip reikiant papurtyti...

Kelis kartus mačiau motiną. Savo draugei pasakiau „Ko tas ožys Gregoris tikisi iš perpus jaunesnės moters?" „Senas kuilys, — atsakė ji. — Kimberlė pasius iš pavydo. Pamatysi. Netrukus ims viena kitą ėsti."

Mačiau vaiką, labai panašų į tą nuotraukoje... Mažytė žavi būtybė ilgais tamsiais plaukais... Ji su vyriškiu sėdėjo automobilyje. Sustojo šalia manęs prie šviesoforo... Kiek pamenu, mašina buvo juoda... Ne mini ir ne rolsroisas... Tik juos ir skiriu...

Policija, įsikūrusi šalia Portisfildo katalikų bažnyčios esančioje klebonijoje, pavertė šią savo darbo štabu. Viename kampe įsitaisęs inspektorius Taileris truputį po pusiaudienio raportavo savo viršininkui:

— Čia kažkokia velniava... Nieko negaliu suprasti. Bidulf aiškiai sugniuždyta... Rėkia ir klykia ant Kimberlės arba sėdi stiklinėmis akimis... Atsisako išeiti iš namų ir prašyti pagalbos Eimei. Rodžersonas — priešingai... Susivaldantis, mandagus, santūrus, pasiruošęs įvykdyti viską, ko prašome... Ir staiga paplūsta ašaromis, vos tik kameros pasisuka jo link.

— Kodėl tave tai stebina?

— Jis laidė juokelius prieš pat ateidamas į spaudos konferenciją. Daugiausia apie moteris, — Taileris klausiamai ištiesė ranką. — Ką daryti, kai sugenda indaplovė?

— Neturiu supratimo.

— Išmesk.

— Hmm, — viršininkas susimąstęs paplekšnojo sau per kaklą. — Gal jam į klykimą ir šaukimą ant panelės Kimberlės nusispjaut. Negali visą laiką vartoti tik rinktinių žodžių, — jis nutilo. — Juk minėjai, kad tėvai vienas kito negali pakęsti.

Taileris pritariamai linktelėjo.

— Rodžersonas apie tai kalba ramiai, sako, kad amžiaus skirtumas lėmė, kad neturėjo nieko bendra... Sako, buvęs kvailas, kad ją vedė... Turėjęs numatyti, kad atsitiks tai, kas ir turėjo atsitikti... Romanas su Taunsendu buvo tai, kas anksčiau ar vėliau turėjo prasidėti. Jis prisiima dalį kaltės ir sau, nes per ilgai užsibūdavo darbe. Tačiau akmens užantyje nesinešioja, net jaučiasi patenkintas jos atsikratęs, — inspektorius išsišiepė. — Bent jau taip tvirtina.

— Tu juo netiki?

Taileris susimąstė.

— Nežinau. Per daug atkakliai tvirtina, jog jam terūpi Eimės gerovė, nors, kaip pats prisipažino, neteikia vaikui paramos ir devynis mėnesius jos net nematė. Teisinasi tuo, kad Lora grąžindavusi jo siunčiamus čekius, kai gyveno su Taunsendu, o paskui apskritai pradingusi. Jis teigia, kad ji žaidė vaiko jausmais, siekdama išplėšti daugiau pinigų per skyrybas. *Tu jos nerėmei, tavęs nemėgsta, nenorės su tavimi gyventi...* Ir taip toliau.

— Kaip įprasta. Vaikai tokiais atvejais tampa sviediniu. Liūdna, tačiau taip jau yra.

— Būtent, sere. Nematau čia jokios ypatingos situacijos. Tėvui globa suteikiama retai, ypač dirbančiam tiek, kiek Rodžersonas, tai kodėl Lora buvo įsitikinusi, jog neteks vaiko? Galai nesueina. Manding turėjo siekti bendros globos, tada visi turėtų būti patenkinti, — Taileris susimąstė ir nutilo. — Dar vienas keistas dalykas yra Rodžersono namas. Neatrodo, kad kada ten būtų gyvenęs koks vaikas. Jokių žaislų... Mažytis televizorius... Nėra vaizdo grotuvo... Nei karstyklių sode... Po visą namą išstatytas brangus porcelianas. Eimė kaskart kur nors žengdama būtų turėjusi saugotis, kad ko nesukultų, — jis patraukė pečiais. — Abejoju, ar jis apskritai norėjo vaiko, ką jau kalbėti jau apie globą pasprukus žmonai.

Dar vienas nukąstas „hmm". Žmonės, nepažįstantys boso, manė, kad jis kažką marmaliuoja sau po nosimi. Pažįstantys buvo pripratę prie šių pauzių, per kurias jis duodavo sau laiko pagalvoti. Daugelis pavaldinių perėmė šį įprotį, nors ir stengėsi neišsiduoti.

— Įdomu. Apie tai užsiminei Rodžersonui?

Taileris linktelėjo.

— Prieš spaudos konferenciją. Pasiteiravau, ko jie kovoja dėl vaiko, jeigu bendra globa būtų geriausia išeitis, ir jis tam pritarė, bet tvirtino, kad nieko negali pakeisti, jeigu pirma apie tai neprabils žmona.

— Kokia buvo Loros reakcija?

— Jis mokąs įtikinėti, nes esąs advokatas. Arba atvirkščiai.

— Ji teisi. Visi jie geri rykliai.

Inspektorius šyptelėjo.

— Tačiau turėtų būti dar kažkas, sere. Kažkuris jų kitą smaugte smaugia, tačiau nežinau, kodėl ir kuris kurį. Mano nuojauta kužda, kad Rodžersonas žmonai jaučia pagiežą — gal dėl Taunsendo, — kitaip ji nebūtų parsidavusi Loganui už stogą virš galvos.

— Ką žinome apie Taunsendą?

— Nelabai ką. Jis atostogauja Maljorkoje su naująja drauguže. Rodžersonas vis dar jam dirba, ir tai man atrodo ganėtinai keista — juk būtų buvę natūralu tučtuojau juo atsikratyti, kai nušvilpė žmoną.

Jis kilstelėjo antakius.

— Kokie ryšiai sieja? Asmeniniai? Verslo reikalai?

— Ir tie, ir tie. Lora sako, jie nuolat bendrauja telefonu.

Viršininkas susimąstė.

— Gal reikėtų apversti klausimą ir paklausti, kodėl Taunsendas laikytų savo advokatu žmogų, kuris jį apmovė? Tai kur kas įdomiau, ar ne? Sprendžiant iš to, juos sieja kažkas daugiau nei Eimė su savo motina.

— Pavyzdžiui?

— Paslaptys? Gal kaip tik tie vyrai vienas su kitu ir grumiasi? Kur jis gyvena? Kuo verčiasi?

— Sautamptone. Statybų bendrovė „Etstone". Rodžersonas davė abu adresus. Prie Taunsendo namo mūsų automobilis stovi nuo vakar vakaro devintos, jeigu pasirodytų mergaitė, be to, apklausiame kaimynus. Vienas ar keli prisimena Lorą ir Eimę, tačiau su jomis per daug nesibičiuliavo. Visi apibūdino Taunsendą kaip plevėsą — „tikras gražuolis", anot vienos moters, — ir sakė, kad jis dažnai keliaująs. Dukart vedęs. Su pirmąja pratraukė trejus metus, su antrąja — vos dvylika mėnesių. Turėjo gausybę meilės nuotykių, tačiau Lora buvo vienintelė moteris, kuriai leido įsikraustyti. Pasak tos pačios moters, jį labiau traukia vienos nakties žygiai nei rimti santykiai. Ją apklausęs Garis Batleris teigė, kad ji „aiškiai buvo vienos nakties sugulovė ir tuo tikriausiai nebuvo patenkinta".

— Tai geras šunsnukis, ar ne?

— Panašu, kad taip. Nepasisekė apklausti nieko iš jo kontoros tarnautojų. Savaitgalį ji uždaryta, o atsakikliai nepraneša kontaktinių telefonų. Savo aukšto kaimynui dėl visa ko paliko viešbučio Maljorkoje adresą, bandome jį ten pagauti. Administratorius pasakė, kad jis išsinuomojo automobilį ir lekia į nudistų paplūdimį toliau pajūriu. Turėtų grįžti šįvakar. Tada vėl pamėginsime.

— Manai, jis susijęs?

Taileris papurtė galvą.

— Neįsivaizduoju, kaip galėtų būti įsipainiojęs. Jis buvo išvykęs į užsienį nuo antradienio, o Eimė pradingdavo kiekvieną mielą dieną. Tiesiog bandau sumegzti galus. Galbūt iš pokalbio su juo paaiškės kas nors daugiau apie tai, kas vyksta tarp tėvų.

— Hmm, — viršininkas įsmeigė į pavaldinį žvilgsnį. — Tu medžioji laukines žąsis, sūneli. Rodžersonas visą dieną praleido biure, Bidulf — savo pamainoje, o Loganas vairavo autobusą. Rodžersonas galėjo ką nors nusamdyti, kad ją pagrobtų ir paslėptų, kol viskas aprims... Tačiau jis nieko nelaimėtų. Neparodysi juk jos po savaitės ar dviejų ir nepasakysi, kad tai buvo klaida. Apie smurtą jokių pranešimų nėra, o mergaitės mokytojai apibūdina ją kaip itin ramų vaiką, — jis nekantriai mostelėjo ranka. — Ieškome psicho. Tai vienintelis paaiškinimas.

Taileris nepritardamas papurtė galvą.

— Tai kur vargšelė kasdien eidavo? Su kuo būdavo?

Policijos budėtojo kompiuteris nuolat mirgėjo nuo pranešimų iš kitų skyrių.

— Basindeile riaušės, — tarė prie kompiuterio sėdintis pareigūnas Taileriui, kai jis, eidamas pro šalį, stabtelėjo.

— Dėl ko?

— Atrodo, puola pedofilą.

— Kokia pavardė?

— Milošas Zelovskis, — jis panaršė tarp pranešimų. — Perkeltas iš Portisfildo prieš dvi savaites... Apklaustas šįryt... Apieškotas namas... Prašo apsaugos... Sutelktos ypatingosios policijos pajėgos... Sklinda gandas, kad gatvėje, kur jis gyvena, vakar vakare pastebėta Eimė... Daugiau kaip 200 žmonių minia, ginkluota akmenimis ir buteliais su benzinu... Statomos barikados... Ten dirbanti policijos pareigūnė neatsiliepia... Zelovskio telefonas neveikia... Situacija nevaldoma, — jis pakėlė akis. — Teks rinktis, sere.

— Ką rinktis?

— Ieškome mergaitės ar giname pedofilą? Abiem darbams vienu sykiu neturime žmonių.

> Policijos pranešimas visoms nuovadoms

> 2001-07-28

> 14.43

> Basindeilo kvartalas

> PAPILDYMAS — dingo pareigūnė Henson

> Henson numatyti šio ryto iškvietimai: V. Barberis, Pinderio
gatvė 121; M. Furnou, Harisono kelias 72; Dž. Deris, Glibo
daugiaaukštis, butas 506

> 4-as skambutis... Barberis 729731/ Furnou 729071/ Deris
725600

> — Neatsako

> — Neatsako

> — Neatsako

> — Neatsako

> — Neatsako

DVYLIKTAS SKYRIUS

2001 m. liepos 28 d., šeštadienis
Glibo daugiabutis, Basindeilas

DŽIMIS DŽEIMSAS, piktai pašnairavęs į užrašą „Neveikia"
ant lifto durų, savo letena trinktelėjo į pilkos spalvos grublėto
metalo duris, ant kurių puikavosi dažais išpurkšta V raidė. Džimis
išsirengė pas jam skolingą vyruką iš devinto aukšto, tačiau sustojo
priešais laiptus. Šliužas jį mausto jau nuo ketvirtadienio, taigi ga-
lima drąsiai lažintis, kad jo nėra namie. Kartu su kitais pusgalviais
greičiausiai gatvėje.

Rajone buvo baugiai tyku. Paprastai šeštadienį geležiniai laip-
tai skardi nuo vaikų šūksnių, tačiau dabar jie arba sėdi uždaryti
butuose, arba traukia įkandin minios, nelyginant kokie maldininkai.
Eidamas čia Džimis prasilenkė su būreliu septynmečių, traukiančių
dainas prie mokyklos, kur rinkosi Melani kariauna. *Bobopilai lauk...*
Bobopilai lauk. Mat jie net nežinojo, kad reikia šaukti *pedofilai*
lauk, ką jau kalbėti apie žodžio reikšmę, ir jis net abejojo, ar suau-
gusieji nutuokia daugiau. Net liūdna žiūrėti. Nemokšiškumas visada
taip slegia...

Džimis prisidegė cigaretę ir apsvarstė padėtį. Neįsipainioti į
tai, kas vyksta, jau neįmanoma. Melani kalbėjo apie protesto de-
monstraciją, tačiau benzino tvaikas, tvyrantis ore, byloja ką kita.
Padaręs lankstą, kad apžiūrėtų vieną išvažiavimą iš kvartalo, Džimis
rado jį užtvertą automobiliais; kai kurie buvo apversti ant šono, visų
degalų bakai atidaryti, o benzinas išsiurbtas arba pasiliejęs per visą
plentą. Matė vaikus, pildančius butelius benzinu, ir mergaites, kem-
šančias jų kaklelius skudurėliais, taigi nereikėjo būti Nostradamu,
kad įspėtum artėjant tikrą pragarą.

Pedofilas — tiesiog patogi proga išsilieti susikaupusiai Rūgšties kvartalo prastuomenės tulžiai. Jautėsi kaip žydai, suvaryti į getą, arba kaip į priemiesčius nustumti juodaodžiai — bedaliai, kai šalia jų visi klesti. Ironiška tai, kad dauguma jų — baltaodžiai. Džimis iš dalies juos palaikė — kaip ir kiekvienas šalies juodaodis, — tačiau kartu niekino dėl stingulio kažką keisti. Jis kūrė planus Melani su vaikais iš čia ištraukti... Susirasti vietelę Londone, kur galėtų gyventi sąžiningai ir kažko pasiekti... *būtų galėjęs*, priminė sau rūškanai, nes, kaip dabar paaiškėjo, niekas iš pažįstamų jokiais reikalais neužsiima.

Dviem užteko sveiko proto išsinešdinti iš kvartalo dar prieš išdygstant barikadoms, o trečiasis neatidarė durų. Dėl savų priežasčių nė vienas nenorėjo kirstis su įstatymu, taigi turėjo kažkur prisiglausti ir pralaukti, kol pavojus praeis. Nesipainiok kur nereikia, o rytojus netruks išaušti, ir niekas netrukdys atnaujinti įprastos veiklos. Džimis greitai ir pats priėjo tokią pačią išvadą. Jis irgi jau buvo pasirengęs lėkti tolyn traukiniu su trupučiu pinigų ir kokiu daiktu, kurį galėtų parduoti, tačiau, neturint nei to, nei kito, liko tik ramiai tūnoti Melani namuose. Atrodė, kad dar sočiai laiko bus nosies tiesumu drožti tiesiai ten, kai paaiškės, kad reikalų sutvarkyti nepavyks, tačiau dabar Džimis jau ėmė nerimauti. Galbūt nebuvo tokia jau gera mintis palikti Mel ir tuos vaikiščius žygiuoti vienus? Kas žino, ką tie bukagalviai rezga Humberto gatvėje?

Vyrukas užmynė cigaretę kulnu ir pirštu įnirtingai bedė į lifto mygtuką. Jis nieku gyvu negali nusižengti, tačiau šioje Dievo apleistoje vietoje viskas eina kreivai šleivai. Džimis skėlė dar vieną antausį bejausmei mašinai, tačiau netikėtai metalas skimbtelėjo ir durys prasivėrė. Jis jau beveik ėmė manyti, kad laimė jam vėl šypsosi, kai pastebėjo ant grindų gulintį kūną. *O! Jėzau! Jėzau! Jėzau!*

Nenustodamas įtemptai galvoti Džimis leidosi į kojas.

Humberto g. 23-iojo viduje

Sofi atsitraukė į kampą ir įkišo ranką į kišenę nosinaitės senio rankų paliktam skoniui nuo lūpų nusivalyti. Buvo taip išsigandusi, kad pirštai neklausė, ir ji prispaudė juos prie sienos, kad nustotų virpėję. Kambarys buvo prigriozdintas visokių baldų, ir Franekas stovėjo sargyboje priešais duris, palenkęs galvą, klausydamasis sūnaus, kuris kažką sunkaus tempė ant laiptų aikštelės. Kartu nenuleido žvilgsnio nuo Sofi — stebeilijo ilgai pratisai, nemirksėdamas, ir savo ruožtu ji taip pat nenuleido nuo senio akių. O jei jis artinsis? Jeigu vėl ją užpuls? Galvoje aidėjo minios šūksniai: *Gyvulys... Šūdžius... Iškrypėlis.*

Vienos mįslės. Iš kur atsirado ta minia? Kur ji susirinko? Gatvė prieš pusvalandį dar buvo beveik visiškai tuščia. Baimė dėl savęs užvaldė visas mintis, ir galvoje ėmė skrieti mintys apie Melani minėtą pedofilą. Gal ją čia tyčia prisiviliojo? Įdomu, ar kas pastebėjo ją įeinančią ir nutuokia apie jai gresiantį pavojų? *Gyvulys... Šūdžius... Iškrypėlis.* Bet kodėl ją užpuolė mėginančią išeiti? Ir kur policija?

Tarsi apgraibomis slinktų per tirštą rūką. Mąstymą paralyžiavo senio piktumas. Pagaliau koks skirtumas, kas jis iš tikrųjų, vis tiek jis — tikras šlykštynė. Ji jautė iš rankų ant savo krūtų ir į jos užpakalį įsirėmusios varpos, kad jis susijaudino, kai jie pasiekė laiptų viršų, jautė, kaip jis mėgaujasi kiekvienu jos virptelėjimu, išduodančiu, kad ji taip pat jaudinasi. Senis staiga žengtelėjo į priekį.

— *Užmušiu* tave, — įspėjo Sofi kimiu balsu. Ji siekė ašarinių dujų balionėlio savo kišenėje ir negalėjo patikėti, kad dabar, kai jai jo taip reikia, jis guli sau lagaminėlyje kartu su mobiliuoju. *Kur jos lagaminėlis? Nikolas jį paėmė, ar jis vis dar prie laukujų durų?*

Nikolas tikriausiai ją išgirdo, nes kažką griežtai šūktelėjo lenkiškai, ir jo tėvas nenoromis atsisuko į duris. Ji tarsi pabudo iš sapno. Ryžtingai puolė ieškoti aplink kokių daiktų apsisaugoti, pasičiupo porą kėdžių kietomis atkaltėmis ir pastatė jas prieš save taip, kad nugarėles tvirtai prisispaustų prie kojų.

Franekas išgirdo medžio brūžavimą per grindis.

— Ką čia darai? — piktai paklausė. — Galvoji, kėdės tave išgelbės? Verčiau padėtum Milošui pristumti tuos sunkius baldus ir užremti duris. Jis mėgina išstumti spintą iš mano kambario. Tai pravers, o tai, — jis mostelėjo į kėdes, — ne.

Sofi jo nepaisė, čiupo stiklo vazą ir seną kriketo muštuką, pasidėjo jį ant vienos iš kėdžių priešais save ir dar pridėjo porą storų knygų bei seną lėkštę apdaužytais kraštais.

— Daryk, ką sakau. Pagelbėk Milošui.

Ji papurtė galvą ir abiem rankomis pakėlė vazą. Už jo, prie laiptų turėklų, pastebėjo savo lagaminėlį.

Senis sukikeno gerkliniu juoku.

— Galvoji, stiklu perskelsi man galvą? — jis patapšnojo sau per kaktą. — Kieta kaip plienas. Manai, pajėgsi susiremti su Franeku? Pažvelk į juos, — jis pakėlė kumščius ir ėmė striksėti jos link boksininko žingsneliais, vaizduodamas smūgį į galvą, — vienas smūgis ir atsijungsi.

Sofi instinktyviai norėjo žengti atgal, pasitraukti, išvengti susidūrimo, tačiau negalėjo, nes nugara jau rėmėsi į sieną. Ji apsilaižė lūpas.

— Tai pirmyn, — tarė kimtelėjusiu iš baimės balsu, — bent pabandyk, ir aš suknežinsiu tavo tuščią makaulę.

Jam aiškiai knietėjo, nes bjaurios mažos akutės sužibo pasitenkinimu, tačiau jis tik papurtė galvą.

— Yra svarbesnių darbų.

Ji vėl apsilaižė lūpas.

— Gerai, — pasakė jis mėgaudamasis. — Dabar jau kaip reikiant išsigandai. Darysi, ką Franekas pasakys.

— Nieko nedarysiu, kol neduosite man lagaminėlio, — pareiškė ji ir linktelėjo galva turėklų link.

Jis pasekė jos žvilgsnį.

— Vis nori to savo lagaminėlio. Kas jame?

— Sterilūs tvarsčiai. Turiu aprišti žaizdą rankoje.

Senis tuo susidomėjo, pasikėlė lagaminėlį ir pirštais iškart užčiuopė užraktus.

— Pirma padėk Milošui, o tada gausi.

— Ne.

Jis susiraukė, tarsi nebūtų pratęs, kad kas nors jo neklauso.

— Daryk, ką sakau.

— Ne.

— Nori, kad tau skaudėtų?

Sofi abejingai gūžtelėjo pečiais.

— Aš išgyvensiu, tačiau tu — ne, jei tie žmonės įsiverš, — ji stebėjo, kaip jis tampo užraktus. — Veltui gaišti laiką. Reikalingas skaičių derinys.

Nepatenkintas jis numetė jį ant grindų.

— Pati tuščiai gaišti atsikalbinėdama.

— Tai eik ir pats padėk Nikolui, — tarė Sofi spėliodama, kiek dar sugebės išstovėti ant kojų. — Tavo sprandą jis ir mėgina išgelbėti.

— Ieškai progos sprukti? Gal pro langą?

Ji papurtė galvą.

— Gerai. Lik čia.

Jis staigiai dingo.

Sofi vėl nuleido vazą ant kėdės ir ant atkaltės uždėjo drebančią ranką. Gal tai spąstai? Gal lauks jos užlindęs? Ji drąsino save pulti į priekį ir pasičiupti lagaminėlį, tačiau baimė sulaikė. Gal tikrai paklusti būtų išmintingiau? Ji apsigins šitame kampe, kirs kriketo muštuku, jeigu jis artinsis, suraižys jam veidą stiklais. Išeiti iš už kėdžių — didžiulis valios išbandymas, kai visos nuojautos kužda pasilikti. *Paklusk... Priimk... Įsiteik...* Tačiau dabar patogi proga — paliko vieną su lagaminėliu, — ir stumdomų baldų garsas iš laiptų aikštelės įkvėpė jai drąsos.

Sofi išpuolė ir vėl įpuolė atgal, paskui, užsiglaudusi už kėdžių, spragtelėjo ratukus ant užraktų. *Greičiau... Greičiau... Greičiau...* Pasičiupusi mobilųjį paspaudė mygtuką „1".

— Džene, — sušnibždėjo, žvelgdama per kėdes į laiptų aikštelę, — čia Sofi. Ne, negaliu. Tiesiog klausyk. Man reikia pagalbos. Paskambink policijai. Pranešk, kad aš paskutinio iškvietimo, kur nukreipei, vietoje. Taip, pacientas Holisas. Jis mane paėmė įkaite. Lauke susirinkę žmonės. Tikras jovalas. Jis — beprotis. Manau, nori išprievartauti, — pastebėjusi turėklais slenkantį šešėlį, Sofi nutraukė kalbą ties puse žodžio. Tada skubiai paspaudė mygtuką „Išjungti", kad Dženė jai pati nepaskambintų, įmetė telefoną į lagaminėlį, čiupo sterilų tvarstį ir užtrenkė spynelę. Laiko išsitraukti ašarinių dujų balionėliui neliko.

Franekas papilkėjusiu nuo įtampos veidu iš paskutiniųjų įstūmė ąžuolinės spintos kraštą pro duris.

— Ką čia darai? — įtariai paklausė.

Ji išplėšė tvarstį iš pakuotės ir prispaudė sau prie rankos.

— Saugojuosi nuo tavo mikrobų. — Kitoje spintos pusėje išvydo Nikolą. — Neturi jokios teisės mane įkalinti, — tarė jam. — Žmonéms lauke manęs nereikia. Dauguma mane pažįsta. Būtų kur kas protingiau leisti man su jais pasikalbėti jūsų pačių labui. Jeigu leistumėte į priekinį miegamąjį, galėčiau šūktelėti jiems pro langą. Galbūt įtikinčiau iškviesti policiją.

— Policija čia ir pridirbo, — piktai iškošė Franekas, sunkiai traukdamas gerklėje švilpiantį orą. — Jie užvirė šitą košę, kai ėmė baladotis į duris ir klausinėti apie dingusią mergaitę.

Jis paliko sūnui vienam įstumti likusią spintos dalį į vidų ir, prieš atsiremdamas į sieną, kažką sumurmėjo lenkiškai.

— Turėsite jam padėti, — pasakė Nikolas, uždarė duris ir pristūmė prie jų spintą. — Jis dūsta.

Sofi susitelkė ties savo rankos dezinfekavimu. Jai reikia laiko pagalvoti. *Dingusi mergaitė?..* Eimė Bidulf?

— Prašau, daktare Morison. Jam negalima taip plėšytis. Per sunku.

Moteris metė žvilgsnį į Franeką kitame kambario gale, šis iš po primerktų vokų ją stebėjo.

— Ne, — kirste nukirto ji. — Jūsų tėvas neteko teisės būti mano pacientu, kai mane paėmė įkaite. Todėl galiu pirma rūpintis savo, o ne jo saugumu.

Nikolas, stumdamas kitus baldus prie spintos, kad padarytų erdvės kambario viduryje, jai dar kartą atsiprašomai nusišypsojo.

— Jis išsigando, o jūs norėjote mus palikti vienus. Kitu atveju niekada to nebūtų daręs.

— Tai ne pasiteisinimas.

Vyriškis pritariamai linktelėjo. Jis padėjo tėvui pasiekti atlaisvintą plotą ir įtaisė jį prie kėdžių pagalvėlių.

— Kai išsigąsta, visai pameta galvą, — ir netikėtai švelniu judėsiu nubraukė plaukus, užkritusius tėvui ant veido. — Tada niekas nemąsto blaiviai.

Sofi pamanė, kad šiuose žodžiuose yra tiesos, ir prieš akis jai iškilo paniškas traukimasis koridoriumi. Jeigu būtų išsaugojusi blaivią galvą, būtų bėgusi į priešingą pusę ir pamėginusi išeiti pro laukujes duris. Juk lauke ji turėtų tikrai daugiau draugų nei čia?

— Jūsų tėvas mane grabaliojo savo purvinom rankom, trynėsi

įvykus erekcijai man į kelnes, — rėžė ji. — Ar tai vadinate „galvos pametimu iš baimės"?

Nikolas atsiduso — labiau iš gėdos nei iš nuostabos.

— Labai apgailestauju, — pasakė nei į tvorą, nei į mietą. Ji tikėjosi pasiaiškinimo, tačiau, regis, sulaukė tik apgailestavimo. Bent jau kol kas.

Apačioje dusliai, tačiau pakankamai aiškiai vėl pasigirdo dūžtantys stiklai.

Glibo gatvė, Basindeilas

Džimis, pasiekęs Glibo gatvės galą, sulėtino žingsnį ir įsuko į Šiaurės Basindeilo gatvę. Jam iš dešinės stūksojo viena iš keturių barikadų, visa aplipusi apgirtusiais jaunikliais, laidančiais patyčias policijos automobilių anapus barikados link. Kairėje buvo Humberto gatvės pradžia, maždaug už penkiasdešimties metrų prie įėjimo į gatvę zujo vaikai. Viešpatie aukštielninkas! Jeigu eis prisiglausti į Mel namus, neišvengs dalyvavimo mūšyje su pedofilais, jei bandys sprukti iš rajono, paklius į policijos rankas.

Ką daryti? Jis grįžo atgal tuo pačiu keliu, kuriuo buvo atėjęs, ir atsirėmė į sieną atgauti kvapo. Kitoje gatvės pusėje pamatė senyvą moterį, stebinčią jį pro langą. Dar keletas vaikų spoksojo prie kito lango. Iš visur sekė smalsios akys. Tai vertė baimintis, ar tik kas nors nematė jo, dumiančio iš Glibo daugiaaukščio kaip dopingo prisileidusio Beno Džonsono. Jis turbūt tikrų tikriausiai atrodo padaręs kažką blogo. Mėšlas! Nereikėjo taip išsigąsti. Prisiminė lietęs lifto mygtuką. Cigaretės nuorūka su jo DNR mėtosi tarp šiukšlių ant grindų. Užtektų įkišti už grotų už ketinimą nužudyti.

Keikėsi net susiriesdamas, išsitraukė mobilųjį ir atidarė, nors visiškai nenorėjo to daryti. Negali sau to leisti. Joks draugužis nė per patrankos šūvį neprisileistų, jei sužinotų, kad jis skambino valdžios įstaigoms. Bet greitoji per barikadas nepateks.

Jis surinko 999.

> Policijos pranešimas visoms nuovadoms

> GELBĖJOMO TARNYBŲ LINIJOS PERKRAUTOS

> 2001-07-28

> 14.44

> Basindeilo kvartalas

> Dženiferė Monro iš Naitingeilo sveikatos priežiūros centro
  praneša, kad Holisai, Humberto g. 23, įkaite paėmė daktarę

> Išprievartavimo grėsmė

> Humberto g. 23 įregistruotas Milošas Zelovskis

> Tikriausiai pasivadino Holisu

> GELBĖJIMO TARNYBŲ LINIJOS PERKRAUTOS

> PAPILDYMAS: patrulinė 031 vis dar praneša, kad patekti
  neįmanoma

> Derybos tęsiasi

> Policijos pranešimas visoms nuovadoms

> 2001-07-28

> 14.53

> Basindeilo rajonas

> Anonimas kviečia pagalbą sužeistai policininkei

> Gelbėtojai jau informuoti

> Henson greičiausiai vienintelė policininkė kvartale

TRYLIKTAS SKYRIUS

2001 m. liepos 28 d., šeštadienis
prie Humberto g. 23-iojo

ŽINIA, KAD KAŽKAS PRIE pedofilo durų pastebėjo mergaitę, pasklido akimirką prieš nuskriejant pirmajam plytgaliui. Kaip žaidime „Sugedęs telefonas", žodžiai „neaukšta moteris su juodu lagaminėliu" virto žodžiais „mergaitė su juodomis kojinėmis", — žinia, patvirtinančia gandus, kad dieną prieš tai Eimė buvo pasirodžiusi Humberto gatvėje. Be to, tai atrodė logiška. Kur daugiau ji galėtų būti, jei ne namuose žmogaus, prieš dvi savaites gyvenusio jos kaimynystėje?

Buvo daug ženklų, galinčių riaušininkams atverti akis ir parodyti, kad jie klysta. Vaikai, jau kelias dienas šūkavę „psichas" ir matę pusė trijų į namą įeinančią moterį. Policijos automobilio pasirodymas prie 23-io numerio, kaimynų pastebėtas tą rytą, kai Milošas Zelovskis buvo apklaustas, o per jo name atliktą nuodugnią kratą nieko neaptikta. Vis dar tebestovintis automobilis su gydytojo ženklu. Neįtikėtinas dalykas, kad užkluptas pedofilas visiems parodytų auką.

Tačiau sambūriui trūko koordinacijos. Susidarė per daug atskirų grupelių, atsirado per daug vadukų. Kiekvienas norėjo parodyti, ką sugeba. Jaunimas reikalavo atmatoms užkurti pirtį, vyresnieji — valdininkų pagarbos, moterys — saugumo sau ir savo vaikams. „Atsikratyti iškrypėlių" buvo vienintelis jų kovos šūkis, ir garsiausiai jį skelbė paauglės, skardinė po skardinės su savo draugužiais siurbiančios alų, nepaisydamos, kad jų lengvesni kūnai mažiau atsparūs alkoholiui. Kaip kokios girtos gatvės mergšės, jos kurstė vaikinus dar agresyvesniems veiksmams.

Vėliau žodžiai „apginti Eimę" taps atsakymu į visus klausimus dėl riaušių veiksmų. Niekas neabejojo, kad pedofilas laiko ją name. Tai esą nekėlė jokių abejonių. Ją pastebėję gatvėje. Ir prie jo durų. Visi kaltę suvertė valdžiai. Nieko nebūtų įvykę, jeigu pedofilai nebūtų įbrukti jau ir taip iki kaklo bėdų spaudžiamiems Rūgšties kvartalo gyventojams. Visi jų kratėsi. Kodėl turėjo priimti jie? Rajonas — vienišų mamų ir jų vaikų namai. Kas, jeigu ne moterys, galėtų ir turėtų apginti savo vaikus nuo iškrypėlių?

Tik jau ne policija, kuri jaunuoliams apsaugoti taikydavo vienintelį būdą — suimdavo juos.

Melani, stumdydama į šalis žmones, prasimušė į kitą gatvės pusę ir pastojo kelią savo keturiolikmečiui broliui ir jo draugužiui, ardantiems plokštes ir plytas iš neaukštos sienelės, skiriančios prie jos būsto nediduką sodelį nuo gatvės.

— Ką čia, po galais, dirbate? — sukliko ji. Pagriebusi Koliną už rankos pamėgino jį atitraukti nuo tvorelės. — Tai vienintelis sodo kampelis, kuriame vaikai gali pažaisti. Kas, velniai rautų, paskui visa tai atstatys? Savaime aišku, tik ne jūs.

— Atšok, — atrėžė Kolinas, vaduodamasis iš sesers rankos. — Juk pati to norėjai, ar ne? Priversti iškrypėlius gerai susimąstyti? — Kolinas patenkintas išsišiepė, kai Veslis Barberis spyrė į sienelę ir išmušė dar tris plytas. — Čia tai geras, Vesai.

Melani iš brolio burnos užuodė alaus tvaiką ir pastebėjo laukinį Veslio akių žvilgsnį, kuris sakyte sakė „dink arba bus blogai". Ji ėmė karštligiškai ieškoti Geinoros. Negalėjo patikėti tuo, kas vyksta. Tai turėjo būti taiki moterų ir vaikų eisena su plakatais, tačiau gyventojos iš kitų gatvių jau Glibo gatvės gale pasišalino, išvydusios Basindeilo gatvėje barikadą. „Tikrai bus aukų", — baugščiai įspėjo jos, suspaudė mažųjų rankutes ir pasuko namo. Geinora nusekė iš paskos, mėgindama įkalbėti sugrįžti, ir nuo tada Melani jos neregėjo.

„Kur ji dabar? — karštligiškai suko galvą mergina. — Gal ji taip pat paspruko?" Ta mintis jai kėlė tikrą siaubą. O kaip Roza su Benu?

Pasiėmė juos kartu į susibūrimą prie Glibo mokyklos kiemelio — Roza vežėsi Beną vežimėlyje, tačiau eitynės, pasiekusios Humberto gatvę, visiškai pakriko, tad ji įstūmė vaikus pro duris į namą ir liepė žiūrėti televizorių, kol viskas lauke nurims. Tačiau tai buvo tuščia viltis. Žmonių jūra vis augo, o kartu ir Melani įniršis — juk jos būstas stovi greta 23-iojo. Jeigu tokie apkvaišę bukagalviai kaip Kolinas ims į visas puses svaidyti plytas...

Ji kumštelėjo jam į ranką.

— Gąsdini Rozą, — sušnypštė, matydama išbalusį dukters veidelį lange. — Turėjau palikti ją su Benu viduje, nes čia pasidarė per daug pavojinga.

Sutrikęs Kolinas pasekė jos žvilgsnį.

— Jėzau, Mel! Juk jie turėjo būti pas mus. Mama sakė, kad Brajus juos prižiūrės. Kodėl juos čia atsivedei, kai dedasi tokie dalykai?

Ji nusiminusi patraukė pečiais.

— Visi atsivedė vaikučius... Norėjome sugėdinti savivaldybę... Tačiau kiti išėjo... Ir mama kažkur pradingo... Visur ieškojau.

— Tu tokia kvaiša, — tėškė jis, žvelgdamas į žmonių minią, užtvėrusią abu gatvės galus. — Per šią minią niekaip jų nepasieksi. Visi čia velniškai įsiaudrino. Užtektų bent vienam suklupti, ir visus jus sutryptų.

Mergina pajuto, kaip akyse ima tvenktis ašaros.

— Nemaniau, kad viskas taip pakryps. Tai turėjo būti protesto eisena.

— Pati sugalvojai, — tarė jai. — Šūkaliojai „šiukšlės — lauk".

— Ne visai taip, — gynėsi Melani. — Viskas turėjo vykti kitaip, — ji vėl čiupo broliui už rankos. — Ką man daryti, Kolai? Pasidarysiu galą, jeigu kas nors nutiks mano vaikučiams.

Siaubas sesers veide akimirksniu jį išblaivė.

— Susirask Džimį, — pasiūlė jis. — Manau, jis pajėgtų prasiskinti kelią ir saugiai jus išvestų.

Humberto g. 23-iame name

Sofi nejudėdama stovėjo kampe ir klausėsi. Nebesigirdėjo dūžtančio stiklo, ir ji spėjo, kad garsas pasigirdo iškritus svetainės lango liekanomis. Dirstelėjusi į laikrodį ji pamatė, kad jau praėjo geras pusvalandis po to, kai į ją pataikė sviesta plytos nuolauža ir dešimt minučių po jos skambučio Dženei, tačiau girdėjosi tik prislopintas minios gaudesys. Jokių policijos sirenų, iš garsiakalbių sklindančių komandų, įspėjamųjų šūksnių. Nei kojų bildesio riaušininkams sprunkant.

Ji stebėjo vyrus primerkusi akis, galva buvo išūžta minčių, kurios vis sukosi spiečiais. Nikolas taip pat atidžiai tyrinėjo savo laikrodį, lyg stebėtųsi, kas nutiko policijai, o Franeko akys buvo įsmeigtos į ją. Ko jam iš jos reikia? *Tu mus apsaugosi, kol atvyks policija... Ką,* ji įkaitė? O gal auka? O gal Franekui rūpi nesužaloti ir jos, nes jos buvimas sulaikys persekiotojus prie durų? *Gyvulys... Šūdžius... Iškrypėlis...* Ar jis pavojingas? Gal jam atrodo, kad ją išprievartavęs palauš ryžtą išsilaisvinti? Ar jis teisus? Kas atsitiks, jeigu laukimo minutės virs valandomis? Klausimai... klausimai... klausimai...

Ji gailėjosi, kad įsispraudė į tokį ankštą kampą — norėdama pailsėti galėjo tik retkarčiais atsiremti pečiu į sieną. Stengėsi judėti kuo mažiau, nes buvo įsitikinusi, kad kiekvienąkart palaidinės šilkui išsipučiant ant krūtų senis vis labiau susijaudina, tačiau jėgos seko, o nerimas kažkur pilve vis stiprėjo, jai vis labiau blaškantis, nežinant, ko griebtis. Gašlus Franeko žvilgsnis — nė iš tolo neprimenantis įprasto vyriško susižavėjimo — vertė jaustis sutepta... Ir kalta... Ji sunėrė rankas ant krūtinės, bejėgiškai mėgindama prisidengti.

Nereikėjo tos berankovės palaidinės vilktis... Matyti per daug nuogo kūno... Melani klydo... Jis — tikrai ne pedofilas... Nežiūrėtų taip, jei būtų pedofilas...

Tyla kambaryje jau darėsi sunkiai pakeliama. Kaip ir karštis. Senio kūno dvokas užėmė kvapą ir tiesiog pykino.

Ji prisivertė prabilti.

— Kažkas čia ne taip, — tarė kimiu balsu.

Nikolas nervingai dirstelėjo į langą.

— Kas?

— Turėtų girdėtis sirenos.

Jis taip pat apie tai galvojo, nes Adomo obuolys gerklėje šokčiojo kaip pašėlęs.

— Galbūt niekas nepasivargino jiems pranešti, kas čia dedasi.

Sofi nepraverdama burnos liežuviu suvilgė gerklę.

— Kodėl turėtų nepranešti? — tarė jau ramesniu balsu.

Nikolas metė žvilgsnį į tėvą, tačiau senis, nenuleidžiantis akių nuo Sofi, nė nemanė padėti paaiškinti.

— Mūsų nemėgsta, — atsakė Nikolas.

Ji pabandė pajuokauti.

— Pastebėjau.

Jis neatsakė.

— Pati nelabai sutariu su kaimynais, — tęsė ji, iš paskutiniųjų stengdamasi palaikyti pokalbį, — tačiau nestovėčiau rankų sudėjusi, jei kokia gauja imtų laidyti į juos akmenis.

— Viskas būtų buvę gerai, jei būtų atsiuntę greitąją. Mudu su tėčiu būtume galėję sau ramiai išvažiuoti.

— Ar nenujautėte, kad kažkas gresia?

Jis nežymiai truktelėjo pečiais, ir tai galėjai suprasti kaip nori.

— Kodėl nekvietėte policijos?

— Kviečiau, — visai sugniužęs tarė jis. — Keliolika kartų. Neatvyko.

— Tada paskambinote į kliniką?

Jis linktelėjo.

— Prašiau nesiųsti moters... Tačiau padarė priešingai.

— Sakėte, kad padėtis kritiška, — priminė ji, — o artimiausiam gydytojui būtų tekę važiuoti dvidešimt minučių, — ji nesuprasdama papurtė galvą. — Ką vyras gali tokio, ko nesugebėtų moteris?

— Nieko. Tiesiog nenorėjau, kad būtų įpainiota moteris... Bent jau ne tokia, kaip jūs, — jis bejėgiškai mostelėjo ranka. — Bet dabar jau nieko nepakeisi... Aš nieko nebegaliu padaryti.

Dieve švenčiausias! Iš baimės Sofi užėmė kvapą. Ką jis mėgina jai pasakyti? *Įtraukti į ką? Minia gatvėje? Jo tėvas?* Instinktyviai jautė, kad tai Franekas, nes kaskart vos į jį žvilgtelėjusi pajusdavo, kaip kūnas nueina pagaugais. Primena kanalizacijos žiurkę — nenuspėjamą, nevalyvą, nešiojančią ligos, užkrečiamos ir piktos, sukėlėjus. Bandė sau įteigti, kad jai taip atrodo dėl to, kad ją puolė, tačiau žinojo, jog tai netiesa. Jis kelia baimę, nes ji negali jo paveikti... Kaip ir jo stebėtinai nuolankus sūnus...

Nieko nebegaliu padaryti...

Prie 23-iojo namo Humberto g.

Melani per pastarąsias dešimt minučių jau dešimtą kartą spaudė mygtuką „perrinkti numerį" ir klausė, kaip automato balsas prašo palikti žinutę Džimio balso paštui.

— Kažkas čia ne taip, — pasakė ji broliui. — Niekad taip ilgai nekalba.

— Tada nepasiėmė su savimi.

Mergina giliai įkvėpė. Jie kartojo vienas kitam tą patį jau kelintą sykį.

— Juk sakiau. Mačiau, kaip įsikišo į kišenę, — kantriai pakartojo ji.

Kolinas gūžtelėjo pečiais.

— Tai išjungtas?

— *Nedarytų* to, ypač kai tvarko savo reikaliukus.

— Tada telefoną kas nors nušvilpė ir dabar sau plepa.

Iš baimės Melani galutinai neteko savitvardos.

— Kiek dar turėsiu tau kartoti? — riktelėjo ji. — Negali būti, kad iš Džimio ką nors pavogtų. Atsitiko kažkokia nelaimė, kodėl, po velnių, niekaip negali to įsidėti į savo tuščią makaulę, užuot malęs man čia nesąmones?

Tai buvo proga dingti, šito Kolinas ir laukė. Visai neįdomu bendrauti su seserimi — ji tik nuolat moko, — o noras prisidėti prie draugų buvo stipresnis negu varginanti atsakomybė už dukterėčią ir sūnėną. Jis pakišo jai po nosimi atlenktą pirštą.

— Atrodo, tu vis tiek klysti, — tarė jai. Jei telefonas nepavogtas... Jei jis nepaliko namie... neišjungė... nepametė... Vadinasi, tada su kažkuo kalbasi, — jis apsigręžė eiti. — Bet man jau gana, Mel. Tavo jovalas... *pati* ir srėbk.

Humberto g. 23-iajame

Senis tiesiog skaitė Sofi mintis.

— Svarstai, ar tik nesuvaidinau priepuolio, kad prisiviliočiau tave ir paimčiau įkaitė, — staiga prabilo jis. — Pyksti, kad buvai apgauta. Gal tu vis dėlto jau ne tokia ir gera daktarė?

Ji prisivertė į jį pažvelgti.

— Tai tiesa?

Jo akys piktdžiugiškai sublizgo.

— Tu juk tokia protinguolė, susigaudysi ir pati.

Sofi gūžtelėjo pečiais, tarsi parodydama, kad jo bandymas įbauginti jai nė motais.

— Ir taip aišku. Gal kiek ir pagražinote, tačiau šiaip viskas buvo nesuvaidinta. Jūs iš tikrųjų sergate astma. Neatgaunate kvapo... Nuo tada, kai stūmėte spintą, — ji nežymiai šyptelėjo. — Turėtumėt pasinaudoti inhaliatoriumi, kol dar nepablogėjo, pone Holisai.

Gydytoja ėmė stebėti, kaip senis ėmė tapšnoti sau per kišenes ir nesusilaikė — akimirką suvirpėjo iš džiaugsmo, kai jis nerimastingai dirstelėjo į duris. Tai — jau mažytė pergalė: sūnus ištempė iš svetainės tėvą taip skubiai, kad šis nespėjo pasiimti inhaliatoriaus, ir kartu milžiniškas žingsnis susigrąžinant pasitikėjimą savimi.

— Regis, palikote jį kairėje nuo laiptų, — pasakė Sofi.

— Tai kas? Apsieisiu ir be jo.

— Jeigu pajėgsite.

Senis sudavė sau į krūtinę.

— Aidi kaip varpas. Kuo puikiausiai! Mėgini išgąsdinti Franeką. *Tu velniškai teisus!*

— Kam man to reikia, — ji smakru mostelėjo gatvės link. — Kaip manote, kas atsitiks, kai pustuzinis įtūžusių vyrų įgarmės pro laukujes duris? Taip išsigąsite, kad uždusite negalėdamas įkvėpti.

Jis tarsi gėrėdamasis ja iš nuostabos suprunkštė.

— Tu padėsi man, jeigu taip nutiks, — atsakė. — Tai tavo darbas. Davei Hipokrato priesaiką, — Sofi papurtė galvą. — Paduosiu į teismą... Dėl pareigų neatlikimo, — jis sudėjo nykštį ir smilių. — Atleis iš darbo... Prisiteisiu krūvą pinigų.

— Neišdegs, — tarė ji.

— Įdomu, kodėl?

— Suklyksiu „prievartauja", vos tik ant laiptų pasigirs žingsniai. Jei tai bus policija, sėsite už grotų. Jei kaimynai, sudraskys į skutelius.

— Tik pamėgink... Nusuksiu tau sprandą... Va taip.

Jis tarp savo mėsingų pirštų pasuko įsivaizduojamus kaklo slankstelius. Nikolas nepatenkintas sujudėjo.

— Ar būtina taip kalbėtis? — paklausė jis.

Tėvas visai nekreipė dėmesio.

— Nežinia, kiek čia dar gausime išbūti, — Nikolas jau kreipėsi į Sofi. — Argi neturėtume eiti išvien?

„Blaivaus proto balsas", — pamanė ji sau.

— Tai leiskite man dėl jūsų tartis. Tai bus kur kas prasmingiau nei tūnoti šioje orkaitėje ir mirti iš troškulio. Visai neturime vandens, — pasakė ji.

— Ilgai neužtruks. Netrukus pasirodys policija. Iki tol galime vieni su kitais sutarti.

Draugai? Gal jis visai išsikraustė iš proto?

— Tėvas grasino mane užmušti.

— Jūs gąsdinote, kad jį suplėšys į gabalus, — priminė jis. — Aš jūsų nekaltinu... Jūs išsigandusi... Mes visi įsibauginę. Tiesiog nemanau, kad iš to būtų kokia nauda. Verčiau sėdėkime sau tyliai, užuot kovoję tarpusavyje. Tada bent jau girdėsime, kas dedasi lauke.

Moteris buvo linkusi sutikti, nes iš prigimties buvo sukalbamo būdo. Be to, labai norėjosi prisėsti ir nustoti be perstojo saugotis. Galbūt Nikolas pastebėjo abejonę jos veide, nes siekė vieną kėdę atstumti.

— Ne, — nukirto ji ir stvėrė ranka už atkaltės.

— Išėjusi iš čia geriau jaustis, — įtikinamai tarė jis.

Tai buvo viliojantis pasiūlymas, ir Franekas tam taip pat neprieštaravo, tik pritariamai patapšnojo sūnui per petį. Sofi galvoje ėmė spiečiais suktis įtarimai. Gal Nikolas — tėvo parankinis? Gal tai kažkas panašaus į įprastą „geras policininkas ir blogas policininkas" scenarijų? Gal suvedžiotojas — sūnus? Tuo ir paaiškintinas jo nuolankumas? Tačiau kažkur širdies gilumoje blaivus protas kuždėjo, kad tuo atveju lipšnumas būtų kitoks. *Pažeidžiamas pacientas, slepiantis tamsias paslaptis... Sąvadautojas, galintis šantažuoti, viską valdo...*

— Liksiu, kur esu, — nukirto Sofi.

Nikolas primygtinai nereikalavo.

— Gerai, — tarė atitraukdamas ranką. — Pasakykit, kai apsigalvosit.

— Neapsigalvosiu.

— Tu ne tokia jau ir kieta, — prabilo Franekas. — Greitai apalpsi — puf, — jis mostelėjo ranka grindų link, — tavo sąmonė užges, ir Franekas darys, ką nori.

Sofi nieko neatsakė.

Senis geidulingai varstė ją akimis, o kai ji ant krūtinės vėl sunėrė rankas, nutaisė šypsenėlę.

— Dabar tu išsigandai, — vyptelėjo senis.

Ji tikrai išsigando. Negalėjo suprasti, iš kur jis žino, kas dedasi jos galvoje. Tarsi kuo puikiausiai išmanytų, ko labiausiai bijo moterys, ir tiesiog iš veido skaitytų jausmus. Nelyginant apgultis. Brutaliai bandoma palaužti valia verčiant viduje kovoti su savimi, neapsisprendžiant, ar atremti ataką, ar praleisti negirdomis ir nutylėti. Labai norėjosi liežuviu apsilaižyti lūpas — jos visai išdžiūvo, — tačiau ji prisivertė to nedaryti. Jis tai priimtų kaip dar vieną baimės patvirtinimą...

... o baimė jį jaudina...

Mintis tarsi žaibas plykstelėjo Sofi galvoje. *Jį jaudina baimė.* Dieve, kokia ji kvaiša! Apie tokius smirdžius prirašyti ištisi knygų tomai. Ji net gali prisiminti aprašymą iš medicinos žinyno. *Sadizmas — seksualinis pasitenkinimas, kai orgazmas pasiekiamas per teikiamą kitiems skausmą ir kančias, ypač žeminant ir kankinant.*

Jo susijaudinimą žadino visai ne krūtinė, o baimė, kurią jis pastebėdavo veide, kaskart jas prisidengiant. Jis prisimindavo ne savo varpą, įremtą jai į užpakalį, o išgąstį, kurio veikiama ji valėsi jo kūno kvapą sau nuo lūpų. Tam smirdžiui stojasi ją žeminant. *Galų gale tu ne tokia jau gera daktarė...*

Ji *privalo* duoti atkirtį. Dieve! Dieve! *Tačiau ar ji neapsiriko?* O, kad čia būtų Bobas. *Jis* žinotų. Tokių mėšlių ekspertas. Juos gydydavo, dėl Dievo meilės. Prisiminus sužadėtinį akys staiga pritvinko ašarų. Ruošėsi susitikti su juo, o jis net nenumanys, kodėl ji neatvyko.

Pirmyn! Sofi apsilaižė lūpas ir, užmetusi rankas ant kėdės atkaltės, atrėmė Franeko žvilgsnį.

— Papasakokite apie Nikolo motiną, — paragino ji. — Papasakokite, kaip ją prigąsdindavote, kad atsirastų erekcija?

Jis piktai susiraukė ir kažką pasakė Nikolui.

— Jis nesupranta, apie ką čia kalbate, — paaiškino jaunesnysis Holisas, nuleidęs akis — nė nežvilgtelėjęs į Sofi.

— Taip, bet *jūs* suprantate, — atsakė ji, — tai ir išverskite. Paklauskite, ką jai darydavo, kad pats susijaudintų? Surišdavo? Mušdavo iki mėlynių?

Nikolas papurtė galvą.

— Gerai. Pati tai padarysiu. Ištarsiu jam skiemenimis. Jis nutukęs kaip kiaulė, bet turėtų suprasti žodį „sadistas".

Nežymiai prisimerkusios senio akys tai paliudijo.

— Liaukis, kol Franekas neįpyko, — paliepė senis.

Ji džiaugsmingai nusijuokė, neslėpdama pasitenkinimo, kad taip tiksliai pataikė.

— Tai kur dabar Milošo mama? — paklausė linkdama prie jo ir mėgdžiodama akcentą. — Dulkinasi su kuo nors kitu?

Žinoma, Sofi to nelaukė — niekas nebūtų pasiruošęs smūgiui, kokį vikriai pašokęs nuo grindų smogė Franekas jai kumščiu į veidą.

KETURIOLIKTAS SKYRIUS

2001 m. liepos 28 d., šeštadienis
Hempširo policijos štabas

INSPEKTORIUS TAILERIS BUVO SAVO kabinete štabe, kai paskambino iš Maljorkos viešbučio „Bella Vista". Po ispaniško operatorės gagenimo pasigirdo:

— Administratorius perdavė, kad galiu jums paskambinti šiuo telefonu, — tarė verksmingas merginos balsas. — Sakė, kad galbūt duosite man pinigų, nes teiravotės apie Edį.

Taileris tučtuojau pašoko ir čiupo rašiklį.

— Kalbi apie Edvardą Taunsendą? — paklausė jis.

— Taip, — sudejavo mergina. — Jis toks šunsnukis. Administratorius sako, kad turėsiu apsimokėti sąskaitą... Tačiau ji milžiniška... Neturiu iš ko...

Balsas virto kūkčiojimu.

— Su kuo kalbuosi? — kantriai pasiteiravo inspektorius.

Tikrai iš balso atrodo per jauna, kad galėtų susimokėti sąskaitas.

— Franė Gou. Kartojo, kad mane myli, — šniurkščiojo ji. — Sakė, kad ves. Nežinau, ką daryti... Neturiu lėktuvo bilieto, nes man nedavė... O administratorius neleis išvykti, kol nesusimokėsiu. Edis išvažiavo nuomotu automobiliu... O aš neturiu kaip nuvykti į oro uostą... Jei paskambinsiu mamai, ji man nudirs kailį. Vis kartojo, kad iš jo gero nelauk... Bet maniau, kad pavydi, nes Edis jos metų, o ji nesusiranda vyro...

Inspektorius klausėsi graudaus vaikiško balselio kitame laido gale, liejančio tokias pačias aimanas, kurias merginos jau lieja šimtmečius, ir abejojo, ar ji iš tiesų tokia kvailutė, kokia dedasi, o gal laiko, kad naivumas yra kelias laimėti vyro palankumą. Tačiau kurio? *Jo ar administratoriaus?*

— Kada jis išvyko?

— Vakar. Visaip jam pataikavau... Suprantat, rengdavausi, kad patikčiau... Bet sakė, kad atrodau nekaip, nes mano plaukai per trumpi...

Taileris pamėgino ją nutraukti.

— Kada vakar?

Bet mergina, tiesiog berte berianti žodžius, klausimo neišgirdo.

— ... pasakiau, kad nešiosiu peruką, tačiau jis supyko ir tėškė, kad tik vaikai, sergantys leukemija, nešioja perukus. Pasakiau, kad ieško priekabių... Tai tik vaizdas... Bet jis atrėžė, kad vyrai nesižavi vaikais, kurie atrodo paliegę... Dabar tiesiog jo nekenčiu, nes paliko mane čia... O administratorius sako, kad galiu patekti į kalėjimą, — žodžiai virto rauda, tad Taileris luktelėjo, kol pašnekovė nusiramins.

— Kiek jums metų, Frane?

— Aštuoniolika, — sumurmėjo ji.

— Iš balso atrodot jaunesnė.

— Na, taip, — ji prabilo dvejodama, tarsi rinktų žodžius. — Todėl ir patinku Edžiui. Gegužę sukako aštuoniolika. Galit paklausti administratoriaus, jei netikit. Jis paėmė mano pasą ir sakosi negrąžinsiąs, kol neapmokėsiu sąskaitos.

— Su administratoriumi pasikalbėsiu vėliau. Kurią valandą Edis vakar išvyko?

Franė garsiai nusišnypštė nosį.

— Nežinau. Kai pabudau, buvo išvykęs.

— Kada pabudote?

— Vidurdienį, — atsakė ji nenoriai, tarsi miegojimas iki pusiaudienio būtų nusikaltimas. — Sugrįžome į viešbutį apie antrą ryto, ir aš netrukus užmigau. Manau, tada ir išvyko. Nes jo patalynė net nepaliesta.

Taileris ėmė greitai rikiuoti mintis. Kada pirmasis reisas iš Maljorkos penktadienį? Ar Taunsendas galėjo atvykti į Portisfildą iki tos pačios dienos pietų? Žinoma, jeigu manytume, kad jis buvo

tas vyras, pastebėtas automobilyje prie katalikų bažnyčios... O Eimė
— mergaitė, matyta sukanti už kampo. Per daug spėlionių.

— Kokia mašina Edis važinėja Anglijoje? — paklausė mer-
gaitės.

— Juodu BMW.

Šilčiau...

— Šįryt administratorius minėjo, kad su Edžiu lankotės ato-
kesniame nudistų paplūdimy. Kodėl jis pasakė, kad viena esate jau
nuo vakar?

Vėl aimanos.

— Neišmaniau, ką daryti... Pasislėpiau kambaryje, nes žino-
jau, kad bus bėdų, jeigu paaiškės, kad Edis išvyko. Jis kažką įtarė...
Vis klausinėjo, ar aš Edžio duktė... Todėl ryte apsimečiau, kad Edis
laukia automobilyje, tada įsmukau į vidinį kiemą ir užlipau užpaka-
liniais laiptais... Maniau, gal surasiu, kas užmokės... Na, žinot, kokį
vienišą vyruką... Bet buvau tokia alkana, kad paskambinau perso-
nalui... Ir tada išdygsta administratorius, beldžia į duris ir sako, kad
Anglijos policija nori su mumis pasikalbėti... Todėl jam pasakiau,
kad Edis išvyko vakar, ir administratorius tiesiog įsiuto, nes Edis,
kai atvykome, nepaliko jam kreditinės kortelės... Sakė, kad ši yra jo
lagamine ir kad atneš vėliau... Tačiau to nepadarė... Taigi adminis-
tratorius nusitempė mane žemyn, kad paskambinčiau jums... O aš
neturiu pinigų...

Taileris atitraukė ragelį nuo ausies, kad luktelėtų, kol aptils
spigios aimanos, ir tęsė toliau. *Darant išvadas iš to, ką išgirdo, o ji
kalbėjo įtikinamai...*

— Aš tai sutvarkysiu. Gerai?

Mergužėlė tučtuojau atsakė:

— Tikiuosi.

— *Bet,* — ramiai tęsė inspektorius, — prieš tai norėčiau gauti
atsakymus į kelis klausimus.

— Kokius klausimus? — įtariai pasiteiravo ji. — Galbūt neturė-
čiau šnekėtis su jumis be advokato.

Ne tokia jau ir naivi...

— Kaip sau nori, Frane. Tiriu vaiko dingimo bylą ir neketinu švaistyti laiko darydamas tau paslaugą, jeigu nesiruoši padėti man.

— Kokio vaiko?

— Jos pavardė Eimė Bidulf.

— Mėšlas!

— Ar Edis ką nors apie ją užsiminė?

— Nesustodamas kalbėjo apie ją, — atsakė Franė, ir balsas staiga ėmė skambėti kaip suaugusio žmogaus. — Eimė tą, Eimė aną. Atrodai ne taip, kaip ji, kalbi ne taip. Kas ji tokia?

— Prieš tave buvusios moters duktė. Jai dešimt, nešioja ilgus tamsius plaukus.

— Mėšlas.

— Kokios spalvos tavo plaukai?

— Rudi. Jam patinka tik brunetės. Bent jau taip tvirtina.

— Ir Eimės mama brunetė. Labai simpatiška. Kaip ir duktė.

— Eina jis šikt! Sakiau, kad šunsnukis.

— Ar atsakysi į mano klausimą?

Dar viena ilga pauzė, kol Franė svarstė, ką daryti.

— Na, gerai. Vis tiek iš jo nieko gero nesulaukiau.

Šiuose jos žodžiuose buvo daugiausia tiesos.

— Iš kur išskridote?

— Iš Latono.

— Kuriomis avialinijomis?

— „Easyjet".

— Ar kompanija parduoda bilietus internetu?

— Lyg ir. Negausi bilieto — tik numerį, nurodantį vietą. Edis gavo didelę nuolaidą, nes lėktuve buvo tuščių vietų.

— Kuri tai buvo diena?

— Antradienis.

— O penktadienio ryte jis jau išvyko? — stebėdamasis tarė Taileris. — Kiek laiko ketinote ten praleisti?

Franė vėl ėmė inkšti.

— Nesakė... O aš neklausiau, maniau, kad tai atostogos... Na, žinot, kokios dvi savaitės. Aišku, apsisprendėm paskutinę minutę... Na, sekmadienį trinamės pas mane, o antradienį skrendam į Maljorką... Bet nemaniau, kad išvyks po trijų sumautų dienų, būčiau privertusi išsitraukti savo kreditinę. Turiu galvoj, visiškas mėšlas, ar ne?

— Ar jis neužsakė bilietų atgal?

— Nežinau, — mergina susimąsčiusi nutilo. — Tikriausiai ne, nes su savim atsivežė nešiojamąjį kompiuterį. Sakė, kad ta bilietų platinimo sistema yra labai lanksti, todėl atseit galima atskirai mokėti už kiekvieną skrydį. Gali užsisakyti, kad ir kur būtum.

— Ar dažnai naršydavo internete?

— Be perstojo, — piktai atsakė ji. — Tikrai dėl to įgrisdavo.

— Žinai jo elektroninio pašto adresą?

— Žinau tik verslo tikslams — townsend@etstone.com — visos raidės mažosios.

— Kiek jis turi adresų?

— Kokius šešis, o gal ir daugiau. Rašydamas naudojasi kodais, kad kas nors netyčia neperskaitytų.

— Ko jis saugosi?

— Tai slapti verslo reikalai. Jis iš tikrųjų nervinasi, jeigu kas sužino apie jo ruošiamas sutartis.

Taileris įspėjo save nedaryti skubių išvadų. Vieną iš kertinių darbo akmenų policininkai anksčiau praminė „uosle", kitaip tariant „uoste užuosti piktadarį". Per daug jau dažnai tai atsverdavo teisėsaugos klaidas, kai nuteisti piktadariai pasirodydavo esą nekalti, o „uoslė" rėmėsi tik keliais atsitiktiniais sutapimais. Tačiau... Polinkis vaikiškos išvaizdos moterims... Vaizdas... Internetas?..

Jis nenorėjo, kad Franė taip pat susietų šiuos dalykus, tad nukreipė kalbą pateikdamas aibę nekaltų klausimų, pavyzdžiui, kiek mantos atsigabeno Taunsendas ir ar ko nors neužmiršo. Ir staiga:

— Anksčiau kažką sakei, kad tai tik vaizdas, — paklausė lyg tarp kitko. — Ką turėjai galvoj?

Franė dvejojo.

— Nieko ypatingo. Jis nuolat viską filmuoja.

— Ką?

Ji neatsakė.

— Minėjai peruką, — lyg niekur nieko priminė Taileris, — taigi tikriausiai filmavo tave.

Atrodė, kad mergina jau visai nenori leistis į detales, net nusiramino.

— Kai ką filmuoja sau, — kaltai atsakė.

— Pornografiją?

— Jėzau, ne!

Atrodė, lyg būtų nuoširdžiai priblokšta.

— Tai ką?

— Mėgsta mane stebėti pro kamerą, kai nesu su juo.

— Apsirengusią ar nuogą?

— O kaip jūs manote? — sarkastiškai atsakė ji. — Juk jis vyras, ar ne?

Kitomis aplinkybėmis Taileris gal ir būtų gynęs savo lytį, tačiau galbūt jos patirtis su vyrais tokia pat ribota, kaip ir jos pastabos cinizmas. Tokiu atveju reikėtų jos gailėti.

— Todėl tave ir nusivežė į nudistų paplūdimį?

— Turbūt.

— Ar dar ką nors ten filmavo?

— Ne, — netikėtai ji prunkštelėjo. — Sakė, kad visi per seni ir per stori. Šiaip ar taip, dauguma ten buvo vyrų, o vyrai jo nejaudina. Nudistų paplūdimiuose tokie ir susirenka, kad susiporuotų.

Taileris vėl nukreipė kalbą.

— Kodėl jis išvyko? Susikivirčijote?

— Ne visai. Ketvirtadienio popietę buvo kažkoks priekabus.

— Dėl ko?

— Tavo krūtys per didelės... Užpakalis per didelis... Per daug išsidažiusi... Atrodai kaip kekšė... — berte išbėrė, tarsi savo trūkumus jau mokėtų mintinai. — Visai mane sugniuždė ketvirtadienio vakarą, gal todėl ir paliko, — liūdnai užbaigė Franė.

Taileris jos balse išgirdo savigraužos gaideles ir leido sau pasakyti kiek pasišaipydamas:

— Kodėl tu vis dėlto tiki tuo, ką tau sakė? — pasiteiravo jis. — Edis užkietėjęs plevėsa. Apmovė administratorių ir paliko tave vieną srėbti tos košės. Ar toks... ė... vyrukas gali traukti? Jeigu taip, tai nieko negali ir tikėtis.

— Tačiau jis toks išvaizdus, — atsakė ji, — ir iš pradžių buvo tikrai *mielas*.

— Išvaizdūs visada tokie, — piktokai pasakė Taileris, pirštais išretėjusius plaukus braukdamas ant pakaušio, — mieli, kol įlindę į kelnaites pajunta, kad niekuo ypatingu nesiskiri nuo prieš tai buvusios merginos.

— Kalbi visai kaip mano mama.

— Ar yra dar kas nors, kas galėtų man padėti? Ar jam kas skambino?

— Kai grįžome į viešbutį, jam buvo palikta žinutė. Laiške, pakištame po durimis... Atrodė, kad jis susijaudino. Nusiuntė mane į dušą, kad galėtų paskambinti... Gal tai su tuo susiję. Vėliau liepė eiti miegoti... Sakė, kad nenori sekso.

— Tai buvo antrą ryto?

— Taip.

— Kas buvo parašyta laiškelyje?

— Nežinau.

— Ar bandei aiškintis jam išvykus?

— Na, taip.

— Ir?

— Jo šiukšliadėžėje nebuvo.

— Ar atsiliepdavai jo telefonu, kai dar buvote kartu?

— Jis kalbėdavo tik mobiliuoju.

— Ar girdėjai kokį pokalbį, kuris galėjo vykti su mergaite?

— Jis išeidavo iš kambario. — Stojo tyla. — Daugelis skambėjo kaip dalykiniai. Turėjo bėdų dėl keleto savo namų.

— Kokių?

— Nežinau. Kaskart vos paklaustas tiesiog užsiplieksdavo... Sakydavo, kad iš jo vagia... Sakė, kad viską sutvarkys ateinančią savaitę.

Taileris žiūrėjo į kabineto sieną.

— Su kuo kalbėjosi? Klientais? Partneriais?

— Nežinau, — pakartojo ji.

— Ar prisimeni jį minint kokį vardą? Gal pokalbio pradžioje sveikinantis?

— Negirdėjau.

— Pasistenk prisiminti, Frane, — kantriai paprašė Taileris. — Tai svarbu.

— Jie visi tokie nuobodūs, — suinkštė mergina. — Kartą kažką kalbėjosi apie sutartis ir terminus. Greičiausiai su savo advokatu. Taileris savo užrašuose pasižymėjo: *Martinas Rodžersonas* ir šalia padėjo klaustuką.

— Ar vardas Martinas nieko nesako?

— Taip, žinoma, — atsakė ji staiga prisiminusi. — Jis pasakė „Sveikas, Martinai".

— Kuri diena tai buvo?

— Atrodo, ketvirtadienis.

Taileris trumpam sulaikė kvapą, o paskui paprašė Franės, kad pasakytų motinos telefoną ir adresą. Ji nenorėjo sakyti, kol jis patikino, kad visai neketina sumokėti jos viešbučio sąskaitos, kaip nesutiktų ir joks kitas Britanijos mokesčių mokėtojas.

— Tu pilnametė ir teisiškai tokia pat atsakinga už skolas, kaip ir Taunsendas. Tai nediskutuotina. Arba susitvarkai pati, arba kreipiuosi į motiną, kad sumokėtų už tave. Tai kur ji gyvena?

Mergina nenoriai nurodė adresą ir telefono numerį Sautamptone.

— Ji man nudirs kailį, — suinkštė.

— Nemanau, tačiau pasistengsiu kiek įmanoma ją suminkštinti.

Inspektorius norėjo jai pasakyti, kad nors kartą gyvenime galėtų pasielgti atsakingai, kaip suaugęs žmogus, tačiau nusprendė, kad neverta. Jeigu pati nieko nepasimokė, tai nepažįstamasis telefonu tuo labiau neįtikins. Jis tik nurodė jai neišvykti iš Sautamptono, kai grįš, nes nori pasikalbėti akis į akį, paskui kelias minutes kalbėjosi su viešbučio administratoriumi, norėdamas įsitikinti, ar Franė sakė tiesą, ir kai ką patikslinti. Padėkojo už pagalbą ir paprašė merginai duoti ko nors užvalgyti, kol jis susisieks su mama.

— Netikiu, kad ta moteris labai lauks panelės Gou, — pasakė administratorius taisyklinga, bet su ryškiu akcentu anglų kalba.

— Kodėl taip manote?

— Mūsų šalyje jokia motina neleistų savo dukrai daryti to, ką daro ji. Man regis, sinjorai Gou duktė nė kiek nerūpi.

Naitingeilo sveikatos priežiūros centras

Paprastai Fėja Boldvin savaitgaliais į centrą neužsukdavo, tačiau jai ramybės nedavė tai, kad Sofi ją pavarė, bei pasityčiojama žinia atsakiklyje, ir per šeštadienį moteriškė kaip reikiant įsiaudrino. Tai, kad ir kiti gydytojai sumažino darbo krūvį, palikę prižiūrėti iki išėjimo į pensiją vos po keletą pacientų, ji visiškai nekreipė dėmesio. Ketino parašyti oficialų skundą ir apkaltinti gydytoją Morison nesirūpinimu Melani vaikais.

Vadovaudamasi savo painia logika Fėja nusprendė, kad dėl sąmokslo siekiant jos atsikratyti kalčiausias yra pedofilas. Moteriškė save net įtikino, kad jai reikėję drąsos atskleisti žinią apie jo buvimą Humberto gatvėje. Gydytoja Morison visiškai nesirūpinusi vaikais. Tai patvirtina ir draudimas apie tą vyrą kalbėti bei apkaltinimas kvailumu, kai ji, Fėja, drįso užsiminti. O jai, priešingai, rūpi *vien* mažieji Roza ir Benas. Kaip ir *derėtų*. Tai jos, kaip sveikatos prižiūrėtojos, pareiga. Kas — *labiau už visus* — kovojo dėl Paterson vaikų saugumo ir *tyrumo*?

Boldvin nelabai norėjo, kad ją pastebėtų įeinančią, mat būgštavo, kad tik Sofi nepapasakotų apie tai, ką ji pridirbo, todėl ketino įsmukti į sveikatos prižiūrėtojų biurą nutaikiusi progą, kai registratorė bus užsiėmusi su pacientu. Tačiau išsigando pamačiusi, kad įėjimą į pagrindinį priimamąjį užtvėręs policininkas. Ir išgąstis dar padidėjo, kai išvydo, kad laukiamasis tuščias, o daktaras, vyresnysis gydytojas Bonfildas, vilkintis tik marškinėliais ir trumpomis kelnėmis, stovi už registratūros stalelio su Džene Monro. Haris Bonfildas su Fėja nesutardavo, ir ji būtų tučtuojau pasišalinusi, jeigu policininkas nebūtų jos pastebėjęs.

— Įleiskite ją, — šūktelėjo Haris. — Ji mūsiškė, — gydytojas pamojo, kad Fėja prieitų, neatitraukdamas akių nuo Dženės kompiuterio. — Girdėjai apie Sofi? Siaubas. Policija buvo užklupta nepasiruošusi... Todėl mėginame ką nors surasti, kas galėtų perduoti žinią atsakingam už visą tą velniavą. Jeigu tik ta kvailutė nebūtų išjungusi mobiliojo... Galėtume tiesiogiai pasikalbėti... Protingai viską sutvarkyti, — jis parodė galva į ekraną. — Dženė peržiūri sąrašus ieškodama, su kuo galėtume pasikalbėti iš Humberto gatvės... Beviltiška... Pacientai surašyti abėcėlės tvarka, o ne pagal gatves... Tas pats kaip ieškoti adatos šieno kupetoje. Artimiausia mano pacientė gyvena Glibo gatvėje, bet ji visiškai kurčia ir neatsiliepia, — Haris lengvai stuktelėjo į stalą ragindamas. — Neišmanome, ko griebtis, Fėja. Gal turi kokių minčių? *Humberto* gatvė. Ten turėtų būti tavo globotinių.

Fėja būtų buvusi apdairesnė, jeigu Haris nebūtų Sofi pavadinęs kvailute. Tai išgirdusi tik sumetė, kad Sofi pateko į bėdą.

— *Turėjau,* — atsakė ji išrietusi kaklą. — Dabar jau nebe. Ten daktarės Morison valdos.

Haris į ją žiūrėdamas susiraukė. Ką ji čia paisto?

— Pacientas išsikėlė?

— Kiek žinau, ne.

— Gal galėtum pasakyti pavardę? — meilikaujamai paprašė jis. — Aišku, kai prisiminsi.

Fėja kietai suspaudė lūpas.

— Melani Paterson.

Haris patapšnojo Dženei per petį ir pasilenkė stebėdamas, kaip ji pereina prie raidės P.

— Matau, — tarė jis. — Humberto g. 21. Gerai, Sofi užrašyta kaip jos gydytoja. Ką manai? — paklausė Dženės.

Moteris kramtė lūpas.

— Melani tik devyniolika, — ištarė, peržvelgusi bylą. — Šeštą mėnesį nėščia... Du mažyliai... Kas dvi savaitės atvyksta pasitikrinti nėštumo, — ji papurtė galvą. — Nežinau, Hari, — pasakė nerimaudama. — Galiu mirtinai išgąsdinti ir sukelti persileidimą.

— Jaunos moterys ne tokios ir gležnos, tačiau... — Jis dūrė pirštu į gretimą laukelį. — O kaip jos mama? Geinora Paterson? Gyvena vos už kelių gatvių. Gal vertėtų paskambinti ir išsiaiškinti, ar žino Melani kaimynų pavardes?

— Gerai.

Dženė surinko Geinoros numerį.

— Laba diena, — pasisveikino. — Ar kalbuosi su Geinora Paterson?.. Briona?.. Taip, tai svarbu, — paskui ilgai klausėsi, ką kalba balselis kitame gale. — Gerai, brangute, gal tu duosi man abu numerius, kad galėčiau pabandyti... Ne, tikrai nesupyks. Ar lankaisi ligoninėje? Pažįsti daktarę Morison? Taip, Sofi... O aš ta ponia, kuri sėdi už stalo ir kviečia pagal pavardes užeiti, — Dženė sukrizeno. — Taip, teisingai... Sena ir su akiniais. Gera mergaitė, — ji užsirašė ant popierėlio ir toliau klausėsi. — Ne, mieloji, pažadėk, kad neisi ieškoti mamos. Lauke pavojinga ir tave gali užgauti. Jei prisiskambinsiu, perduosiu jai, kad tau baisu ir lauki jos grįžtant. Sutariam?.. Be abejo, paskambinsiu po kokių dvidešimt minučių. Taip, mano vardas Dženė. Na, iki. Ji pakėlė išvargusias akis į Harį.

— Vargšelė mirtinai išsigandusi. Sako, tai turėjusios būti protesto eitynės, tačiau tikriausiai atsitiko kas nors siaubingo, nes vaikėzų būriai plūste plūsta į jų gatvę, iš visur aidi klyksmai ir šūksniai. Ji bijo, kad mama su Melani gali būti sužeistos, nes jos ėjo priekyje, — Dženė parodė į savo užrašus. — Davė jų mobiliųjų numerius, bet sako, kad jau pati pusantros valandos mėgina prisiskambinti, bet vis išgirsta pasiūlymą palikti balso pašto žinutę. Prižadėjau, kad pamėginsiu ir aš.

Haris susijaudinęs perbraukė ranka retėjančius plaukus ir pasiuntė pro nosį viską kuo toliau.

— Skambink, — tarė jis įsiutęs. — Tikriausiai su jomis ir reikia kalbėtis. Gal už ko užsikabinsim, jeigu jos rengė demonstraciją, — kiek patylėjęs tęsė: — Negaliu patikėti, — vėl pratrūko. — Vaikai vieni pačiame riaušių centre. Kas jas pradėjo? Kai sužinosiu... Pats nusuksiu smirdžiams sprandus. Mergaitė nesakė, ar bandė paskambinti Melani į namus?

Dženė linktelėjo.

— Sako, atsiliepė Roza, bet ten toks triukšmas, kad negalėjo susikalbėti... Tai ji padėjo ragelį ir pamėgino vėliau. Antrą kartą telefonas buvo užimtas, ir ji mano, kad Roza blogai padėjo ragelį, vadinasi, vaikai vis dar tikriausiai vieni.

— Kiek metų Rozai?

Dženė žvilgtelėjo į ekraną.

— Ketveri.

— Dieve! — Gydytojas pakėlė balsą. — Ar ką nors daugiau girdėjote iš saviškių? — pasiteiravo policininko.

— Deja, sere, — vyrukas pakėlė radijo telefoną, iš kurio be perstojo traškėjo pranešimai. — Nieko naujo. Iš sraigtasparnio praneša, kad automobiliai negali įveikti barikadų. Tai labai blogai. Ten dar yra policininkė — galvos sužeidimai, — negalima nusigauti ir iki jos. — Jėzau, koks jovalas, — tarė Haris. — Ar jūs, šaunuoliai, negalėjote numatyti, kad tai ruošiama? Visų pirma, koks velnias pakuždėjo jums įkišti ten tą žmogų? Turėjote susiprasti, kad daugelis kvartalo gyventojų pedofilą be jokių išlygų palaikys pabaisa. Jis piktai pažvelgė į Fėją, tarsi ją kaltintų. Jos burna žioptelėjo ir užsičiaupė kaip žuvies, tačiau nepasigirdo nė garso. Haris įdėmiai ją nužvelgė ir vėl nukreipė dėmesį kitur.

— Beje, už ką jis sėdėjo? Sakėte, kad nepavojingas, tačiau kokio tipo jis pedofilas?

Policininkas tik patraukė pečiais.

— Žinau tik tai, ką sakė susirinkime prieš mus čia atsiunčiant. Buvęs privačios mokyklos mokytojas, įkalintas už tris seksualinės prievartos atvejus... Su dideliu pertraukom... Pirmasis prieš kokius penkiolika metų... Paskutinis visai neseniai. Jį traukia tik berniukai, bausmė nebuvo griežta, nes pirmajai aukai buvo septyniolika, kitiems dviem — šešiolika, ir visi sakėsi nepriešataravę tam, kas įvyko. Manau, galvota, kad jam suknežins galvą, pabandžius ko nors panašaus imtis Rūgšties kvartale.

— Ką jis darydavo?

Vyrukas metė sutrikusį žvilgsnį moterų link.

— Stimuliavo, — sumurmėjo.

— Kaip stimuliavo? — dalykiškai, kaip ir dera gydytojui, toliau klausinėjo Haris. — Oraliniu būdu ar masturbacija?

— Masturbacija.

— O ką jis gaudavo? Tą patį ar lytinę sueitį?

— Nieko.

— Kaip tai nieko? Kaip pats pasiekdavo orgazmą?

Policininkas tik gūžtelėjo pečiais.

— Nė vieno iš berniukų neprašė ko nors daryti. Todėl gavo tik aštuoniolika mėnesių.

Haris iš nuostabos papurtė galvą.

— Tai jis pasitenkindavo glamonėdamas kitus?

— Greičiausiai.

— Iš pasakojimo per daug pasyvus, kad būtų prievartautojas.

— Taip sakė ir mano viršininkas. Jis svarsto, ar tik gydytoja Morison nebus apsirikusi. Sutikite, juk ji negali neišsigąsti... Turiu galvoj, lauke žmonių jūra... Ir vienas skambinusiųjų pranešė, kad jie ginkluoti akmenimis. Tarkime, vyrukas drąsinamai patapšnojo jai per ranką... Ir tarkime, ji tai suprato visai ne taip, ką tai iš tikrųjų reiškia, nes žinojo, kad jis — seksualinis priekabiautojas.

Dženė liovėsi rinkusi numerius.

— Nemanau, kad apsiriko, — paprieštaravo ji. — *Tikrai* nemanau, — susimąsčiusi patylėjo. — Kuris jų pedofilas? Tėvas ar sūnus? Sofi kalbėjo labai aiškiai. Sakė, kad *pacientas* paėmė ją įkaite ir norėjo išprievartauti... o pacientas, remiantis mano užrašais, yra tėvas.

Policininkas išpūtė akis.

— Maniau, kad ten tik vienas.

— Sąraše tikrai įrašyti du.

— Patikrink jų bylas, — tarė Haris Dženei. — Pažiūrėkime, kokio jie amžiaus.

— Jau patikrinau. Tai nauji pacientai, ir jų bylos dar neatsiųstos. Tik žinome, kad tai Fransis ir Nikolas Holisai, Humberto g. 23, šalia pavardžių žvaigždutė ir skliausteliuose „Zelovskis", — ji patraukė puslapį kompiuterio ekrane žemyn, kad visi įsitikintų jos žodžių teisumu. — Tačiau prisimenu sūnų minėjus, kad tėvui septyniasdešimt vieneri... Ir kaip mokytojas jau seniai turėtų būti pensijoje, tiesa?

Haris klausiamai pažvelgė į policininką.

— Kiek metų tam pedofilui?

— Jaunesnis. Mačiau jo nuotrauką. Sakyčiau, kokių trisdešimt penkerių.

Haris prapliupo keiksmais ir keikėsi, kol pristigo kvapo.

— Skambink toliau, — nurodė Dženei. — O tu, — paliepė Fėjai, — prisimink viską, ką gali, apie Melani... Draugų, draugių, vaikų tėvų, bent kieno, su kuo galėtume susisiekti, pavardes.

— Kas jums kelia nerimą? — pasiteiravo policininkas.

— Svarstau, iš kur pedofilas išmoko, kad suteikti malonumą kitam yra savaiminė vertybė. Kad ir koks būtų jo aukų amžius ir lytis, tai labai neįprastas elgesys... Neįtikėtinai nuolankus vyriokas. Peršasi išvada, kad jo poreikiai visada turi tarnauti kam nors kitam.

— Tėvui?

— Beveik neabejoju. Per daug jau įrodymų, liudijančių, kad patyrę prievartą berniukai patys tampa prievartautojais... O labiausiai tikėtina, kad prievartavo tėvas arba patėvis... — Haris papurtė galvą. — Būdas, kaip jis tai daro, liudija, kad seksas jį gąsdina. Ir jeigu taip yra dėl tėvo...

Staiga jis tarsi išsyk suseno.

Dženė palietė jo ranką, klausydamasi dar vieno Melani balso pašto signalo.

— Sofi stipri, — tarė ji. — Taip lengvai nepasiduos, — ir paliko žinutę, prašančią kuo skubiausiai paskambinti. — Kol kas šiuo telefonu negalėsime skambinti, — tarė. — Negalime jo užimti, jei Melani paskambintų. Lieka vienas telefonas, kuriuo galima naudotis, ir telefonai kabinetuose. Manyčiau, turime išsiskirstyti ir veikti atskirai, — Dženė pažvelgė į Fėją. — Gal ką nors jau prisiminei? Gali naudotis kompiuteriu Sofi kabinete ieškodama jų numerių. Tačiau būtų geriau, jeigu patikėtum skambinti man. Policija baiminasi, kad ko nors prišnekėję tik pabloginsime padėtį.

— Tačiau... Nesuprantu... Kokią padėtį? — Fėja pasišiaušė. — Labai gražiai čia viską komanduoji... Daryk tą... Daryk aną... Bet kaip ką nors galiu daryti, jei nežinau, kas vyksta?

— Niekas nežino, — atsakė Dženė, — išskyrus tai, kad Basindeilas siautėja. Policija mano, kad tai nukreipta prieš tą žmogų, su kuriuo yra Sofi, tačiau niekas nenutuokia, kaip išaiškėjo, kas jis toks. Nuteistas pavarde Zelovskis, tačiau atkeltas į Basindeilą įregistruotas Holiso pavarde.

— Kažkuris besmegenis nenulaikė liežuvio už dantų, — rūsčiai tarė Haris, žengdamas iš kabineto. — Tokius tik šaudyti... Įstumti žmones į tokį pavojų.

— Pritariu, — taip pat rūsčiai prabilo Dženė ir nusigręžusi prie telefono ėmė dar sykį rinkti Geinoros numerį. Ji pastebėjo, kaip Fėjos veidą išmušė dėmės, tačiau neatkreipė į tai dėmesio, nes į skambutį pagaliau atsiliepė.

PENKIOLIKTAS SKYRIUS

2001 m. liepos 28 d., šeštadienis
Hempširo policijos štabas

Taileris nurodė vienam savo seržantui surasti Martiną Rodžersoną ir kuo greičiau pristatyti į ASAP štabą.

— Pola Anderson nuvežė jį į spaudos konferenciją, tai susisiek su ja ir išsiaiškink, ar jie vis dar kur nors netoliese. Noriu su juo šnektelėti akis į akį, todėl perduok Polai, kad nepriimtų jokių atsiprašymų. Jeigu jį jau parvežė į Bornmutą arba yra pakeliui, paprašyk atgabenti atgal. Aišku?

— Ji turės kažką jam paaiškinti.

— Naujas pėdsakas... Šįkart daug žadantis. Iš pradžių apklausiu Lorą Gregorio Logano namuose, — jis žvilgtelėjo į laikrodį, — todėl Pola turi valandą laiko. Tačiau perduok, kad kuo greičiau, tuo geriau. Rodžersonui nieko neatsitiks, jeigu pasėdės kokį pusvalandį rankas sudėjęs apklausų kambaryje.

Jis pamojo ranka seržantui, apklaususiam Taunsendo kaimynus, ir permetė akimis jo greitosiomis pasižymėtas pastabas.

— Patikrink, ar „Easyjet" nėra duomenų, kad jis skrido atgal trečiadienį ryte. Maršrutas Palma—Latonas. Ir paprašyk savo sąrašuose paieškoti panelės F. Gou. Ji atskrido kartu su juo antradienį, bet nežino, ar buvo užsakęs jai bilietą atgal. Išsiaiškink, ar buvo užsakęs bilietą iš anksto ir ar pakeitė užsakymą trečiadienį. Iš to sužinosime, kada ketino grįžti. Galės bent pasidžiaugti, jeigu bus užsakęs bilietus tam pačiam skrydžiui.

Seržantas pasmalsavo:

— Tai jo naujoji mergina?

— *Tu* turėtum man tai pasakyti. Ar kalbėdamas su kaimynais sužinojai pavardę ar kaip atrodo?

Jis papurtė galvą.

— Kaimynė jos niekada nematė, tik mestelėjo, kad dėl naujosios merginos jis greičiausiai ir išsiskyrė su Lora.

— Arba su Eime, — tarė Taileris. — Visi manome, kad jam rūpėjo tik motina.

Seržantas suraukė kaktą.

— Nesuprantu, šefe.

— Pasak viešbučio administratoriaus, Franė Gou išvaizda ir elgesiu panaši į dvylikametę. Ji tamsiaplaukė, smulkutė ir „labai daili".

Tai administratoriaus žodžiai, ne mano. Nieko neprimena?

— Jėzau!

— Aha. Taunsendas filmuoja ją nudistų paplūdimy, tačiau išsinešdina ankstyvą trečiadienio rytą po pokalbio su žmogumi, vardu Martinas, ir gavęs pranešimą — veikiausiai faksą.

Jis parodė elektroninio pašto adresą, kurį sužinojo iš Franės.

— Pabandyk parašyti Taunsendui, gal užkibs. Tiesiog, kad nori kai ko paklausti dėl Loros ir Eimės Bidulf. Nieko rimto. Na, tau reikia pavardžių ir adresų tų, su kuriais jos susipažino gyvendamos pas jį.

— Duoti kontaktinį telefoną?

Taileris linktelėjo.

— Duok mano mobilųjį... Parašyk, kad tavo.

— O ką iš tikrųjų norite sužinoti?

— Ką jis veikė per pastarąsias dvidešimt keturias valandas, — Taileris, grįžęs į savo kabinetą ir uždaręs paskui save duris, surinko Franės duotą telefono numerį.

— Alio? — atsiliepė moters balsas.

— Ponia Gou?

— Taip.

— Tai Hempširo policijos vyresnysis inspektorius detektyvas Taileris. Skambinu dėl jūsų dukters.

Ragelyje stojo tyla.

— Ką ji šįkart pridirbo?

Jokio susirūpinimo dėl merginos, pastebėjo jis sau. Jokio *Ar jai nieko neatsitiko?*, paprastai pasigirstančio tokiais atvejais.

— Ją paliko viešbutyje Maljorkoje, ir administratorius neišleis, kol nebus apmokėta sąskaita. Administratorius patvirtino, kad jos draugo nuomotas automobilis ir bagažas dingo, taigi, manau, galite neabejoti, jog tai tiesa.

— Tikriausiai Edvardas Taunsendas.

— Tokią pavardę ji ir nurodė.

Iš kito laido galo pasigirdo žiebtuvėlio spragtelėjimas.

— Kuo čia dėta Hempširo policija?

— Bandėme dėl kitų priežasčių susisiekti su Taunsendu. Kai administratorius pastebėjo, kad jis išvykęs, paprašė Franės paskambinti man.

— O kokie tie kiti reikalai?

Jokio reikalo slėpti nėra — šiaip ar taip, vis tiek netrukus iš Franės išgirs. Be to, reikia informacijos.

— Dingusi mergaitė, Eimė Bidulf, pusę metų gyveno jo namuose.

Moteris giliai atsiduso... O gal išpūtė giliai į plaučius įtrauktus dūmus. Iš ramaus balso buvo sunku spręsti apie jos jausmus.

— Įspėjau Frančeską, — tarė, — tačiau nesiklausė. Toks amžius. Mano, kad jūra iki kelių.

Balsas skambėjo abejingai, tarsi būtų kalbama apie kokį pašalinį žmogų.

— Ar gerai pažįstate Taunsendą?

— Nelabai. Bendrauju su pirmąja jo žmona.

Inspektorius išsitraukė dar vieną popieriaus lapą.

— Ar galite papasakoti tai, ką žinote, ponia Gou? Galbūt pradėkite nuo to, kodėl įspėjote dukrą dėl jo.

— Jam keturiasdešimt penkeri. Jai — aštuoniolika. Ar dar reikia ką pridurti?

Taileris negalėjo nepastebėti aštroko atsakymo tono.

— O *yra* dar ką pridurti?

— Nieko, ką pasakočiau nepažįstamam žmogui.

— Aš policininkas, ponia Gou, ir viskas, ką pasakysite, liks paslaptis. Tai gyvybiškai svarbus reikalas. Eimė dingusi jau daugiau kaip dvidešimt keturias valandas, tad jeigu ką nors žinote, kas galėtų padėti, turite mums pasakyti.

— Bet jūs negalite telefonu įrodyti, kad esate policininkas, o man nereikia bylos dėl šmeižto. Ką aš žinau, gal jūs žurnalistas.

Ji teisi, tačiau abejingumas dėl dukters likimo kėlė nuostabą. *Senjorai Gou tai visiškai nerūpi...*

— Tada iš pradžių padarykime taip. Duosiu viešbučio „Bella Vista" Puerto Soleryje numerį. Administratorius gerai kalba angliškai. Pranešite jam savo kredito kortelės numerį telefonu, jis apmokės sąskaitą ir išsiųs Frančeską namo. Taip pat jums duosiu policijos operatorės numerį. Paskambinusi galite patikrinti, kas aš toks ir palikti žinutę, kad jums paskambinčiau. Ar tai jums tinka?

Šįkart tikrai pasigirdo atodūsis.

— Nežinau.

— Ji — *jūsų* duktė, ponia Gou.

Iš kito laido galo atskambėjo tylus juokas.

— Be abejo, gerai būtų, jei galėčiau tai paneigti. Jausčiau mažesnę kaltę, kad kažko nepadariau. Turite vaikų, inspektoriau? Jie vagiliauja? Geria? Miega su kuo papuola? Badosi? — Klausimai skambėjo retoriškai, nes ji net nelaukė atsakymų. — Išleidau 5000 svarų, kuriuos Frančeska iššvaistė savo aštuonioliktojo gimtadienio proga — padengiau mobiliojo sąskaitą, sumokėjau paštu užsisakytas prekes, atlyginau žalą jos dviejų draugų tėvams, kurių kredito kortelių numeriais ji pasinaudojo pirkdama prekes internetu. Pamiršusi vagiliavimą ir įtaisiusi atskirą butą suteikiau progą įrodyti savarankiškumą. Mainais sutarėm, kad man nebereikės jos vėl traukti iš bėdos, kad ims studijuoti. Tačiau ji lekia į Maljorką su buvusiu mano geriausios draugės vyru ir tvirtina, kad pykstu todėl, kad pavydžiu, — moteris kiek patylėjo, o paskui tarė: — Pasakykite, inspektoriau. Ką manim dėtas darytumėt, jeigu jums paskambintų iš policijos ir praneštų, kad jūsų duktė pateko į bėdą... *Vėl?*

Taileris atvirai atsakė:

— Laikyčiausi to, kas sutarta.

— Ačiū.

— Tačiau aš — ne jūs, ponia Gou. Esu išsiskyręs jau ilgiau, nei buvau susituokęs, ir neturiu vaikų. Susidurdavau su Frančeskos amžiaus merginomis tik sulaikydamas dėl prostitucijos, kai dirbau paprastu policininku.

Dar viena tylos minutė.

— Ir?

— Nepamenu nė vienos, kurios nebūčiau sulaikęs bent dusyk, nors vidutiniškai kiekvieną merginą sulaikydavau penkis ar šešis kartus. Visos prisiekė, kad daugiau to nedarys... tačiau vos paleista po kelių dienų vėl atsidurdavo gatvėje, nes svaigintis iš pinigų, gautų už prostituciją arba ką nors nugvelbus, lengviau ir greičiau, nei taupyti iš menkos algos, kurią gautų dirbdamos „Tesco".

Ponia Gou šnekumu nepasižymėjo.

— Nelabai suprantu, ką tuo norite pasakyti, — kiek patylėjusi sumurmėjo ji.

Jos tylėjimas jau ėmė erzinti.

— Tiesiog įpročius neturint stimulo pakeisti sunku, ir vargiai kam iš karto pavyksta. Kiek kartų mėginote mesti rūkyti? — tiesiai paklausė jis. — Kartą? Du? Ar atsibudusi kasryt sakot sau, kad nuo šiandien tai jau tikrai?

Moteris darsyk atsiduso.

— Vyliausi, kad jai pačiai išeis į naudą, jei turės atsakyti už savo veiksmus.

— Ji tam dar nesubrendusi.

— Jai aštuoniolika.

— Tačiau išvaizda ir balselis kaip dvylikametės, o dvylikametei neįteiktumėt raktų nuo atskiro buto, — Taileris žvilgtelėjo į laikrodį. — Neturiu laiko tokiems pokalbiams. Franė ir jos bėdos palauks. Klausykit, vis tiek duosiu jums telefono numerius, o jūs darykite kaip išmanote. Vis dėlto būtų gerai, jeigu paskambintumėt dukrai ir pasišnekėtumėt. Galimas daiktas, jai užsakytas bilietas namo, mano žmogus dabar tai tikrina. Paprašysiu paskambinti jums, kai sužinos. Be to, reikės dar kartą su jumis pasikalbėti. Jeigu iki šeštos vakaro nepaliksite žinutės, atvyksiu į Sautamptoną su jumis susitikti... Šįvakar arba rytoj ryte.

— O galiu nesutikti? — ji pasiteiravo jam padiktavus numerį.
Taileris praleido klausimą negirdomis.

— Dar vienas dalykas. Minėjote, kad artimai bendraujate su pirmąja Taunsendo žmona. Veikiausiai nepasakysite man jos pavardės ir adreso, kol neįsitikinsite, kas aš toks, tai gal būtumėt tokia gera ir paskambinusi jai paprašytumėt jos paskambinti į mūsų būstinę?

Pašnekovė taip ilgai dvejojo, kad inspektorius suabejojo, ar tik nebus padėjusi ragelio.

— Ponia Gou?

— Tikėjausi, jog neiškils tai, kad Frančeska miegojo su Edvardu, — liūdnai pasakė ji. — Maniau, viskas praūš pro šalį, ir jai neteks to išgirsti.

— Kodėl jai turėtų tai rūpėti?

— Ji irgi turi dukterį, — atsakė ir padėjo ragelį.

Naitingeilo sveikatos priežiūros centras

Haris Bonfildas nebuvo linkęs skambinti Sofi tėvams, nepasikalbėjęs su jos sužadėtiniu Bobu Skadamoru, tačiau jos tėvų adresas buvo vienintelis knygelėje įrašas, susijęs su artimaisiais. Jis prisiminė pažįstamą psichiatrą iš Londono, kurį Bobas per vieną vakarienę pavadino artimu kolega, ir paskambinęs jam išsiaiškino Bobo namų ir mobilųjį telefonus. Haris jau ne pirmą kartą džiaugėsi Nacionalinės sveikatos tarnybos šeimyniškumu. Tai didžiausias šalies darbdavys, tačiau vis dar tarsi viena didelė šeima, kur visi pažįsta ką nors, kas prispyrus reikalui gali pagelbėti.

Sofi ir Bobo draugystė per atstumą Hariui kėlė nerimą. Bobas, penkeriais metais vyresnis už Sofi, buvo gerokai pažengęs vienos Londono mokomųjų ligoninių psichiatrijos skyriaus karjeros laiptais, ir Haris nutuokė, kad tik laiko klausimas, kada jis iškels ultimatumą, ir Sofi sugrįš į Londoną. Pritraukti jaunų daktarų į bendrąją praktiką darėsi vis sunkiau, ir Haris pesimistiškai vertino galimybes išlaikyti vieną geriausių darbuotojų, kurią pavyko prisivilioti per ilgus metus.

Jo slapčiausias nerimas pasitvirtino prieš du mėnesius, kai Sofi pamosavo jam po nosimi žiedu su deimantu.

— Na, kaip? — pasiteiravo ji. — Darau gerai ar labai gerai?

— Bobas?

Sofi nusijuokė ir kumštelėjo jam į ranką.

— Kas daugiau? Velniai rautų, Hari, juk neturiu pilnos spintos slaptų meilužių.

Jis kiek padelsęs atsistojo ir šiltai ją apkabino.

— Žinoma, darai gerai. Jis tikras šaunuolis. Tikiuosi, supranta, kaip jam pasisekė, kad gaus tave. Kada ta didžioji diena?

— Rugpjūtį.

— Hm, — apsiniaukęs sumurmėjo jis. — Nori pasakyti, kad jau ruošiesi įteikti prašymą išeiti iš darbo?

— Jėzau, ne, — nustebo Sofi. — Bobą paskyrė į Sautamptono konsultacinę polikliniką. Laukė to metų metus. Pagaliau pradėsim gyventi kartu. Todėl ir oficialiai susituoksim. — Ji iš nuostabos išpūtė akis. — Iš kur ištraukei, kad noriu išvykti?

„Iš savo pasenusių pažiūrų", šyptelėjo Haris mintyse ir ramiai atsisėdo. Nebūtų net atėję į galvą, kad vyras persikeltų dėl moters, nors jau ir XXI amžius.

Bobą surado jo bute Londone.

— Kaip laikaisi, Hari? — paklausė įsimylėjėlis. — Skambini, nes Sofi vėluos?

— Ne visai.

Ir Haris be užuolankų viską glaustai išdėstė.

— Nenorėjau skambinti tėvams prieš tai nepranešęs tau... Geriau bus, jeigu tu su jais pasikalbėsi, — Haris nutilo ir palaukė jo sutikimo. — Gerai. Be to, mums reikės tavo pagalbos. Dženė tvirtina, kad Sofi labai atidžiai prižiūri, kad jos mobilusis būtų įkrautas, todėl manome, kad ji telefoną išjungė, nes nenori, kad tie vyrai sužinotų, kad jį turi. Vadinasi, yra galimybė, kad ji pasitaikius pirmai progai paskambins... Ir neapsakomai džiaugčiausi, jeigu čia būtų kas nors, turintis patirties kalbėti su jais ir derėtis dėl paleidimo.

— Jau vykstu, — tarė Bobas. — Pakeliui paskambinsiu tėvams.

— Gal neturėsime laiko tavęs laukti, — skubiai pridūrė Haris. — Reikia tuoj pat ką nors surasti netoliese. Policija užklupta netikėtai... Sakosi negalėję to numatyti... Riaušės kilo tiesiog iš nieko... Ir jos susijusios su ta mergaite, dingusia už dvidešimties mylių. Čia yra jaunas konsteblis, bandantis mums pagelbėti, tačiau kol kas jis dar negali susisiekti su inspektoriumi. Visiškas jovalas. Būtų gerai susirasti psichiatrą, kuris pateikė teismui Zelovskio medicinos sprendimą, arba tą, kuris prižiūrėjo jį kalėjime. Galiu nurodyti du kalėjimus, kuriuose jis sėdėjo. Jie abu čia pat, netoliese. Ar to užteks sužinoti pavardę? Arba, dar geriau, gauti bylos kopiją?

Bobas nešvaistė laiko:

— Pasakyk man adresus, — tarė jis. — Ir ligoninės telefoną bei faksą. Paskambinsiu, vos tik ką sužinosiu, — prieš atsisveikindamas jis kiek patylėjo. — Hari?

— Taip.

— Jeigu ji paskambins prieš man atvykstant, perduokite, kad jų nepykdytų... Ypač to, kuris nori ją išprievartauti. Jei jis toks pavojingas, kaip manote, tai jį tik dar labiau įaudrins.

Prie Humberto gatvės 9-ojo

Geinora Paterson buvo klaikiai išsigandusi. Ją tiesiog prispaudė prie vieno Humberto gatvės namo sienos ir ji negalėjo pajudėti nei pirmyn, nei atgal. Nebuvo vietos net krustelėti, tik iš visų pusių gulė žmonės; stumdydamiesi tarp namų ir automobilių, sustatytų šalikelėje, stengėsi išsilaikyti ant kojų. Gatvės viduriu jaunuoliai virtinėmis chaotiškai spraudėsi ir grumdėsi, norėdami priartėti prie 23-iojo, tačiau po kiekvieno stipraus jų spūstelėjimo per minią atsklisdavo pasipriešinimo banga, metanti juos atgal.

Jaunesnieji bandė ištrūkti automobilių stogais ir kapotais, bet jie tebuvo tik pavieniai bėgliai. Kaskart prieš juos siūbtelėdavo banga, mašinos susiūbuodavo, ir pagrindas po kojomis išslysdavo. Geinora būgštavo, kad patiems aršiausiems kils mintis — ir tai tik laiko klausimas — apversti automobilius, o tada tikrai atsiras rimtai nukentėjusiųjų.

Desperatiškas moters skambutis mobiliuoju numeriu 999 prieš penkiolika minučių tik dar labiau padidino baimę balso automatui pranešus, kad ypatingų atvejų operatorių linija perkrauta skambučiais, pranešančiais apie neramumus Basindeile. Policija negali į visus atsiliepti. Skambinantieji dėl kitų ypatingų įvykių turėtų nepadėti ragelio. Patariama visiems Basindeilo gyventojams, nedalyvaujantiems bruzdėjime, likti namie.

Geinora, savo akimis regėjusi kraupią nelaimę per spūstį Hilsborou stadione, kai futbolo aistruoliai buvo be gailesčio sutrypti iš paskos užgriuvusios minios, būgštavo, kad dėl paniško judėjimo žmonės prie sienų tikrai susižalos. Ji darė, ką galėjo, mėgindama apsaugoti esančius šalia — daugiausia jaunutes mergaites, sprunkančias užsiglausti į nuošalesnę vietą, — tačiau ką nors apsaugoti darėsi vis sunkiau. Ji šaukė, kol užkimo, tuščiai mėgindama įspėti žmones minios viduryje, tačiau jos balsą nustelbė jaunuolių riksmai.

Kai pačiai nepavyko prisiskambinti dukrai, Geinora padavė mobilųjį šalimais stovinčiai mergaitei ir liepė tol spausti klavišą „1", kol kas nors atsilieps.

— Kai suskambės, paduosi jį man, — pasakė, užstojusi mergaitę kūnu.

Geinora mėgino patraukti dėmesį stipraus vyro, stovinčio už kokių dešimties metrų, kad prasiskintų kelią iki jų, tačiau šūksniams jis buvo visiškai kurčias.

Pavargusi ir apsiašarojusi mergaitė po dešimties minučių liovėsi maigiusi telefoną.

— Jokios sušiktos naudos, — proverksmiais suinkštė ji. — Niekas neatsiliepia, — ir apimta baimės būti užspausta, ėmė daužytis į Geinorą. — Noriu išeiti! — klykė. — Noriu išeiti!

Moteris jai skėlė stiprų antausį.

— Dovanok, širdele, — sumurmėjo ir prisispaudė ašaromis apsipylusį vaiką, — tačiau tai per daug pavojinga. Turi likti čia, kol aš ką nors sugalvosiu. *Tačiau dėl Dievo meilės, ką?*

Suskambo telefonas.

Geinora čiupo jį iš mergaitės, prisispaudė delną prie kitos ausies, kad per visą tą triukšmą galėtų girdėti.

— Mel? Tai tu, širdele? Vis skambinau ir skambinau. Ar tau nieko nenutiko? Kaip Roza su Benu?

— Ponia Paterson?

— Mėšlas! — susikeikė iš apmaudo Geinora ir pati vos nepravirko. — Maniau, čia mano duktė.

— Deja, ne. Čia Dženifer Monro iš Naitingeilo sveikatos priežiūros centro. Briona davė jūsų numerį. Skubiai reikia su jumis pasišnekėti.

Geinora, negalėdama patikėti savo ausimis, papurtė galvą.

— Turbūt juokaujat. Klausykite, brangute, kad ir kas tai būtų, galite palaukti. Net jeigu ruošiatės pranešti, kad man paskutinė vėžio stadija, tai ne taip skubu kaip tai, kas čia dabar vyksta. Visiškas chaosas... Sušiktos policijos nė kvapo... Aš prispausta prie sienos kartu su keletu vaikų, kurie iš baimės tuoj prileis į kelnes. Dėl Dievo meilės, visai kaip Hilsborou. Turbūt daugiau kaip tūkstantis žmonių susigrūdo į šį plotelį. Jungiu telefoną! Aišku?

— Nejunkite! — šūktelėjo Dženė. — Greičiausiai žinau daugiau už jus. Prašau nejungti. Tai nesusiję su gydymu, Geinora. Bandau jums padėti. Policija negali patekti į kvartalą, nes visi keliai užtverti. Todėl jūs su Melani turite rasti saugią vietelę, ir aš galbūt padėčiau, jeigu leistumėte.

— Tada pirmyn.

— Ar galite pasakyti, kur esate?

— Humberto gatvėje.

— Kur tiksliai? Sakėte, kad jus prispaudė prie sienos.

— Pačiame gale. Devintas namas. Beldėmės į duris... Tačiau ta ledi visai kvanktelėjusi, ji mūsų neįsileis... Greičiausiai ta kriošena išsigandusi.

— Ar žinot jos pavardę?

— Ponia Kartju.

— Gerai, lukterėkite. Patikrinsiu, ar ji yra mūsų sąraše. — Kelias akimirkas buvo tylu. — Radau. Ji priklauso Sofi ir dalyvauja „Draugystės linijos" projekte. — Dar viena tylos minutė — telefonas uždengtas ranka, kad nesigirdėtų besitariančiųjų balsų. — Gerai, Geinora, darysime taip. Aš paskambinsiu poniai Kartju, o jūs tuo metu pasikalbėkite su policijos pareigūnu, kuris laukia čia šalia. Jis klausėsi jūsų per garsiakalbį ir patars, kaip elgtis, kai ponia Kartju atidarys duris.

— Veltui gaištate laiką, brangute. Jos protelis jau seniai suskystėjęs.

— Gal vis dėlto pabandom, gerai?

Ragelyje pasigirdo kitas balsas.

— Sveiki, Geinora. Kenas Hiuitas. Na, savaime aišku, svarbiausia nesukelti paniškos grūsties. Žmonės išsigandę, puls iš paskos, ir viskas tik dar labiau susijauks. Būtina užtikrinti tvarką prie durų. Iš pradžių pasakykite, kiek su jumis vaikų?

Geinora akimis greitai apmetė galvas.

— Koks dešimt.

— Gerai. Visų pirma tegu po vieną tylutėliai įsmunka pro duris, kad niekas aplink to nepastebėtų. Tik stenkitės neatkreipti į save dėmesio. Gerai?

— Taip.

— Pasirinkite du augiausius vaikus ir vienam iš jų liepkite pašalinti visus baldus iš ponios Kartju koridoriaus, kad padarytų išėjimą į sodą. Kitą pastatykite prie laukujų durų. Ten turėtų stovėti pats stipriausias; jeigu netoliese yra koks suaugęs — dar geriau. Jis duos ženklą, kai kelias bus laisvas, taigi bus jums reguliuotojas, nes reikia, kad jūs prižiūrėtumėte duris, kai bus parengtas kelias išeiti. Jei durims prasivėrus bandys spraustis per daug žmonių, tada jūs iš vidaus turėsite jas uždaryti ir užsirakinti. Priešingu atveju žmonės užstrigs koridoriuje, ir išėjimas į sodą užsikimš. Stovėkite prie durų ir leiskite po vieną. Tai reikės kontroliuoti. Aišku?

Geinorai, vos metro šešiasdešimt penkių centimetrų ūgio ir pusšimčio kilogramų svorio moteriškei teks sulaikyti grūstį?

— Gerai.

— Išstudijavau Humberto gatvės planą, jos sodai susisiekia su Baseto gatvės sodais. Vaikas, kurį nusiųsite prie užpakalinių durų, turės išlaužti tvorą, kad galėtų išeiti. Reikia padaryti plyšius tiems, kurie nori sprukti. Tegu vaikas laužia tvorą Pietų Miško gatvės link. Reikia, kad žmonės grįžtų į namus... Situacija šiek tiek atvėstų... Nesitrintų soduose už namų.

— Gerai.

— Na, ir dar — nemėginkite rodyti išėjimo. Žmonės, pajutę, kad spaudimas už nugaros susilpnėjo, trauksis į laisvesnę vietą ir patys jį suras. Tai leis lengviau viską kontroliuoti. — Policininkas trumpam nutilo, klausydamas, kaip Dženė persako nurodymus. — Puiku. Ponia Kartju sakosi atšausianti skląstį, bet prieš jums įeinant jai reikia laiko užlipti viršun. Baiminasi, kad ją parvers. Ji turi nešiojamąjį telefoną, taigi praneš Dženei, kai bus saugioje vietoje, o aš duosiu komandą judėti pirmyn. Aišku?

— O, Jėzau! — Iš baimės Geinorai pasidarė silpna. — Bet dar nieko nepaaiškinau vaikams.

— Neskubėkite, — ramiai atsakė policininkas. — Svarbu, kad jie gerai suprastų, ką turi daryti. Praneškite, kai būsite pasirengę.

Geinora pažinojo vieną mergaitę, Lizą Šo, šviesiaplaukę iš Kolino klasės. Ji nėra tokia didelė, kad galėtų būti reguliuotoja, tačiau tikrai galėtų atlaisvinti koridorių ir praskinti kelią į Miško gatvę. Geinorai paaiškinus, ką reikia daryti, ji tik linktelėjo galva. Kiti irgi ėmė linksėti, kai Geinora visiems nusakė „valdomo išėjimo" svarbą, kad nenukentėtų žmonės. Tačiau didžiausia mergaitė nesuvokė ničnieko apie jai skiriamą darbą. Ši milžinė, lėto mąstymo nebrendila, tik apsipylė ašaromis, kai Geinora paprašė tvarkytis prie laukujų durų.

— Aš tai padarysiu, — tarė Liza. — O ji man padės. Kitos gali atlaisvinti koridorių, — ji nusišypsojo Geinorai. — Nesijaudinkite. Prižiūrėsime, kad viskas būtų kaip reikiant. Kolas mane užmuš, jeigu jus pritrėkš. Jūs jam supermama.

> Policijos pranešimas visoms nuovadoms

> 2001-07-28

> 15.33 ***

> Dingusio žmogaus paieška — Eimė Rodžerson/Bidulf

> PRANEŠTI VISOMS GRAFYSTĖMS

> Ieškomas apklausti: Edvardas Taunsendas

> Gyvenamoji vieta: Larčesas, Heijeso aveniu, Sautamptonas

> Paskutinį kartą matytas: viešbutis „Bella Vista", Puerto Soleris, Maljorka, 03.00, 2001-07-27

> Grįžo į Londono Latono oro uostą ketvirtadienio rytą EZY0404, nusileido 08.25

> Automobilis: juodas BMW — W7892VV

> Greičiausiai kur nors pietuose

> Gali keliauti su vaiku

ŠEŠIOLIKTAS SKYRIUS

2001 m. liepos 28 d., šeštadienis
Glibo daugiabutis, Basindeilas

DŽIMIS DŽEIMSAS, kalbėdamasis su gelbėtoju, jau ėmė netekti kantrybės. Turėjo laukti penkias minutes, kol atsiliepė greitosios dispečerė, ir jo telefono baterija jau beveik išsikrovė. Ir kokia, velniai rautų, ta jų pagalba? Kaskart, vos tik įvykdydavo nurodymą, tas žmogus liepdavo padaryti dar ką nors. Jis paguldė moterį ant nugaros ir patikrino, ar ji neužspringusi. Patikrino visus pagrindinius gyvybės ženklus — kvėpavimą, širdies plakimą, pulsą. Bandė ją apversti, tačiau nesėkmingai.

Ir dabar tas tipas liepia jam apžiūrėti žaizdą.

— Klausyk, drauguži, negaliu tuo pačiu metu kalbėtis su tavim ir ieškoti, iš kur ji kraujuoja! — pratrūko Džimis, spoksodamas į savo dešinę ranką, nusidažiusią moters krauju. — Iš įtūžio jis pakėlė balsą. — Tau tai nieko ypatingo... Įpratęs... Bet man, velniai rautų, dar ir kaip ypatinga. Pilna kraujo. Reikia praskirti jos plaukus, o su sušiktu telefonu rankoje negaliu to padaryti. Gerai... Gerai... Dedu ant žemės.

Jis padėjo mobilųjį ant grindų priešais save ir raukydamasis iš pasišlykštėjimo abiem rankomis praskyrė ant pakaušio permirkusius krauju šviesius plaukus, kur jau pradėjusio krešėti kraujo buvo gausiausia. Vyrukas vėl pakėlė telefoną ir pajuto, kad rankos slidžios.

— Šūdas! — riktelėjo jis. Keikdamasis girdėjo, kaip gelbėtojas sunerimęs beria klausimus. — Aišku, kad atsitiko kažkas rimta, — piktai suurzgė. — Visą sušiktą mobilųjį ištepliojau krauju.

Taip... Taip... Negaliu, man darosi bloga nuo viso šito. Aš matęs kraujo, aišku? Gerai... Gerai... Jai prakirsta galva... Nežinau... Gal kokių dviejų colių... Nežinau, ar tik vienoj vietoj... Reikia ją apversti, kad galėčiau pažiūrėti... Jos plaukai ilgi, dėl Dievo, ir užkritę ant veido. — Vėl išgąstingai beriami žodžiai. — Ne, aišku, nesiruošiu jos apversti... Jau sakėte, kad kaulas gali perdurti smegenis, — Džimis susiraukė. — Klausyk, drauguži, purvas čia kelia didesnį pavojų... Susmirdęs liftas toks apskretęs, kad ji mirs nuo kraujo užkrėtimo, jeigu pateks infekcija. Juk žinot, vietiniai jame myža. Turi rūpintis sumauta savivaldybė... Jei retsykiais pajudintų bent pirštą ir atsiųstų keletą valytojų... Gerai... Gerai... Jau darau.

Džimis vėl padėjo telefoną ir nuo moters veido nubraukė plaukų sruogas. Tada akimirką net sustingo, išvydęs, jo akimis, įstabaus grožio, lyg ištekintą iš porceliano veidą, primenantį Viktorijos laikų kinišką lėlę; švelnus skruostų raudonis tarsi liudijo, kad moteris dar nenukraujavusi. Jis atsargiai apčiuopė į grindis atsirėmusį jos pakaušį, tačiau šįkart pirštai nenusidažė krauju.

— Atrodo, žaizda tik viena, — tarė, pakėlęs telefoną, — ir atrodo, kad kraujas jau apstojo... Ne, aišku, kad neturiu sušikto binto... Kur susmirdusiam lifte gausiu binto? — Jis užvertė galvą. — Klausyk, drauguži, aš juodas kaip anglis ir visas kruvinas... Galvok iš naujo... Jokiu būdu negaliu šitoj skylėj belstis į duris. Pusė gyventojų jau perkopę septyniasdešimt ir mirtinai išsigąs, pasirodžius kruvinam negrui išsprogusiomis akimis... Likę — fašistuojantys paaugliai, tie vos išvydę suvarys peilį tarp šonkaulių. Čia juk Rūgšties kvartalas, dėl Dievo meilės... Ne kokie nors sušikti Seišeliai. Taip... Taip... Taip... Jei toks drąsus, išsitepk veidą batų tepalu ir pasakyk tiems šunsnukiams barikadose, kad esi mano pusbrolis. Pažiūrėsim, kaip toli tu nueisi.

Džimis dirstelėjo į mobiliojo baterijos indikatorių.

— Turiu dar kokias penkias minutes, — įspėjo jis, — todėl pasiskubink, — jis pasiklausė ir pakėlė žvilgsnį į lifto mygtukus. — Durys atsidaro ir užsidaro normaliai, todėl manau, kad veikia. Ne, drauguži... Nesu girdėjęs... Kokia dar po velnių „Draugystės linija"? Ponia Hinkli... 406 butas... Penktas aukštas... Taip, čia gal ir nieko mintis... Jeigu iš pradžių pasikalbėsite su ja, ir ji žinos, kas ir kaip, — ir Džimis išpyškino savo mobiliojo numerį. — Įsijungsiu po penkių minučių... Tik pasakykit, kad leisiuos į kojas, jeigu ims rėkti... Ir taip jaučiuosi šuniškai... Nenoriu daugiau jokių staigmenų, — jis vėl pasiklausė. — Kodėl būtinai reikia mano pavardės? Koks skirtumas, žinot ją ar ne? Gerai... Gerai... Pasakykit poniai Hinkli, kad tai Džimis Džeimsas iš Humberto gatvės 21-ojo. Ne, manęs sumautoj telefonų knygoj neras. Gyvenu ten tik porą dienų... Viešpatie aukštielninkas! Nes ką tik išėjau iš sušikto kalėjimo. Štai kodėl...

Prie Humberto gatvės 23-iojo

Staiga prie Melani alkūnės išdygo Kolinas ir ėmė šaukti į ausį, kad greičiau ką nors darytų, nes Kevinas Čarteris ir Veslis Barberis savo sėbrams dalija Molotovo kokteilius.

— Negaliu jų sulaikyti, Mel. Jie jau kaip reikiant įkaušę. Sakiau jiems, kad gretimame name Roza su Benu, bet jiems nusišvilpt.

Ji išsigandusi žvelgė į brolį.

— Apie ką tu čia?

— Benzino užtaisai, — paaiškino jis. — Riaušėms ruošėsi ne vieną dieną... Nuo tada, kai jūs su mama apskelbėte, kad rengiate eitynes. Kevas su Vesu pildė butelius jau nuo antradienio. Manė, kad iškrypėlius teks išrūkyti. Sakiau, kad ugnis persimes ir į tavo namą, bet tik liepė atšokti. Vesas visai apsinešęs. Tikras šūdžius. Be perstojo ryja rūgštį ir kartoja, kad suplėškins visą susmirdusią gatvę.

Melani tarsi pabudo iš miego. Lyg kažkas būtų perliejęs lediniu vandeniu. Jai staiga pasidarė visiškai aišku, kad nebegalima ilgiau delsti laukiant Džimio pagalbos. Gelbėti nuo pražūties vaikus — jos pareiga.

— Kur jie?

Kolinas mostelėjo galva į šurmuliuojantį būrelį pačiame 23-iojo namo pakraštyje.

— Ten.

Priešingai nei spūstis abiejuose gatvės galuose, erdvė priešais pedofilo namą ir už jo liko beveik tuščia, tarytum kokia nematoma užtvara būtų sulaikiusi minią. Tam tikra prasme taip ir buvo, nes esantys priekyje, nenorėdami prarasti patogios stebėjimo vietos, spyrėsi spaudimui iš nugaros.

Dėl to Melani galėjo išsilaikyti ir prižiūrėti savo namą bei apkumščiuoti bandančius įsibrauti, tačiau jos vis tiek nedžiugino tik dėl smagumo saugoma ši laisvesnė erdvė. Ši buvo virtusi gladiatorių arena, kur aršiausi paaugliai svaidė plytgalius ir akmenis į „iškrypėlio" svetainę, niokodami ten viską, kas vertinga, miniai palydint pasitenkinimo šūksniais „ooo" ir „aaa".

— Lik čia, — ji įspraudė mobilųjį Kolinui į delną.

— Ką darysi?

— Sustabdysiu juos, — ryžtingai atsakė ji.

Mergina perskrido plentą ir čiupo vieną paauglį už apykaklės.

— Kur Veslis? — šūktelėjo ji.

Berniukas bandė ištrūkti, ir jam blaškantis į šonus ji pastebėjo Keviną Čarterį, kuris pritūpęs tuščiai spragsėjo žiebtuvėliu ir niekaip negalėjo pridegti benzinu išmirkusio skudurėlio butelio kaklelyje.

— Dieve mano! — puolė Melani, čiupo jam už kasytės ir pakėlė nuo žemės. — Ką čia, po velnių, darai, avigalvi? — Ji ištrenkė žiebtuvėlį jam iš rankų. — Čia pat mano namas, o jame — mano vaikai.

— Neįsk, — suurzgė jis, bandydamas išsiplėšti iš jos gniaužto.

Laisva ranka Melani pokštelėjo jam per galvą ir apsukusi pastatė priešais jo draugužius.

— Jūs trenkti, ar ką? — suriko ji. — Iš kur ištraukėt šituos butelius? Kam šovė tokia idiotiška mintis? — Ji užlaužė Kevino galvą. — Greičiausiai jums su Vesliu, Kevinai. Tik jūs galit būti tokie silpnapročiai.

— Kodėl visad kabinėjies prie manęs? — visas įraudęs nuo alkoholio tūžmingai suurzgė vaikėzas. — Ne aš vienas, visi taip daro.

Melani karštligiškai apsidairė aplinkui, norėdama įsitikinti, ar jis sako tiesą.

— Viskas užsiliepsnos, ir kas tada užgesins gaisrą? Manai, tie pusgalviai barikadose praleis gaisrines?

— Tai tavo sumanymas, Mel — atkirto jis, plėšdamas savo plaukus jai iš rankų ir traukdamasis atatupstas.

— Pati sakei, kad nori atsikratyti tų šiukšlių, tai dabar ir gavai, ko nori, — Kevinas linktelėjo duodamas ženklą Vesliui, stovinčiam jai už nugaros, ir išsišiepė, šiam išsitraukus kitą žiebtuvėlį. — Dėl tavęs juos ir supleškinsim.

Melani metėsi prie Veslio, tačiau jis ją sulaikė.

— O kaip Eimė? Ir ją kartu norite sudeginti?

— Jos ten nėra.

— Matė prie durų.

— Koks skirtumas, — atšovė jis abejingai. — Iš jos greičiausiai liko tik mėsos gabalas, pakištas kur po grindimis. Taip jau yra, Mel. Iškrypėliai žudo vaikus. Mes žudom iškrypėlius, — plačiai išsiviepęs, jis pridegė skudurėlį ir mestelėjo butelį iš kairiosios į dešiniąją ranką, kad galėtų sviesti išdaužto 23-iojo namo lango link.

Kaip reikia gaminti Molotovo kokteilius, žinojo tik iš nuogirdų, be to, buvo apsunkęs nuo girtumo. Net nenutuokė, kaip žaibiškai butelio kaklelis įkais, viduje užsiliepsnojus degalams, nenumanė, kaip pavojinga sviesti Molotovo kokteilį. Pagrindinis tokios padegamosios bombos principas — degalai neturi išsilieti iš butelio, kol jis nesudužo į taikinį, — pirmąkart ją sviedžiančiam buvo nelabai aiškus. Ir Kevinas tikrai nenutuokė, kaip svarbu butelį gerai užkišti ir skudurėlį apvynioti apie kaklelį, užuot sugrūdus jį vidun. Minia aplinkui iš išgąsčio net aiktelėjo, kai suklykęs iš skausmo, vaikis paleido butelį iš apsvilusio delno, ir šis jam po kojomis sudužo. Keviną prarijo liepsnos. Tarsi ratilai vandens paviršiuje, siūbtelėjo šalin paklaikusių žmonių bangos. Draugus, stovinčius šalia, liepsna taip pat lyžtelėjo, ir jie metėsi tolyn, plakdami sau per rankas, krūtines ir plaukus, prispausti prie sienos klykė moterys ir vaikai.

Ir tik Melani, kurią savo kūnais užstojo Kevino draugai, liko stovėti kur stovėjusi, žvelgdama į ugnies kamuolį priešais. Ji turėjo laiko pagalvoti, kad Kevinas Čarteris jai nė trupučio nepatinka. Dėl jo blogos įtakos Kolinas keliasdešimt kartų įkliuvo už smulkias vagystes ir chuliganizmą, ir Kevinas toks nesuvaldomas, kad taip pat gerokai prisidėjo prie to, jog Veslio Barberio motinai dukart teko gultis į ligoninę.

Vis dėlto jis buvo pažįstamas, ne koks nors liepsnojantis prašalaitis — kaimyniškumo saitai buvo itin stiprūs.

Ir Melani taip pat ėmė klykti — nieko negalėjo su savimi padaryti, — tačiau per visą šią sumaištį jai užteko sveikos nuovokos nusimesti švarkelį ir užgriuvus ant Kevino apgobti jį oda bei visu savo svoriu prispausti prie žemės. Vartė jį nuo vieno šono ant kito, kad liepsnos užgestų, nors duso nuo jo svylančių plaukų smarvės, o akis gelte gėlė nuo pasiliejusio ant gatvės liepsnojančio benzino karščio. Ji vylėsi, kad į pagalbą atskubės kiti ir nutemps berniuką tolyn nuo liepsnų, dar užmes drabužių ant besiraičiojančio kūno. Tačiau kažkas ją pačią atplėšė nuo Kevino ir ėmė plakti per galvą.

— Tu kvaile, — proverksmiais spygtelėjo brolis ir prispaudęs ją veidu prie žemės užgriuvo ant viršaus. — Tavo sušikti plaukai dega!

Humberto g. 23-iame name

Franeko kumštis pataikė Sofi į skruostikaulį ir sutrenkė smegenis. Smūgis buvo toks stiprus, kad būtų išvertęs iš kojų, ir ji išsilaikė tik todėl, kad už nugaros buvo siena. Instinktas ragino grumtis, nors nebuvo nė menkiausios vilties labiau pasipriešinti. Po antro tokio smūgio ji tikrai praras sąmonę. Tada Sofi griebėsi pirmo pasitaikiusio daikto — kėdės ir, iš visų jėgų stumtelėjusi jo link, pataikė tiesiai į kelius.

Ji nieko negalvojo tai darydama — buvo pernelyg sukrėsta, — tačiau kai jis suinkštė iš skausmo, ji prisiminė vazą. Kovok arba žūk. Čiupo vazą už kaklelio ir, sukūlusi ją į sieną, ėmė karštligiškai badyti seniui galvą.

— Tu ŠŪDŽIAU! — klykė, aštria šuke pjaustydama jam veidą.

Jis tik grabinėjo krauju aptekusias akis, o ji vėl rėžusi vaza perpjovė riebią jo pirštų odą.

— PASITRAUK nuo manęs! — sustūgo ir, suėmusi vazą abiem rankomis, pakėlė ją, ruošdamasi smogti. — PASITRAUK!

Smūgis buvo netikslus, ir vaza, iššprūdusi iš rankų, sudužo į sieną. Sofi visiškai pašėlo. Keikėsi. Rėkė.

— ŠŪDŽIUS! ŠŪDŽIUS! ŠŪDŽIUS! MIRK!

Kai ji jau siekė kriketo lazdos, kad galėtų smogti seniui per galvą, ją per liemenį sučiupo jo sūnus ir atitraukė tolyn.

— Baikite! Baikite! — sušuko Nikolas. — Norite jį užmušti?

Sofi viena ranka spaudė lazdą, o kita vėl priešais save pasistatė kėdę. Vėl apsitvėrusi savo gynybiniais įtvirtinimais iššsirietė it pasiruošusi pulti vanagė. Negalėjo pratarti nė žodžio, nes visai užėmė kvapą. Kaip prieš tai Franekui, kvapą užgniaužė adrenalinas ir baimė. Tačiau mintyse skardeno neapykantos šūksniai: Taip! Taip! TAIP!

Nikolas mėgino atplėšti Franeko rankas nuo akių, tačiau senis linguodamas ir dejuodamas priešinosi.

— Tikriausiai išbadėte akis, — tarė Nikolas, atsisukęs į Sofi. — Ji pakėlė lazdą virš galvos, pasiruošusi smogti, jeigu jis tik žengtelės į priekį. — Nedarysiu jums nieko bloga, — įtikinėjo jis, taikiai tiesdamas rankas. — Bet tai visiška beprotybė. Kodėl jį provokuojate?

Ji nė nekrustelėjo, tačiau akių nenuleido.

Lauke pasigirdo išgąstingi šūksniai.

Humberto gatvė 9

Geinora išgirdo šūksnius stovėdama ponios Kartju namo tarpduryje. Ji įsiklausė, ir jai pasirodė, kad girdi Melani balsą, tačiau geriau įsiklausyti trukdė iš kažkur sklindantis variklio gausmas.

— Ten kažkas atsitiko, — tarė ji į telefoną Kenui Hiuitui, pro šalį po vieną prasmunkant žmonėms.

— Kas?

— Žmonės rėkia, — išsigandusi atsiliepė ji, — girdžiu ūžiantį variklį. Gal jau atvažiuoja policija?

— Nemanau.

Trumpam stojo tyla, ir moteris išgirdo balsus iš jo radijo telefono.

— Kol kas nepavyksta susisiekti, — ramiai tarė policinin-
kas. — Tęskit, Geinora. Kiek jau praėjo?

— Nežinau. Koks penkiasdešimt. Būtų greičiau, jeigu leistume
po du. Jau ima spaustis.

— Jokiu būdu! — šūktelėjo jis. — Nepajėgsite suvaldyti.
Bet įspėjimas jau pavėlavo.

Iš tolėliau esančios minios ėmė artėti išgąsčio šūksniai, žmo-
nėms bėgant tolyn nuo liepsnojančio benzino, ir panika tarsi gaisras
apėmė ir tą gatvės galą, kuriame laikėsi Geinora. Išsigandę žmonės
ėmė grūstis prie durų, mėgindami prasisprausti, ir neišlaikiusią
spaudimo moterį srautas įnešė vidun. Karštligiškai įsikabinusi į
rankeną, ji mėgino įsisprausti už durų ir šūktelėjo Lizai bei dram-
blotajai mergaitei sprukti į sodą.

— Dabar lėkit, — paliepė. — Skuoskit namo.

Mergaites nusinešė srovė, ir Geinora pamatė, kaip Lizos veidas
atsigręžia į ją, srovei nešant tolyn.

— Žiūrėk, kur eini! — šūktelėjo pavymui Geinora, o pati prisi-
plojo prie sienos. — Nepargriūk!

Tačiau mergaitė jau pranyko iš akių.

Geinora nieko nebegalėjo padaryti, tik stovėjo ir stebėjo. Jautė,
kaip atramos ieškančios į visas puses malamos rankos ją kumščiuoja
ir daužo, žmonėms grūdantis pro duris, tačiau matė, kad viena pati
nepajėgs uždaryti durų, jeigu atsitiks kas nors nelemto. Negalėjo
ji sustabdyti stumdymosi ir grumdymosi, kai žmonės karštligiškai
mėgino išsilaikyti ant kojų. Nieku gyvu nepajėgtų užtvenkti veržlios
žmonių srovės.

Tai jos kaltė. Jeigu nebūtų rengusi eitynių — o juk netgi didžia-
vosi, kad yra viena vadų, — nieko panašaus nebūtų įvykę. Netikėtai
pačiai sau ėmė melstis: „Dieve, neleisk, kad kas nors žūtų." Ji min-
tyse be perstojo kartojo šiuos žodžius, tarsi tik nepaliaujamas pra-
šymas būtų galėjęs prišaukti Dievo malonę. Tačiau puikiai žinojo,
kad Jis toli. Širdies gilumoje sukirbėjo apsileidusios katalikės kaltės
jausmas. Jeigu tik būtų stengusis būti geresniu žmogumi, klausiusi
kunigų, išpažinusi nuodėmes, lankiusi bažnyčią...

Vadovybės štabas —
vaizdas iš policijos sraigtasparnio

Vaizdas, perduotas iš sraigtasparnio į vadovybės štabą, atskleidė šiurpinančią įvykių gatvėse panoramą. Veikla virė apie Humberto gatvę ir barikadas prie keturių kelių į kvartalą. Suskaičiuota, kad nuo dviejų iki trijų tūkstančių žmonių sūkuriuoja Humberto gatvėje ir aplink ją, gausiausiai susibūrę Basindeilo ir Miško gatvėse, nes garsas apie barikadas traukė vis naujus kovotojus. Policija buvo bejėgė. Ji buvo užklupta netikėtai ir neturėjo pakankamai pajėgų tramdyti.

Žmonės štabe netikėdami savo akimis stebėjo Humberto gatvės vaizdą iš oro, apstulbinti piktos likimo išdaigos, atvedusios pedofilą į gatvę, kur dėl erdvės stygiaus visi tarpeliai buvo užstatyti, o gatvės virtusios tikru tuneliu. Vėliau pasipils ginčai ir kaltinimai: policija kaltins savivaldybės tarnautojus nepaisius jų įspėjimų dėl praėjimo sunkumų, savivaldybė kaltins policiją dėl netinkamo darbo. Tačiau tada visiems liko tik stebėti, kaip akla minia, nesuprasdama gresiančio pavojaus, į kurį pati save įstūmė, nepaliaujamai spaudžiasi į gatvės lopinėlį, kuriame niekaip visi nesutilps.

Ugnies pliūpsnį, sprogus Kevino Čarterio padegamajam užtaisui, lydėjo panikos protrūkis, kai minia ėmė plūsti nuo liepsnojančios gatvės, ir tai buvo gerai matyti per vaizdo kamerą. Atrodė, kad staiga pasikeitę milžiniško magneto poliai ėmė stumti šalin žmogelius, tarsi geležies drožlytes. Pakeltose į dangų moterų ir vaikų akyse buvo matyti siaubas, jiems grumdantis tarpusavyje arba kitiems juos spaudžiant prie apsauginių tvorelių. Šiurpą kėlė jaunuolių, krintančių po trypiančiomis kojomis, vaizdai. Tik išėjimas pro ponios Kartju namą teikė išsigelbėjimą virtinei paniškai besispraudžiančių žmonių, plūstančių į mažutėlį sodą už namo, paskui, prasilaužus pro tvoras, — į saugesnę Miško gatvę.

Atskiras aktyvumo židinys buvo prie „Co-op" prekybos centro ir aplink išsidėsčiusias krautuvėles. Valdytojai, pasiekus pirmiesiems gandams apie neramumus, nutarė — nežinia, pagrįstai ar ne, — užsidaryti. Apsauginės grotos ant langų buvo smarkiai nukentėjusios nuo kokių penketo ar dešimties prekių prisiplėšusių vagių gaujos kirvių. Toks laimikis taip pat daug ką masino, ir minios jaunuolių, dėvinčių beisbolo kepuraites, kad paslėptų veidus nuo sraigtasparnio, plūdo į tą vietą prisirinkti bent to, kas liko nuo kirviais ginkluotų plėšikų.

Tai, kad riaušėms buvo iš anksto ruoštasi, aiškiausiai liudijo tam tikra tvarka, ne kaip papuola prie įvažiavimų suversti automobiliai. Tai buvo tvirtai suręsti smailėjantys į priekį įtvirtinimai, išsikišantys į pagrindinę gatvę tokiu kampu, kad būtų galima atremti bet kokį policijos šarvuočių bandymą prasiveržti. Soduose abiejose gatvės pusėse stirksojo padegtų padangų rietuvės ir žalios šakos, apipiltos benzinu, — dar vienas kruopštaus ruošimosi ženklas, ir nuo jų pakilę tiršti juodi dūmai slinko kitapus gatvės mindžikuojančių riaušių malšintojų link.

Pareigūnams, stebintiems šiuos vaizdus valdymo štabe, kilo klausimas, kodėl negauta jokio įspėjimo, kad Rūgšties kvartale tvenkiasi audra. Gajausia buvo nuomonė, jog kvartalą įelektrino žinia apie gyvenantį tarp jų pedofilą — prielaida, kurią patvirtino socialinių darbuotojų ir būsto tarnybos pareigūnų ataskaitos, — tačiau iš vaizdo ekrane nebuvo aišku, ar kaukėti jaunuoliai susiję su tuo, kas vyksta Humberto gatvėje, ar tiesiog pasinaudojo proga, kad kvartalas apleistas, ir ėmėsi žygių.

Viena pareigūnė apibendrino visų galvose besisukančias mintis:

— Mus prikals prie kryžiaus, kai apie tai suuos žiniasklaida.

Glibo daugiabutis, Basindeilas

Prasivėrus lifto durims, Džimis Džeimsas ir ponia Hinkli kurį laiką įtariai žvelgė vienas į kitą. Įspūdžio vienas kitam nepadarė. Ji atrodė sena. Jis — įtartinas. Jos persikreipusios lūpos priminė apverstą pasagą. Jis atrodė tikras auksu apsikarstęs puošeiva. Ji iš išvaizdos priminė tetą... mėgstančią pamokslauti. Jis atrodė esąs sukčius... aukso gavęs nesąžiningu būdu.

Tačiau kai pastebėjo policininkę, senosios ponios išraiška su-
švelnėjo.

— Ar gali ją čia įsodinti? — paklausė, rodydama ligonio veži-
mėlį priešais save. — Mūsų bičiulis iš greitosios liepė ją kiek įma-
noma mažiau judinti. Jei skilusi kaukolė, reikia saugotis, kad kaulas
nesužalotų smegenų.

— Žinau, — atsakė pro sukąstus dantis Džimis.

— Tada neskubėk, viską daryk pamažu... jos galvą prilaikyk
labai švelniai... Kaip kūdikio.

Jis plačiai išsišiepė.

— Žinoma, viršininke.

— Aš — ponia Hinkli.

Ji pažvelgė jam tiesiai į akis, skatindama jį toliau dėtis kvaileliu,
ir panašumas į jo tetą dar labiau sustiprėjo. Tik ši — plonesnė (tėvo
sesuo — tikras kalnas) ir atrodo nevalyva savo sulipusiais žilais
plaukais, išklypusiais batais ir panešiotu megztiniu apibrizgusiomis
rankovėmis ir nutrintom alkūnėmis, liudijančiomis neturtą arba
apsileidimą.

Džimis šiek tiek suminkštėjo. Juk ji pagelbėdama daro pa-
slaugą, pagaliau kuo ji dėta, kad jų amžius ir kultūros supratimas
skiriasi. Vyrukas ištiesė sukruvintą ranką.

— Ponas Džeimsas... Draugams — Džimis, — jis nesitikėjo,
kad ponia ranką paspaus — dėl to nebūtų nė kiek įsižeidęs, — tačiau
ji nustebino šiltai paėmusi ją abiem rankomis.

— Puiku. O aš bičiuliams — Eilina. Judam? Bute turiu tvarsčių.
Turėsim kuo apiplauti.

Vežimėlis tikrų tikriausiai priklauso poniai Hinkli, nes ji šlubčio-
dama įsikibo į parankę jam stumiant vežimėlį su policininke į butą.

— Prieš porą metų susilaužiau klubą, — paaiškino Eilina, — ir
nuo tada negaliu net priminti. Štai čia, — tarė stumdama miegamo-
jo duris. — Paguldykit ant lovos, pamėginsim nuvalyti kraują nuo
plaukų. Ar greitosios darbuotojas paaiškino, kaip reikia ją guldyti?

— Taip, — Džimis nužvelgė mezginiuotą pastelinės spalvos
užtiesalą ir tokios pat spalvos pagalves. — Verčiau pirma jas nuim-
siu, — ir jis nuklojo lovą.

Ponia Hinkli kepštelėjo jam per ranką.

— Ne.

— Jos išsiteplios, — įspėjo jis. — Pažiūrėkit, kaip aš atrodau, — ir ranka parodė į savo drabužius. — Visa mano išeiginė apranga tiesiog sušikta. Ji nepatenkinta susiraukė, išgirdusį negražų žodį.

— Juk tai aš miegu šioje lovoje, — atsakė. — Jeigu reikės, užtiesalą išmesiu.

Jis tokios logikos nesuprato.

— Bet jis geras. Kodėl jos tiesiog nepaguldžius ant paklodės — paskui reikės tik iš naujo pasikloti lovą?

— Nes aš negaliu, — pyktelėjusi atsakė ji ir iškėlė reumato susuktas rankas. — Kartą per savaitę ateina padėjėja ir tai už mane padaro, o dabar nepasirodys iki kito penktadienio. Bijau, kad tokia jau ta senatvė. Priklausai nuo kitų, kurie už tave padaro — nors ir nelabai tvarkingai — tai, ką dar prieš kelerius metus pati sėkmingai atlikdavai. Tai labai graudu. Kartais norisi net balsu šaukti.

Jis patraukė moterį į šalį ir nuklojo lovą iki pat paklodės.

— Padarysiu už jus, — Džimis atsargiai iškėlė policininkę iš vežimėlio ir paguldė ant nugaros.

— Na! Būsi jau toli, kol čia atvyks greitoji, — kandžiai pasakė Eilina. — Kai jau nusikratei atsakomybės, lėksi lauk kaip raketa.

Žinoma, ji teisi.

— Ten mano nėščia ledi su dviem vaikais, — atsakė Džimis. — Turiu išsiaiškinti, ar jiems nieko nenutiko. — Iš ponios Hinkli akių buvo matyti, kad ji netiki. — Kada paprastai einate miegoti? — dar paklausė jis.

— Devintą.

— Iki devynių pasirodysiu. Sutarta?

— Pamatysim, — Eilina pasilenkė prie jaunosios moters ir ėmė čiuopti ant jos kaklo pulsą. — Žodis tik tada tikrai žodis, kai jo laikomasi, — ji ranka mostelėjo kairėje esančios vonios link. — Ten rasi nedidelį dubenėlį ir vatos bei spirito. Pripilk šilto vandens ir atnešk čia. Bet pirmiau nurink staliuką ir pristumk jį arčiau, kad galėtume čia išsidėlioti daiktus.

Jis padarė ko prašomas ir ėmė stebėti, kaip Eilina ruošiasi valyti sulipusius plaukus.

— Jūs seselė? — pasidomėjo Džimis.

— Buvau, kol ištekėjau. Tada tapau Šv. Jono greitosios pagalbos ligoninės savanore.

— Todėl felčeris ir žinojo, kas galėtų suteikti pagalbą? Minėjo kažkokią „Draugystės liniją".

— Tai telefoninis klubas negalintiems išeiti į lauką, — paaiškino ponia Hinkli, mirkydama vatą skardiniame dubenėlyje. — Be viso kito, paeiliui skambiname visiems, kurių sveikata nekokia, ir jei niekas neatsiliepia, pranešame greitajai pagalbai. Aš — viena iš organizatorių, todėl tarnyba žino mano telefono numerį.

— Tai jūs — kaip kokia šventoji?

— Dieve, ne, tiesiog mėgstu paplepėti, — moteris trumpai pažvelgė Džimiui į akis ir sukikeno, išvydusi jo veido išraišką. — Taip, taip, apie senus gerus laikus ir apie tai, koks sugedęs šiuolaikinis jaunimas. Manau, jūs irgi panašiai šnekate. Visi, kuriems per septyniasdešimt, — seniai. Juk taip galvojate?

— Kartais, — prisipažino jis. — Jie iš tikrųjų elgiasi atžagarokai... Tarsi visi savaime privalėtų juos gerbti, nesvarbu, nusipelnė jie to ar ne.

— Anais laikais vyresniuosius gerbėme besąlygiškai.

— Taip, bet dabar viskas kitaip. Dabar to negalima reikalauti. Reikia pelnyti pagarbą, — vyrukas spragtelėjo pirštais. — Pavyzdžiui, jus aš gerbiu — jūs man padedate, — bet kiti nebūtų atidarę durų.

— Abejoju, ar ir aš būčiau įsileidusi, jeigu manęs nebūtų įspėję telefonu. Tu tikrai nepanašus į angelėlį, Džimi, — Eilina atsargiai valė didoką žaizdą policininkės galvoje, savo išsiklaipiusiais pirštais gniauždama vatos gumulėlį. — Vargšelė. Kieno darbas tai galėtų būti?

— Ji mirs?

— Nemanyčiau. Pulsas stiprus.

— Neteko velniškai daug kraujo.

— Galvos žaizdos visada smarkiai kraujuoja, tačiau dažniausiai atrodo baisiau, nei yra iš tikrųjų.

Džimis pavydžiai stebėjo užtikrintus moters judesius.

— Kalbate taip ramiai.

— Nieko nelaimėsime šaukdami ar verkšlendami. Be to, kaukolės taip lengvai neskyla. — Ji galva linktelėjo vonios link. — Eik ir nusiprausk, — paliepė, — o aš uždėsiu tvarstį ant žaizdos. Kai nusiprausi, atnešk čia amoniako nuo antrosios lentynėlės vonios spintelėje. Jis žaliame buteliuke. Pamėginsime ją apversti.

Vėliau Džimis visa tai prisimins kaip kokią pasaką. Prie jaunosios moters šnervių priglaudžiamas buteliukas, ji atmerkia akis ir klausia, kur esanti. Jis mintyse ima stebėtis, kodėl žmonės visada to klausia. Ar reikia labiau rūpintis, *kur* esi nei *kas* esi? O gal prieš klausiant viso kito svarbiausia įsitikinti, kad niekas negresia?

Kad ir kaip ten būtų, jam tarsi akmuo nuo širdies nusirito. Nenorėjo, kad ji mirtų. Nepritarė smurtui prieš moteris, net jei ji — policininkė.

Eilina stebėjo Džimį užplūdusius jausmus ir, kimiai šūktelėjusi „valio", patapšnojo jam per odinio švarko rankovę.

— Už visa tai ji turi būti dėkinga tau.

— Aš nieko tokio nepadariau.

— Galėjai ją ten ir palikti.

— Galėjau, — prisipažino jis, — tačiau toptelėjo, kad ant sušikto lifto mygtuko liko mano pirštų atspaudai, — Eilina nepritariamai suraukė antakius. — Dovanokit. Kai susijaudinu, nori nenori kalbu riebėliau.

Ponia Hinkli vėl ėmė krizenti.

— Felčeris pranešė, kad pasirodys neseniai iš kalėjimo išėjęs milžinas juočkis, apsitaškęs krauju ir negalintis žengti nė žingsnio, nesigriebdamas riebesnio žodelio, — jos akys šyptelėjo, išvydus jo nuostabą, kad apibūdinimas toks tikslus. — Sakė nežinąs, ar tai tiesa, tiesiog rėmėsi tavo žodžiais... Tačiau, jo nuomone, tu — tikras šaunuolis, ir jis sakė galįs lažintis, kad galiu tavim pasitikėti, — Eilina pastebėjo, kaip vyriškio skruostus nutamsino raudonis. — Duok bučkį! — šūktelėjo ji. — Ir skubėk pas savo ledi ir vaikučius. Tikiuosi, jiems nieko blogo nenutiko.

Jis pakštelėjo jai į raukšlėtą skruostą.

— Ir grįžk iki devynių, — rimtai pridūrė senoji dama, — antraip nebenorėsiu tavęs nė regėti.

Prie Humberto gatvės 23-iojo

Kai liepsnos apsivijo Keviną Čarterį, kilo visiška maišalynė. Žmonės lėkė į visas puses, daužydamiesi vieni į kitus, stumdėsi, bandydami sprukti kuo toliau nuo užsiliepsnojusio asfalto. Brolio prispausta prie asfalto, Melani matė, kaip draugai ant jos švarkelio, pakeitusio neštuvus, neša Keviną toliau, matė raudoną jo galvos odą, nudegusią ir nusinėrusią toje vietoje, kur liepsnos įsisuko į storą surištos vešlios ševeliūros uodegėlę. Ji nusibloškė nuo savęs Koliną ir baugščiai apsičiupinėjo pakaušį.

— Nieko neatsitiko, — nuramino brolis. — Plaukai beveik visai neapdegė.

Iš siaubo ji ėmė kalenti dantimis.

— Reikėjo n-nejudinti K-kevino, — paskubomis pratarė ji. — K-kviesk greitąją. M-mačiau l-laidą, kur sakė, kad ž-žmonės gali m-mirti nuo šoko.

— Greičiausiai kas nors patarė nunešti jį prie barikadų, — neužtikrintai sumurmėjo Kolinas. — Ten netoliese farai, jie galės nuvežti į ligoninę.

Sesuo papurtė galvą.

— Kodėl j-jis tai padarė? S-sakiau nedaryt. J-juk sakiau, Kolinai?

— Taip, taip, bet dabar turime iš čia išsikrapštyti, — atsakė Kolinas, padėdamas jai atsistoti. — Visi tiesiog neteko galvos. Jėzau!

Kolinas atstūmė atsitrenkusį į jį žmogų, o Melani mobilusis pradingo po viską be atodairos trypiančiomis kojomis. Brolis nusitempė seserį prie šaligatvio.

— Tuoj užvirs tikra maišalynė.

Melani visa tirtėte tirtėjo.

— Neišmanau, ką daryti, — suaimanavo ji. — Kaip mano vaikučiai?

— Tu užsidarysi su vaikais, o aš suieškosiu Džimį, — kiek pagalvojęs tarė jis.

— Jis b-bus toks piktas, — sudejavo ji. — Įspėjo, kad tuo viskas ir baigsis.

— Taip, bet pyks, kai jau būsite saugioje vietoje, — atsakė Kolinas. — O tada tai jau bus visiškai nesvarbu. Na, sese, laikykis už manęs. Žinoma, tai ne pasivaikščiojimas, tačiau turi susiimti dėl Rozos ir Beno. Iš baimės varliai turbūt jau bus apsišikę.

Kolinas sugriebė sesers rankas, norėdamas padrąsinti, tačiau ji spoksojo kažkur pro šalį. Pamatęs iš siaubo išsiplėtusias jos akis, pasisuko pasižiūrėti ir pamatė, kaip Veslis Barberis pro pedofilo duris sviedžia dar vieną Molotovo kokteilį.

— O, *šūdas*! — vos neverkdamas iš nevilties šūktelėjo jis. — Dabar tai visiškas šūdas!

> Policijos pranešimas visoms nuovadoms
> 2001-07-28
> 15.43
> Basindeilo kvartalas
> YPATINGOJI PADĖTIS
> Riaušių malšinimo pajėgos visiškai pasirengusios
> Prasiveržimas į Basindeilą neatidėliotinas
> Laukiame įsakymų

> PAPILDYMAS — POLICIJOS PAREIGŪNĖ HENSON
> Padėtis saugi

> PAPILDYMAS — HUMBERTO GATVĖ
> Sudarytas prižiūrimas išėjimas
> Pranešama apie kilusią paniką
> Galimas 23-iojo namo puolimas

> PAPILDYMAS — DAKTARĖ MORISON
> Naujienų nėra

SEPTYNIOLIKTAS SKYRIUS

2001 m. liepos 28 d., šeštadienis
Humberto gatvės 23-iajame name

NIKOLAS TĖVĄ, gulintį ant grindų, laikė apkabinęs sau ant kelių, tarsi kokioje siurrealistinėje Mikelandželo „Pietos" parodijoje. Senis gulėjo nejudėdamas, įbedęs veidą sūnui į krūtinę, ant kaklo krešėjo mažyčiai kraujo upeliukai. Niekas nepratarė nė žodžio.

Spengiant tylai šiame antrajame miegamajame, prigrūstame neišpakuotų dėžių ir nereikalingų baldų — Zelovskių šeimos istorijos palikimo, Sofi atrodė, kad šiems vyrams pašnekesiai būdavo tik reta jų gyvenime viešpatavusios tylos interliudija.

Kitokiomis aplinkybėmis Nikolą būtų galėjusi palaikyti vienuoliu. Siauram neišraiškingam veidui atrodė svetimos visos aistros, ir ji svarstė, ar jis tiesiog gerai išmokęs slėpti savo jausmus, ar jų apskritai neturi. „Jis juos *slepia*", — pamanė, prisiminusi jo reakciją jai užpuolus tėvą. Atviros emocijos jį gąsdina.

Tačiau vis dėlto — draugas jis ar priešas? Ji svarstė, klausydamasi šūksnių, sklindančių iš gatvės. *Ar jis paliudys tai, ką ji papasakos, o gal palaikys tėvą?* Tolumoje pasigirdęs sraigtasparnio gausmas ir mintis, kad pagalba jau netoli, šiek tiek nuramino. *Ar svarbu, ką palaikys Nikolas? Ar ji norės senį patraukti atsakomybėn, kai viskas baigsis? Ar taip smarkiai nekenčia Franeko? Argi jie neturi daug bendro? Abu mirtinai persigandę?*

— Girdžiu sraigtasparnį, — tarė ji, iš Nikolo išraiškos supratusi, kad jis taip pat girdi. — Gal tai policija?

— Greičiausiai.

— Dieve mano, tikiuosi, — karštai pridūrė ji.

Nikolas ėmė teisintis:

— Gyventi būtų daug lengviau, jeigu nedarytume to, dėl ko vėliau gailimės. Tačiau kartais visko pasitaiko... Nelaimingi sutapimai... Žmonės nepalankiomis aplinkybėmis. Tai nereiškia, kad tu blogas... Tiesiog viskas susiklosto nepalankiai, — vyras pakėlė akis. — Ar žinote Ezopo pasakėčią apie skorpioną ir varlę?

Sofi papurtė galvą.

— Skorpionas nori persikelti per upę, bet nemoka plaukti, todėl prašosi perkeliamas varlės. Varlė iš pradžių atsisako, nes bijo, kad skorpionas jai įgels. Skorpionas nusijuokęs atsako, kad jis ne toks kvailas. „Jei tau įgelsiu, tu žūsi, — tarė jis varlei, — o tada nugaišiu ir aš, nes nemoku plaukti." Tokie žodžiai įtikina varlę padėti skorpionui, tačiau pusiaukelėje skorpionas vis tiek įgelia. „Kodėl taip padarei?" — klausia mirtinai apnunuodyta varlė. „Nieko negalėjau sau padaryti, — atsako skorpionas, — tokia jau mano prigimtis."

Jis paglostė tėvui galvą.

— Kalbos apie mamą jį visada erzina, — tęsė jis. — Jei būtumėt manęs paklausiusi ir laikiusis ramiai, nebūtų jums trenkęs.

— Pataikauti... Kaip tu? — Sofi pašaipiai šyptelėjo. — Prigimtis neleidžia.

— Bet taip lengviau gyventi.

— Tu dar blogesnis nei jis, — tarė ji. — Jis šiurkštus... Neišauklėtas... Šlykštus... O tu, — ji tarsi negalėdama tuo patikėti papurtė galvą, — leidi jam taip elgtis. Kaip tada pavadinti tave?

Jis trūktelėjo pečiais, tuo tarsi nusimesdamas savo kaltę.

— Bandžiau jus įspėti.

— Kaip? — Sofi pakėlė ranką ir pirštais prilietė ištinusį skruostą. Šis visas degė, ir ji svarstė, ar tik nebus sulaužytas skruostikaulis. — Atsimenu tik paliepimus užsičiaupti... Daryti kaip liepiamai... Leisti tavo tėvui manyti, kad gali man nurodinėti.

— Tai tas pats.

Sofi stebėjo jo veidą, ieškodama ko nors — bet ko — kas įtikintų, kad jis pats netiki tuo, ką kalba. Tačiau nepastebėjo nė menkiausio ženklo. Anot jo įsitikinimų, atrodo, visada atsakinga pati auka. Užpuolikas — nekaltas.

— Nebūtų jums trenkęs, jeigu nebūtumėt išvedusi iš kantrybės, — tarė jis, tarsi pagrįsdamas savo teiginį.

Sofi tvirčiau sugniaužė kriketo lazdą.

— Kodėl tu *jo* neįspėjai? Kodėl *jam* nesakei, kad sulaužysi rankas, jei bent palies mane?

Jis palankstė savo dešiniosios rankos pirštus ir kažkaip keistai kurį laiką jais gėrėjosi.

— Tai nebūtų jo sustabdę, — atsakė.

— Kodėl ne?

— Jis manęs nebijo.

Sofi stovėjo netekusi žado ir stebėjo, kaip sūnus ramina tėvą, tapšnodamas jam mėsingą krūtinę. Net jei būtų norėjusi ką nors pasakyti, nebūtų pajėgusi praverti burnos.

Naitingeilo sveikatos priežiūros centras

Po penkių minučių Hario Bonfildo kabinete suskambo telefonas, ir Bobas Skadamoras pranešė, kad jau važiuoja ir tikisi pasiekti Naitingeilą per pusantros valandos. Jis Hariui daktarą Džeraldą Čandlerį apibūdino taip: „Geras vyrukas... Dirba kartu su mano būsimuoju viršininku Sautamptone — susisieksiu per artimiausias penkias minutes."

— Aš esu Vaito saloje, o dabar — pats atostogų sezonas, — apgailestavo Čandleris. — Net jeigu ir pavyktų įsisprausti į keltą, vis tiek negalėčiau pasiekti jūsų greičiau nei Bobas. Daugiau ar mažiau tenka darbuotis visuose trijuose čionykščiuose kalėjimuose, tačiau daugiausia dirbu su seksualiniais prievartautojais Olbanio kalėjime, — rikiuodamas mintis jis kiek patylėjo. — Gerai prisimenu Milošą Zelovskį. Tiesą sakant, jis man patiko. Tai drovus, labai malonus žmogus... Puikus muzikantas... Nuolat paskęsta savyje, mintyse klausydamasis džiazo. Įsivaizduojamo, žinoma... Jis jį groja tik sau... Savo sukurtus ar girdėtus dalykus. Bobo sužadėtinei pavojų kelia tai, kad jis visiškai sugniuždytas emociškai... Ir labai uždaras. Galiu atsiųsti faksu savo užrašus apie jį. Tik bus sunku įskaityti... Kasečių, kuriose įrašinėjau savo pokalbius su juo, šifruotes... Tačiau galėsite susidaryti vaizdą apie jo asmenybę. Visa spausdinta ataskaita — mano kabinete... Norėčiau ten nuvažiuoti, bet užtrukčiau dar pusvalandį ilgiau.

— Atsiųsk tuos užrašus, — pasakė Haris, — tačiau pirma keliais žodžiais jį apibūdink. Ar dėl tos savo depresijos jis pavojingas? Gali išprievartauti Sofi?

Čandleris prieš atsakydamas ilgokai svarstė.

— Šiaip ne, — tarė jis. — Jo seksualinis potraukis nelabai stiprus ir apsiriboja išimtinai jaunais vyrais. Pats santykiavimas jam kelia pasišlykštėjimą, ir jam labiau patinka, jei sėkla neišsiveržia, žinoma, jeigu pajėgia susilaikyti. Tai kaip išangės sulaikymas vaikų, atsisakančių paklusti tėvams. Sėklos sulaikymas suteikia jam daug džiaugsmo. Tai nereiškia, kad jis apskritai nenori orgazmo... Tačiau tai labai subtilus reikalas. Jis manipuliuoja kitais juos masturbuodamas. Paprastai šnekant, tie, kuriuos jis glamonėja, yra pajungti jo valios tol, kol iš to, ką jis daro, patiria malonumą. Trys vaikinai, dėl kurių jis apkaltintas priekabiavimu, jau prieš tai buvo turėję homoseksualių santykių... Visi kaip vienas tai pripažino. Kaip ir tai, kad Zelovskį mylėjo ir neįsivaizdavo gyvenimo be jo... Taigi jis tam, kad vaikinus galėtų valdyti, davė jiems tai, ko jie norėjo. Visi apibūdino jį kaip šaltą žmogų, tačiau tai visiškai nereiškia, kad jo paties berniukai netraukia, veikiau jis slepia jausmus giliai savyje.

— Tačiau jis *pedofilas*?

— Taip. Nes kenčia nuo psichoseksualinio sutrikimo, dėl kurio nesubrendę berniukai jam yra patrauklūs. Tačiau abejoju, ar būtų ką nors daręs, jeigu vaikai patys nebūtų jautę jam potraukio. Jis mielas žmogus. Kalba nedaug... Moka klausytis. Kalėjime buvo lyg koks gailestingasis samarietis. Valandų valandas praleisdavo su bandžiusiais žudytis, klausydamasis jų bėdų. Atjaučia baimės ir skausmo kamuojamą geriau nei kas nors kitas.

— Kodėl vaikinai jį įdavė?

— Neįdavė. Buvo užkluptas *in flagrante* su paskutiniu ir apklausiamas prisipažino dėl kitų dviejų. Nubausti reikalavo vaikinų tėvai — norėjo ką nors apkaltinti dėl sūnų homoseksualumo, ir teisėjas pasistengė. Kaip visada. Gyvename puritoniškoje visuomenėje, atsisakančioje pripažinti, kad vaikai jaučia seksualinį potraukį.

Joks teismas nedrįsta nuspręsti, kad vaikas gali sugundyti, nepaisant statistikos, liudijančios, kad Jungtinėje Karalystėje daugiausia paauglių nėštumo atvejų visoje Europoje, — balse pasigirdo susierzinimas. — Tai juk paprasčiausias lytinis smalsumas, dėl Dievo meilės... Taip jau trunka šimtmečių šimtmečius, o teisė, nustatanti amžiaus ribą, kada santykiavimas jau nebebaudžiamas, nė per nago juodymą nekinta. Reikia įtikinti... O ne priversti.

Haris, susiduriantis su paauglių nėštumo padariniais ir iš proto einančiais jų tėvais, visiškai su Čandleriu sutiko, tačiau nebuvo tinkama proga leistis į pokalbį apie tai.

— O kaip ypatingomis aplinkybėmis? Ar tikėtina, kad išprievartautų tokiomis aplinkybėmis kaip dabar?

— Sunku pasakyti. Jei gerai supratau Bobą, jie patekę į spąstus su Zelovskio tėvu name, o lauke vyksta riaušės.

— Taip.

— Tai pavojingas mišinys. Visi — dėl savų priežasčių — bus baisiausiai išsigandę, o baimė — stiprus jausmas. Kaip jums atrodo, kaip elgsis Sofi?

— Nežinau. Ji santūri, tačiau suerzinta užsiplieskia. Nemanau, kad ji lengvai pasiduotų...

— Tą patį sakė ir Bobas.

— Tai gerai ar blogai?

— Priklausys nuo to, kaip į tai reaguos Zelovskiai. Žinoma, sutinku, kad tėvas jai kelia didesnį pavojų, tačiau Milošas, matydamas jos priešinimąsi, gali susierzinti, ypač jeigu jo emocijos jau įelektrintos minios keliamos baimės. Jis beveik nepažįsta moterų. Motina paliko juos, kai jam buvo penkeri, ir, kiek suprantu, mokykloje ir muzikos koledže jis jautėsi vienas kaip pirštas. Dabar bandau sau atsakyti, kodėl jis vis dar su tėvu, nors ataskaitoje viena mano rekomendacijų Milošui buvo nutraukti su juo, kaip su buvusiu savo prievartautoju, visus ryšius. Manau, kad savarankiškas gyvenimas jį pernelyg gąsdino — kaip ir daugelį panašių į jį, — ir dėl to jis mano rekomendacijos neįvykdė, tačiau, kad inspektorius tai leido, yra visiškai kvaila. Mane labiausiai ir jaudina tai, kad jis nepadarys nieko, kad *pasipriešintų* išprievartavimui... Ir tai jį netgi gali paskatinti prisidėti, jeigu pakankamai susijaudins. Tai priklauso nuo stimulų derinio — nelygu kaip viskas susiklostys, kad Milošo emocijos prasiveržtų.

— O *Dieve!* Kas žinoma apie Milošo tėvą?

— Tik tiek, kiek pats mums apie jį papasakojo. Rasite užrašuose. Paklausiau Milošo, kodėl per gynybą ar ginamojoje kalboje nepaminėjo, kad tėvas jį prievartavo, tačiau jis atsakė, kad tai nebūtų sąžininga, nes tėvas nesuprato, kad elgiasi netinkamai. Tai tikriausiai taip pat tiesa. Jis tvirtino, kad tėvo šeima kilusi iš Lenkijos čigonų ir užaugo terpėje, kur dominuojantis vyras šeimoje nustato elgesio taisykles. Iš to, ką papasakojo Zelovskis, aišku, kad tėvas labai linkęs į sadizmą. Sakosi prisimenąs, kaip kartą jo motina buvusi sumušta dėl to, kad nepakankamai skaniai pagamino valgyti... Todėl įsivaizduoju, kad lytiniai santykiai turėjo būti taip pat šiurkštoki. Neabejotinai Milošas būdamas vaikas patyrė didelę prievartą, kol išmoko naudoti masturbaciją kaip būdą tėvo pykčiui nukreipti.

Haris negalėjo patikėti savo ausimis.

— Penkerių metų?

— Taip. Šlykštu, ar ne? Tačiau susiduriame su žemu intelekto lygiu. Nebuvo potraukio vaikams *per se*, sūnus tiesiog turėjo užpildyti seksualinę tuštumą palikus žmonai. Įbaugintas vaikas visada lengvesnis grobis, nei eiti ir ieškoti naujų pažinčių. Remiantis tuo, ką papasakojo Milošas — neturiu patikimų liudijimų, — tėvas ėmė šlaistytis gatvėmis ir kabinti prostitutes. Tada ir nustojo prievartavęs Milošą. Vyresnysis Zelovskis buvo keletą kartų apklaustas, kai moterys pateko į ligoninę sudaužytais veidais, ir Milošas visada turėdavo patvirtinti alibi. Žinoma, jis taip ir darydavo, nes tai buvo vienintelis būdas išvengti prievartos, tačiau sakė, kad jautėsi klaikiai, nes tai jam primindavo elgesį su motina. Policija galbūt turi apklausų protokolus. Gal vertėtų susipažinti?

Haris kažką pasižymėjo bloknote.

— Tėvas dirbo?

— Retkarčiais pagalbiniu darbininku, — Čandlerio balse pasigirdo sarkastiškos gaidelės. — Manau, kad daugiau nedirbo nei dirbo. Pasak Milošo, tėvui astma, ir jis dažniausiai jausdavosi pernelyg prastai, kad galėtų dirbti, tačiau skamba nelabai įtikinamai. Greičiausiai simuliuodavo.

— Hm, — Haris svarstė, ar tik baimės priepuolis, kurį sūnus nurodė kaip priežastį, kviesdamas daktarą, nebuvo suvaidintas. — Motina lenkė?

— Ne, anglė. Milošas beveik visiškai jos neprisimena, išskyrus tai, kad ji buvo šviesiaplaukė. Jis berniukui papasakojo tik tai, kad karą praleido Ispanijoje slapstydamasis nuo nacių vykdomo čigonų persekiojimo... Atvyko į Angliją šeštojo dešimtmečio pradžioje... Ir vedė Zelovskio motiną, kad įgautų teisę pasilikti. Sakė, kad kai ją sutiko, ji buvo prostitutė, ir vėl ėmėsi senų žaidimėlių, kai išvarė ją, užtikęs lovoje su kitu.

— Kodėl motina su savimi nepasiėmė sūnaus?

— Kas žino? Gal neleido? Negalėjo jo išlaikyti?

— O kaip mano pats Milošas?

— Pasak jo, neturi nė menkiausio supratimo... Ir tam tikra prasme jis teisus. Jam taip puikiai sekėsi slėpti savo jausmus, tad atrodė, kad mamos atsisakymas jį auginti įskaudino ne daugiau, nei būtų įskaudinęs kas nors kitas. Išmoko išstumti žmones iš savo galvos... Jų vietą užima muzika. Tiesą sakant, jis emociškai labiau susijaudino, kai prisiminė išmetimą iš muzikos mokyklos, nei tada, kai pasakojo apie savo motiną.

— Kas jam negerai?

Dar viena susimąstymo pauzė.

— Kai buvo pirmą kartą apkaltintas, bandė nusirėžti sau penį... Pjovė jį plastikiniu peiliu. Žinoma, nepavyko, tačiau vėliau sakė, kad rimtai bandė save kastruoti. Jis negalėjo paaiškinti kodėl, išskyrus tai, kad jam buvo gėda, tačiau tai liudija, kad viduje jis laiko užgniaužęs stiprius jausmus, kurių net sau neprisipažįsta.

— O kaip jo tėvas? Ką Milošas jaučia jam?

— Jo atžvilgiu neutralus. Nei myli, nei nekenčia — nors man atrodo, kad tai tiesiog patogiausi kada nors jo palaikyti santykiai. Jis valdė tėvą nuo penkerių metų, todėl iš senio negali laukti jokių ne-

tikėtumų. Todėl ir jaučiau, kad svarbu nutraukti tą priklausomybę...
Ne todėl, kad prievarta tęstųsi — tai nutrūko Milošui ėmus lankyti
vidurinę, — bet todėl, kad jam reikia išreikšti savo jausmus, užuot
dangsčius juos savo galvoje džiazo melodijomis.

Haris susirūpinęs vėlė į kaltūną savo plaukus. Tokie dalykai
tiesiog netilpo jam galvoje.

— Tai kaip su jais kalbėtis? Ką daryti, jei Bobo dar nebus, o Sofi
duos telefoną vienam jų, ir derėtis turėsiu aš?

Stojo ilga tyla.

— Ir vienas, ir kitas — jie abu savaip pavojingai egocentriš-
ki — vienas ekstravertas ir tikriausiai sadistas, ieškantis malonumų
išorėje, o kitas — intravertas ir užsisklendęs, randantis sau malonu-
mų viduje, — vadinasi, nė vienas nežiūrės į Sofi kaip į asmenybę. Tik
kaip į priemonę savo tikslui pasiekti.

— Kokiam tikslui?

— Bet kokiam, kokį jie numatę... Kartu ar atskirai. Vienam
ji gali būti geismo objektas. Kitam — tiesiog juos sauganti įkaitė.
Galbūt vienam ji taps ir vienu, ir kitu. O gal ir abiem. Galimi įvairūs
deriniai, Hari. Klausykis, ką jie kalbės, ir pamėgink perprasti.

Olenbio gatvė 14, Portisfildas

Loganų namuose nedaug kas pasikeitė, išskyrus tai, kad Kim-
berlė nustojo raudojusi. Baris su Gregoriu vis dar niūriai sėdėjo
įbedę akis į televizorių svetainėje, o Lora liko užsidariusi virtuvėje.
Nė vienas neketino iškišti laukan bent nosies. Už apsauginių juostų
gatvės gale būriavosi fotografai, nukreipę savo teleobjektyvus į lau-
kujes duris, apsupę nelaimingus šeimos narius it hienos.

Lora prisėdo ant kėdės prie stalo. Jos persitempęs išbalęs vei-
das rodė nuovargį. Taileris tik papurtė galvą, kai pravėręs duris jos
akyse išvydo žybtelint viltį.

— Kol kas nieko naujo, — jis atsitraukė sau kėdę, — tačiau tai
geras ženklas, Lora. Tikrai manome, kad ji gyva.

— Taip, — moteris pridėjo ranką sau prie širdies. — Manau, pajusčiau, jeigu būtų negyva.

Jis, nenorėdamas išsklaidyti jos iliuzijų, padrąsinamai nusišypsojo. Tą patį jis girdėjo sakant jau šimtus kartų, tačiau iš tikrųjų ryšį vienas kitą mylintys žmonės suvokia protu, o ne kūnu, todėl tikras skausmas patiriamas tik tada, kai mylimąjį ištinka mirtis.

— Turiu jums pateikti papildomų klausimų apie Edį Taunsendą, — paaiškino inspektorius.

Lora slėpdama akis staigiai nuleido galvą, ir mintyse jis ėmė keikti save, kad paleido ją nuo kabliuko. Turėjo susiprasti, kad jos slapukiškumas pernelyg patologiškas, kad būtų susijęs tik su Rodžersonu. Tačiau jis svarstė, kokios baisios turi būti paslaptys — *nusikalstamos*, — kad ji vardan jų nutylėjimo žaistų savo dukters likimu. Kaip jas dabar ištraukti?

— Įtariame, kad Eimė gali būti su juo, — be užuolankų pasakė inspektorius. — Taunsendas anksčiau laiko grįžo iš Maljorkos, ir tokia pati mašina kaip jo vakar buvo pastebėta Portisfilde su mergaite ant užpakalinės sėdynės. Tos mergaitės išvaizda iš nupasakojimo atitinka Eimės.

Lora savo tamsiomis akimis pažvelgė taip niūriai, kad Taileris suprato, jog ji nuo pat pradžių to ir bijojo.

— Turiu žinoti tai, kas tarp jūsų vyko, Lora.

Ji paslėpė veidą delnuose ir pirštais ėmė stipriai spausti akių vokus, tarsi varytų iš savęs nelabąjį. Prabilo, rodos, prasiveržus ilgai gniaužtiems jausmams.

— Jis buvo toks gražus... Toks mielas... Visiškai kitoks nei Martinas. Jam tikrai *rūpėjo*... Aš... Eimė. Viskas buvo visiškai kitaip... toks *patrauklus*... vadino mus savo mažosiomis princesėmis, — jos balsas užlūžo ar tai nuo verksmo, ar tai nuo juoko. — Ar galite įsivaizduoti, kaip jaučiausi, prieš tai dešimtmetį Martino laikyta tarnaite... Kai jautėmės jo namuose kaip svetimos... Vaikščiojome ant pirštų galiukų, kad neužkliūtume? Derėjo paklausyti tėvo... Sakė, kad Martinui reikia tik trofėjaus... Įrodymo, kad jam vis dar stovi...

Loros balsas nutrūko.

Taileris laukė. Neskatino, norėjo, kad pasakotų pati.

— Martinas visai pasiuto, išgirdęs, kad aš nėščia, — pagaliau tęsė ji. — Kaltino, kad pastojau tyčia. Juk aš žinojusi mūsų susitarimą... Jokių vaikų... Kodėl aš nesisaugojusi? Mėgino priversti pasidaryti abortą... Priešingu atveju sakėsi išmesiąs mane be grašio kišenėje, — moteris dusliai nusijuokė. — Todėl nuėjau pas konkuruojančios firmos advokatą išsiaiškinti, ar skyrybų atveju galėčiau tikėtis namo.

Stojo ilga tyla, tarsi ji mintyse dėliotų tuos įvykius.

— Kas vyko po to?

— Jie priklausė tai pačiai advokatų ložei. Turėjau tai numanyti... Kaip suprantu, principas „ranka ranką plauna" — nerašytas jų profesijos pamatas. Tu pakasyk man nugarą, aš pakasysiu tavąją, — Lora ranka lėtai braukė plaukus, užkritusius ant veido. — Padėk mano klientui... Jeigu nori, kad dėl ko nors užmerktume akis... Aš pažįstu tą teisėją... Pažįstu tuos policininkus. Teisėsauga supuvusi.

Inspektorius pajuto pareigą apginti savo kolegas.

— Tikrai ne taip, Lora. Jie veikia pagal taisykles, kaip ir visi kiti.

— Ar jūs taip pat vienas iš jų?

— Ne.

— Tai ir neginkit.

Jis nenorėjo, kad pokalbis nutrūktų.

— Jūs teisi. Ko tas advokatas ėmėsi?

— Pranešė Martinui, dėl ko su juo tariausi... Sakė, kad pasirodžiau gana gerai žinanti, kiek jis turi turto ir kokio... Įspėjo, kad gali prarasti daugiau nei namą, jei nesuskubs pasiruošti... — Ji prašneko garsiau. — Jis nedirbo mano labui, dirbo vyrui. Galėjau tapti nepriklausoma... turėti namą... Auginti dukrą taip, kaip svajojau, — jos balsas suvirpo, — tačiau man tai pasakė ne advokatas, o Martinas... Po visko... Kai tėškė, kokia buvau neišmanėlė. Jam tai teikė *pasitenkinimą*. Leido pajusti savo galią... Apsuko apie pirštą apgailėtiną moterėlę, kuri vos *nepaspruko* su jo nuosavybe.

— Ką jis padarė?

— Martinas?

— Taip.

Lora nuleido rankas po stalu.

— Pasiūlė susitaikyti ir nepateikti prašymo skirtis... Sakėsi negalįs be manęs gyventi... Tvirtino, kad žinia apie nėštumą jį taip paveikusi todėl, kad jį ištikęs šokas. Dieve, kokia aš buvau kvaila. Aš iš tikrųjų juo *patikėjau*. Sakėsi, kad nori rūpintis savo vaiku... Ir aš jaučiausi *patenkinta*. — Moteris daugiau nebegalėjo tverti užsidengusi veidą. Viduje jausmai tiesiog kunkuliavo. Ji sumušė krumpliais. — Anksčiau tvirtindavau sau, kad taip pasielgiau todėl, kad buvau nėščia... Na, suprantat, dėl hormonų audrų jautiesi tokia nesaugi, kad dėl saugumo padarytum bet ką... Dabar suprantu, kad tai giliai manyje. Verčiau apgaudinėsiu save, nei pripažinsiu tiesą.

Taileris staiga suabejojo, ar tik nebus jos pervertinęs. Laikė ją protinga moterimi, netgi mokančia numatyti į priekį, moterimi, kuri kažkiek tvarko savo gyvenimą. Dabar ji pasirodė panašesnė į sudužusio laivo skeveldras, nešamas srovės, ir pasyviai laukianti, kad padėtis pasikeis savaime. „Tai paaiškintų jos tiradą prieš Gregorį ir jo vaikus", — pamanė jis sau. Ji bandė visiškai užgniaužti savo pasišlykštėjimą ir kančią, kol Eimės dingimas šiuos jausmus išlaisvino.

— Kodėl nesiekėte skyrybų, sužinojusi, kad susitaikymas buvo apsimestinis?

Lora papurtė galvą.

— Vis bandai...Viliesi, kad viskas pakryps į gera. Jaučiausi kalta, nes vaiką mylėjau labiau nei jį... Ir jis tai žinojo. Tas pats jam nutiko ir pirmojoje santuokoje.

— Todėl daugiau ir nenorėjo vaikų?

— Taip.

— Tačiau juk tai skirtingi dalykai, ar ne?

— Tik ne Martinui. Jis turi jaustis dėmesio centre.

— O ko griebiasi, kai nėra jame?

— Paverčia gyvenimą pragaru, — tėškė ji.

Jis, prisiminęs vakar girdėtus žodžius, greitosiomis moterį nužvelgė.

— Naudodamas jėgą be meilės? — pacitavo jos žodžius.

— Taip, — pasigirdo atodūsis. — Žodinis smurtas. Nuolatiniai įžeidinėjimai. Tu kvaila... Lėta... Nerangi. Vis kartojo Eimei, kokia aš neišmanėlė. Tada ištraukia iš mergaitės ką nors protingo, kad galėtų tvirtinti, jog ji atsigimė į jį, o ne į mane. Po kurio laiko pradėti tuo tikėti.

Ji liūdnai patraukė pečiais.

— Ar Eimė tuo tikėjo?

— Aš jos dėl to nekaltinu. Ji tetroško tėvo pripažinimo. Kartais norėdavau, kad man trenktų ir tada turėčiau jo smurtavimo įrodymą... Įtikinti kartais labai nelengva.

— Todėl jums ir patiko Edis Taunsendas? Sugrąžino pasitikėjimą savimi?

Lora linktelėjo.

— Jam tai nebuvo sunku. Jis dažnai verslo reikalais pas mus užsukdavo, todėl pažinojo Martiną, — ji darsyk kimiai nusijuokė. — Jam tereikėjo būti maloniam, ir aš paverčiau jį šventuoju. Apgailėtina, ar ne? Galbūt Martinas teisus... Gal aš iš tiesų kvaiša.

— Arba vieniša, — tarė Taileris. — Visi kartais tokie pasijuntam. Neskaudinkit savęs.

Lora užsidengė delnais akis, ir jam toptelėjo mintis, ar tik nemėgina sulaikyti ašarų.

— Ėmė lankytis, kai namie nebūdavo Martino... Taip mūsų romanas ir prasidėjo. Tada pasakė norįs mane nufilmuoti, nes negali ištverti manęs nematydamas... Esą jam reikia ko nors, kas primintų, kad jį myliu, — jos balsas ėmė drebėti. — Dieve mano! Aš buvau tiesiog apsvaigusi. Juokinga, ar ne? Kokia kekšė rangytųsi prieš kamerą vyrui prasižiojus, kad ją myli?

„Franė Gou", — ramiai pagalvojo Taileris. Tai velniškas veikimo būdas. Įtikinti moterį, kad ją myli, o tada filmuoti myluojančią save pačią. Ar kuri jų bent paklausė, kas daroma su tais kadrais? Ar jų galvose bent šmėkštelėjo mintis, kad jie gali patekti į internetą, kur į juos varvins seilę milijonai?

— Tūkstančiai kasdien, — šaltai konstatavo jis. — Ir vyrai tai daro. Nieko ypatingo. Mus jaudina kūnai. Mylime juos. Nekenčiame. O labiausiai geidžiame pamatyti, kaip jie atrodo iš tikrųjų... O veidrodyje juk nesimato.

Policininko nuovokumas galutinai moterį palaužė. Praėjo gerokai laiko, kol ji susitvardė ir vėl galėjo tęsti pokalbį:

— Tačiau turėjau tai nujausti.

— Ką?

— Kad manęs jam nereikia... Jam reikėjo jos. Vis prašydavo pašokti arba sėstis ant kelių ir ką nors pasakoti. Jai patikdavo... Tik to ir tereikėjo... Linksminti kitus. O aš gėrėdavausi, koks jis puikus vyras... Toks kantrus... Malonus... Martinas pykdavo, kai ji ką nors vaidindavo. Nes pats nustodavo būti dėmesio centre.

— Kada Edžio elgesys jums pirmą kartą pasirodė įtartinas?

Lora pirštais naršė sau plaukus.

— Kai užtikau filmuojantį ją maudantis, — prisipažino. — Jau kelias savaites prieš tai buvo prastos nuotaikos, niekaip jam neįtikau — ir tada pastebėjau ryjantį akimis Eimę...

Moters balsas vėl nutrūko.

— Kada tai įvyko?

— Dvi savaitės prieš mums išsikraustant.

— Kodėl neišvykote tuojau pat?

— Nebuvau iki galo tuo tikra. Visur ją filmuodavo... Žaidžiančią sode, namie... Visada apsirengusią. Pamaniau, kad galbūt nesveikai sureagavau dėl tų juostų, nes žinojau, kaip jis filmavo mane. O Eimės tai nė kiek netrikdė... Netgi priešingai... Patiko būti filmuojamai... Todėl nemanau, kad prašė jos daryti kokias šlykštybes, — Lora pakėlė išjuodusias akis. — Turėjau numanyti, — vėl pakartojo.

— Kas atsitiko paskui?

— Kokią savaitę nieko, o tada jis pasidarė jai šiurkštus. Norėjo, kad vieną pavakarę grįžusi iš mokyklos atsisėstų jam ant kelių, o kai ji atsisakė, visas tiesiog pasišiaušė. Paskui be jokios priežasties ėmė prie Eimės kabinėtis.

„Seksualinis nepasitenkinimas?" — šmėstelėjo Taileriui mintis. Gal jam vaikai patrauklesni už vaikiškos išvaizdos pakaitalus? O gal už save pačią myluojančios mergaitės kadrus galima gauti daugiau pinigų?

— Jūs paklausėte, kodėl taip elgiasi?

— Ne, — vos girdimai sušnibždėjo ji.

— Kodėl?

Moters akys paplūdo ašaromis. Ji pravėrė burną, norėdama kažką pasakyti, bet žodžiai užstrigo gerklėje. Tik papurtė galvą.

— Bijojote?

Lora linktelėjo.

— Jo ar to, ką jis būtų atsakęs?

— Neabejojau, kad mėgins mus sulaikyti, — pratarė.

— Kaip jis tai būtų padaręs?

Ji vėl papurtė galvą, tačiau nežinia, ar todėl, kad nenori sakyti, ar todėl, kad nežino. Taileris laukė, kol Lora prabils pati.

— Eimė jį mylėjo, — pagaliau ištarė ji. — Jei būčiau pasakiusi, kad su ja išvykstame, būtų jai pranešęs.

— O ką ji būtų dariusi?

— Apkartintų gyvenimą... Kaip Martinas. Jie labai panašūs. — Ilga pauzė. — Pamelavau jai. Pasakiau, kad Edui ji nusibodusi, ir jis liepęs mudviem išsinešdinti, kol dar nepradėjęs jos mušti.

— Tada nuvykote į viešbutį?

Apie tai kalbėti buvo kur kas lengviau.

— Taip.

— Kaip tai paveikė Eimę?

— Kelias dienas vaikščiojo prislėgta, tačiau tik todėl, kad liūdėjo, jog pasišalino iš mokyklos niekam nepranešusi. Ji jaudinosi, kad mums nuolat kraustantis iš vietos į vietą neturės draugų... Vis kamantinėjo, kodėl negalime sugrįžti į Bornmutą.

— Ne Sautamptoną?

— Ne. Apie Edį daugiau nė neužsiminė.

— Ką jai pasakėte?

— Paaiškinau, kad jeigu nori grįžti į Bornmutą, turės gyventi viena su tėvu... Ir ji atsakė, kad tada verčiau liks su manimi, — moters akys maldaute maldavo patikėti. — Ji tikrai taip manė. Visą tą laiką, kai gyvenome su Edžiu, Martinas nė nebandė su dukra pasimatyti ar kaip nors susisiekti. Ji pati keletą kartų jam paskambino... Bet jis visada būdavo užsiėmęs. Eimė žino, kad jis jos nemyli... Ir pati nenori su juo būti... Bent jau viena... Net jeigu tai, — Lora rankos mostu apvedė virtuvę, — ir nelabai primena jos svajones.

Kad ir ką Taileris — labiau dalykiškas nei atjaučiantis, koks ir turi būti, kaip pats sau nuolat primena, kad galėtų sėkmingai atlikti savo darbą, — prieš tai būtų jautęs Eimei, buvo pritrenktas tos siaubingos jausmų makalynės, turėjusios mergaitei suteikti tiek daug skausmo. Kas yra meilė? Jos motinos beviltiškas priklausymas nuo vyrų? Tėvo abejingumas? Taunsendo gašlumas? Vaiduokliški mokyklos draugai? Ar šypsena tikrai reiškia jausmą? Gal mergaitė šokdavo ir pasakodavo nuotykius tik todėl, kad jaustųsi reikalinga?

— Ar Edis jums išvykus mėgino susisiekti? — paklausė Loros.

— Negalėjo. Nežinojo, kur apsistojome.

— Kaip ir Martinas?

Lora papurtė galvą.

— Ar Eimė kuriam nors galėjo duoti savo čionykštį telefono numerį? Gal rašė laiškus? Turėjo pinigų paskambinti ar nusipirkti pašto ženklų?

Sudavusi sau į krūtinę Lora ėmė grąžyti rankas.

— Sakiau, kad to nedarytų, — suvaitojo ji.

— Tačiau neprašėte?

— Pernelyg tikėjausi... — Jos akys vėl paplūdo ašaromis. — Bet ji laiko mane kvaila... Ir iš tikrųjų negaliu pakęsti, kai ji man meluoja.

„Ne, — mintyse pasakė sau Taileris, — tu verčiau save apgaudinėsi, nei pažvelgsi tiesiai į akis. Bent jau tai ši moteris suvokia, tačiau ar dėl to kada galės sau atleisti — nežinia."

Baris tvirtino, kad Eimei į namus niekas neskambino, tačiau turėjo sutikti, kad jiems su Kimberle miegant iki pusiaudienio, rytais, kai ji dar būdavo namie, kas nors būtų galėjęs ir skambinti. Sakė, kad ji pati pirmą atostogų dieną mažiausiai tris kartus skambino iš taksofono.

— Tai buvo dar prieš tai, kai ji ištisoms valandoms ėmė kažkur pradingti, — pasakė jis. — Trise keletą kartų buvome nuėję į centrą. Pirmą dieną skambino kartą, kitą — du kartus.

— Kaip už juos mokėjo?

— Pašnekovo sąskaita.

— Ar girdėjote, ką ji kalbėjo? Gal minėjo kokį vardą?

— Ne.

— Kur jūs tuo metu stovėjote?

— Pirmą kartą — prie pat jos. Antrąkart — tolėliau.

— Tada turėjote girdėti pirmąjį pokalbį. Pasistenk prisiminti, Bari.

Jis gūžtelėjo pečiais.

— Manęs tai nedomino. Kai neįdomu, nesiklausai. Be to, ji kūkčiojo, ir tai trukdė išgirsti žodžius.

Inspektoriui piktai susiraukus, jis išsigando.

— Galbūt kažką vadino vardu, prasidedančiu M raide, nes Kim paskui sakė, kad žiauriai nemandagu į ką nors kreiptis inicialais.

Taileris užlipo pas Kimberlę, o vėliau grįžo į virtuvę.

— Kaip Eimė vadina savo tėvą?

— Tėti.

— Gal Martiną vadino M?

— Ne, — atsakė ji gerokai nustebusi. — Jis nieku gyvu nebūtų jai leidęs.

Taileris manė taip pat.

— Gal M jums ką nors sako? Baris su Kimberle sutartinai tvirtina, kad skambino kažkam iš taksofono ir kreipėsi M. Kalbėjo pašnekovo sąskaita, taigi turėjo būti artimas žmogus. Kol kas į galvą ateina tik Em... sutrumpintas Emos variantas. Gal Sautamptone arba Bornmute turėjo draugę tokiu vardu?

Loros veidas dar labiau išblyško.

— Ji neištaria raidės d, — sušnibždėjo ji. — Ji kreipėsi į Edį.

AŠTUONIOLIKTAS SKYRIUS

2001 m. liepos 28 d., šeštadienis
Humberto gatvės 23-iojo viduje

SOFI NEŽINOJO, kiek laiko, nes jos laikrodis sustojo. Kiek į jį užmesdavo akį, kaskart rodydavo vis tą patį. Kambaryje buvo taip tylu, jog atrodė, kad laikas visiškai sustojęs, kad ji čia jau ne pirma diena. Sraigtasparnio ūžimas tai priartėdavo, tai nutoldavo. Šūksniai taip pat gatvėje priartėdavo ir vėl nutoldavo, tarsi žiūrovų bangavimas stadione. Ji įdėmiai klausėsi, stengdamasi išgirsti ką nors, kas padėtų išsiaiškinti, kas dedasi lauke.

— Tai ne policija, — pagaliau sumurmėjo ji. — Jau būtų čia.

— Iš pradžių turi prasiskinti kelią per gatvę, — atsiliepė Nikolas.

„Teisybė", — mintyse pripažino ji. Tokie dalykai *atima* laiko. Kiek policininkų reikia riaušėms numalšinti? Nikolas vėl įbedė savo žvilgsnį į sieną priešais, ir tik kartkartėmis į duris šaudantis jo žvilgsnis išdavė vidinę įtampą. Franekas atrodė lyg užsnūdęs.

Sofi galvoj netilpo Nikolo abejingumas. Negi įprotis paklusti taip įaugęs į kraują, kad su viskuo be menkiausio prieštaravimo galima sutikti? Gal jis visai nesugeba protauti? O gal pačios vaizduotė pernelyg įsiaudrinusi? Ji pamėgino išsklaidyti nesibaigiančių gąsdinančių spėlionių, sūkuriuojančių galvoje, spiečių, tačiau lygiai taip sėkmingai būtų bandžiusi sulaikyti lekiantį mustangą. Slegiančioje kambario tyloje neliko nieko kito, kaip be perstojo sukti baimės vėrinėlį.

Kodėl pagalba taip vėluoja, nors ji Dženei pasakė, kad gresia išprievartavimas? Gal kur kitur dedasi dar šiurpesni dalykai ir policija dėl to nepajėgia prasibrauti? Kas bus toliau? Kiek dar taip jiems reikės sėdėti? O ką, jeigu žmonės iš gatvės pasibels į duris ir prisistatys pareigūnais? Iš ko Nikolas ir Franekas galėtų pažinti tikruosius? O ji? Ar reikėtų tada šauktis pagalbos? O gal verčiau tylėti? Kas, jeigu kambarį šturmuos? Ko tiems žmonės reikia? Įbauginti? Užmušti?

Kad galutinai neperkaistų galva, Sofi prabilo.

— Kur nors dirbi? — pasiteiravo Nikolo.

Jis nenoromis atsisuko į ją.

— Jau nebe.

— O kuo dirbai?

— Mokytoju, — abejingai atsakė jis.

— Kokio dalyko?

— Muzikos.

— Kodėl palikai darbą?

— Sėdau.

Tai reiškė pokalbio pabaigą, nebent Sofi knietėtų pasiteirauti, už ką. Bet ji nenorėjo. Sunku pasakyti, ar Fėja turėjo kokių nors tikrų žinių apie pedofilą, ar tai buvo tiesiog viesulu įsisukęs gandas, tačiau aišku, kad tai, apie ką užsiminė Melani, ir įvykiai lauke kažkaip susiję.

Sofi prisiminė, kaip nepatogiai pasijuto Nikolas, jai pasiteiravus, ar Portisfilde nepažinojo Eimės Bidulf, ir Franeko pastabą, kad policija privirė košės „belsdamasi į duris ir klausinėdama apie dingusią mergaitę“. Kartkartėmis, užplūstant baimei, imdavo atrodyti, kad mergaitės kūnas paslėptas čia, kur nors name, tačiau ji vijo tokias mintis šalin, kad neapimtų visiška panika. Policija turėjo ieškoti Eimės, tikino save, ir tikrai nebūtų palikę vyrų laisvėje, jeigu vienas ar abu būtų prikišę nagus prie jos dingimo.

Tačiau kuris jų buvo apklausiamas? Tos minties taip lengvai atsikratyti nepavyko. O, kad tai būtų Franekas, tačiau protas kuždėjo, jog buvo apklausiamas Nikolas, ir ji visai nenorėjo išgirsti jo patvirtinimo. Tai tik dar labiau pablogintų padėtį — paslaptims paaiškėjus nebėra ko gėdytis. Verčiau tegu Nikolas būna sąjungininkas, nors ir nepatikimas, nei priverstas pasijusti toks pats niekšas, kaip ir tėvas.

Vėl stojo tyla. Sofi sutelkė dėmesį į garsus lauke. Jie jau sklido iš kitur. Jai pasirodė, kad kai kurie ataidi iš sodų pusės.

— Už namo girdisi žmonių šūksniai! — baimingai pratarė ji. Nikolas tuos garsus taip pat išgirdo, nes nervingai dirstelėjo į langą.

— Tvirtinai, kad negali patekti už namo, neišlaužę tvoros, — kaltinamai pasakė jam.

— Tikriausiai taip ir padarė.

Bukas nenoras pripažinti, kuo jiems visa tai kvepia, ją tiesiog įsiutino.

— Tai kur policija? — sušnypštė Sofi. — Vis kartoji, kad jau vietoje... Bet *kur*? Neleistų niekam siautėti soduose. Jie veikia kitaip. Sudaro kelius norintiems ištrūkti. Pravalo išėjimus, prižiūri juos. Išklausiau apie tai kursus... Kai mokiausi gelbėti žmones.

— Koks skirtumas? — vos girdimai sumurmėjo jis. — Nelieka nieko kito, tik laukti.

Ji sploksojo į jį tarsi netikėdama savo ausimis.

— Tiktai? Įkišam galvą į smėlį ir tikimės, kad bėdos išsispręs pačios savaime?

Jis puse lūpų šyptelėjo.

— Niekad nebūna taip blogai, kaip įsivaizduojam, — sumurmėjo jis.

— Ne, — sviedė ji, nuo įtampos jau beveik visiškai netekusi savitvardos. — Dažniausiai būna dar blogiau. Ar įsivaizduoji, kaip skauda sergančiam vėžiu? Ar bent numanai, koks tvirtas turi būti žmogus, kad ištvertų agoniją jo organus ėdant augliui? — Sofi dūrė pirštu į jį. — Kaip tau atrodo, kiek tokių ligonių nori nusižudyti? *Visi be išimties.* O žinai, kiek laikosi įsikibę gyvenimo vardan savo šeimų? — Ji dar kartą įnirtingai dūrė pirštu. — *Visi.* Todėl niekad... Niekad... Niekad... Daugiau man nekartok, kad niekada nėra taip blogai, kaip manaisi.

— Atsiprašau.

— Liaukis čia atsiprašinėjęs, — užsipuolė ji. — *Daryk* ką nors! Nikolas nė neketino atsiprašinėti. Kalbėjo tikrai nuoširdžiai. Sofi baimė buvo fiziologinis reiškinys, ir jai nuolat reikėjo išsilieti, todėl kad ir ką jis sakytų, nepavyktų jos nuraminti. Jai dar nebuvo tekę atsidurti rimtos grėsmės akivaizdoje, ir ji nežinojo, kad laukimas tokiu atveju iškankina labiau nei tikrovėje tik trumpam patiriamas skausmas. Tačiau to neįmanoma perteikti. Turės patirti pati.

— Galime užkalti langą, kad vėl nepradėtų mėtyti akmenų, — pasiūlė Nikolas.

Sofi apsidairė po kambarį.

— Kuo? Kaip prikalsime? Reikia vinių... Plaktuko. *Nesąmonė.* Ji nutilusi susimąstė. — Turime sužinoti, kas ten dedasi, — tarė prislėgtai, — o tai reiškia, kad verčiau turime persikelti į kurį nors priekinį miegamąjį. Bent jau matysime, ar ten yra policija. Dūžtantys stiklai vienodai pavojingi ir čia, ir ten.

Tikriausiai jis sutiko, nes pasodino tėvą ir kilstelėjęs ėmė neryžtingai tempti spintos link.

— Ji dumia akis, — suniurzgė Frankas. Jis pačiupo už rankos ir neleido judėti toliau. — Neklausyk. Suka protą, kad galėtų pasprukti.

Senio veidas nuo vaza suraižytos galvos buvo aptekęs krauju, tačiau nepažeistos akys vėl įsmigo į Sofi.

Nikolas kažką karštai pasakė lenkiškai.

Frankas atsakė ir taip tvirtai suspaudė sūnui ranką, kad net pabalo krumpliai.

— Bus kaip liepsiu. Lauksim čia. Čia saugu.

Daugiau ginčų nebuvo. Senio autoritetas nepajudinamas. Nikolas atsitraukė smarkiai trindamas senio paleistą ranką.

— Viskas bus gerai, — patikino jis Sofi. — Čia Anglija. Policija negali neatvykti.

Glibo gatvė, Basindeilo kvartalas

Kai teta Zuzi keturiolikmečio Džimio pasiteiravo po to, kai jis pirmą kartą buvo apklaustas policijoje, kas pats svarbiausias žmogus jo gyvenime, jis atsakė:

— Aš.

Jos pastaba buvo kandi:

— Žaviesi kvaileliu, — drėbė ji.

Jis jai nuolat kėlė rūpesčių — nekaip mokėsi, labiau linko prie baltųjų nei tamsiaodžių mergaičių, savo susidūrimais su policija užtraukė šeimai nešlovę, atsisakė lankytis bažnyčioje, — tačiau tetai Zuzi nė netoptelėdavo, kad dalį vaikinuko kaltės dėl tokio elgesio reikėtų prisiimti ir jai. Jo tėvo namuose ji apsigyveno mirus Džimio mamai ir nuo pačios pirmosios dienos neslėpė savo paniekos jiems visiems. Kad ir ką trys sūnėnai darytų, viskas buvo tik negerai.

Du jaunesnieji Džimio broliai pakluso diktatui, stengdamiesi atitikti tetos Zuzi piešiamą vyrų įvaizdį — be perstojo plušantys, dievobaimingi skystablauzdžiai, perleidę valdžią moterims, šeimininkaujančioms visuose namuose. Tai atitiko *juodaodžių* tradicijas. Džimio tėvas taip pat atsisakė šeimos galvos vaidmens. Patenkintas, kad yra atleistas nuo atsakomybės už augančius vaikus, jis nuolankiai kiekvieną penktadienį įteikdavo savo uždarbį seseriai ir dingdavo savaitgaliui su sumele, kurią pavykdavo nuo jos nuslėpti. Kaip reikiant gaudavo nuo jos pylos, kai pagaliau parsirasdavo, trenkdamas pagiriomis ir moterimis, ir tuo tarsi tik patvirtindamas savo požiūrį, kad juo mažiau laiko praleidžia su vaikais, juo geriau.

Tai buvo kažkoks pragariškas užburtas ratas, iš kurio nė vienas nepajėgė ištrūkti. Teta Zuzi liejo apmaudą, kad liko netekėjusi, ir dėl to kaltino vyrus — arba tiesiogiai, nes nė vienas neišreiškė pageidavimo jos vesti, arba netiesiogiai, nes esą tam trukdo brolis su sūnėnais. Džimio tėvą gyvenimas su ja po vienu stogu erzino, tačiau jis suvokė, kad tai neišvengiamas blogis norint, kad kas nors ganytų vaikus. Visus tokia padėtis slėgė, ypač Džimį, kuris dar gerai prisiminė mamą, o jo maištas prieš žudančią pamotės panieką neišvengiamai nuvedė jį į kalėjimą, ką, žinoma, teta Zuzi ir buvo išpranašavusi.

Šiuo požiūriu kaip diena ir naktis buvo skirtinga Melani šeima, kurioje vaikai buvo besąlygiškai mylimi ir kiekvienas prasižengimas atleidžiamas teisinimu „jis ar ji to nenorėjo". Džimis daugybę kartų leisdavosi su Melani ir Geinora į ginčus, kad tokia akla meilė lygiai tiek pat žalinga, kaip ir visiškas abejingumas.

— Pažvelkit į Koliną, — sakydavo jis. — Jis toks pat sugedęs, kaip ir aš, kai buvau jo metų, tačiau mane už tai lupdavo ir kaldavo į galvą, kad teta Zuzi nieku gyvu teisme neliudys mano naudai, o jūs abi nė nemirktelėjusios puolate plūsti farus, kad jį suima. Kaip jis turi tai suprasti... Kad veltis į nemalonumus visai nieko tokio?

— Dėl mušimo dar nė vienas nesiliovė vogęs, ar ne, branguti? — atremdavo Melani. — Daraisi tik dar piktesnis. Tai kodėl nori, kad mama muštų mūsų Kolą? Argi nematai, kad kur kas geriau leisti jam pačiam iš to išaugti... Žinant, kad mama palaikys, kad ir kas nutiktų.

— Kolas maištautojas, — sakydavo Geinora. — Niekas jo nesulaikys. Kai kas tokie gimsta... Kiti — ne. Aš tokia... kaip ir Mel... Nemėgstame, kad kas nurodinėtų, kaip reikia gyventi. O jeigu iš prigimties esi toks, tai nekvaršini galvos, myli tave ar nekenčia... Bet kuriuo atveju maištausi. Skirtumas tik tas, kad jeigu tave myli, visada turėsi namus, kuriuose būsi laukiamas.

Džimis laikėsi savo, kad galimas vidurys tarp bizūno ir aklos meilės, tačiau palengva persiėmė Patersonų požiuriu į gyvenimą. Jis nesimatė ir nesikalbėjo su teta Zuzi ir tėvu jau penkerius metus, nors kartkartėmis susisiekdavo su broliais, ir negalėjo įsivaizduoti savęs be Melani bei jos plačiosios šeimynos.

Todėl ir nerimavo dėl jų. Jis praėjo pro parduotuvę, kur plėšikai dar tempė lauk paskutinius užsilikusius daiktus, ir pasuko Glibo ir Šiaurės Basindeilo gatvių sankryžos link. Ore tvyrojo stiprus degėsių smarsas, ir Džimis nuo Humberto gatvės lyg ir išgirdo tolimus šūksnius, tačiau nutarė padaryti nedidelį lankstą ir nueiti iki įvažiavimo į Basindeilą bei pažiūrėti, ar policija greitai pralauš barikadą.

Priimant Eilinos Hinkli žodžius už gryną pinigą, kuriais ji išreiškė požiūrį savo draugės, viską stebėjusios pro žiūronus iš dešimtojo Glibo daugiabučio aukšto, — *Mažumėlę kvanktelėjusi... Praeitais metais mirė vyras... Galvoja, kad kiekvienas, skambinantis į duris, baudžiasi apiplėšti... Panaši į tą nukaršusį kvailį iš viršaus, kuris ima trankyti baldus, kai pasivaidena, jog kažkas kėsinasi apiplėšti,* — Rūgšties kvartale vyksta tikros Paskutinio Teismo kautynės tarp gėrio ir blogio arba kažkas labai jau panašaus.

— Ji šventai įsitikinusi, kad nusidėjėliai stos prieš teismą Paskutinio teismo dieną, — Džimiui pasakė Eilina, — o jis įvyks tik po gėrio ir blogio mūšio, — ji šyptelėjusi pabaksnojo pirštu į smilkinį. — Žinoma, jai trūksta balkio, ir kaip tai įvyks, įsivaizduoja labai miglotai. Vis kartoja, kad bus išgelbėta, nes įrašyta knygoje tarp teisiųjų, bet aš atsakau, kad ji skraido padebesiais. Visos religijos teigia, kad mes prakeikti — turime garbinti dievus, kad užsitikrintume vietą danguje, — tačiau ji manimi netiki.

Džimis šyptelėjo.

— Tai jūs — ateistė ir sau ramiausiai mėgaujatės malonumais?

— Toks mano požiūris, — linksmai atsakė ji. — Nusidedi, jei darai... Nusidedi, jei nedarai... Tai verčiau džiaukis, kol gali.

Jis patapšnojo jai ranką.

— Iki pasimatymo.

Staiga susirūpinusi, ponia Hinkli uždėjo letenėlę Džimiui ant delno.

— Būk atsargus, Džimi. Draugė sakė, kad geriau jau dabar būtų naktis.

— Kodėl?

— Todėl, kad policija visiškai bejėgė... Ir tai nebūtų taip akivaizdu, jeigu būtų tamsu ir nieko nesimatytų. Tikriausiai jie susispietę prie pagrindinio kelio, nes negali patekti į kvartalą. Vaikėzai padega viską, kas tik prisiartina. Ta moteris mirtinai persigandusi... Bijo, kad visus miegančius išskers... Nors ir yra įsitikinusi, kad vis tiek bus išgelbėta.

— O jūs bijote? — pasiteiravo jis.

— Kol kas ne, — atsakė ji sausai. — Apie tai, kas vyksta, žinau tik iš jos nupasakojimo... O ji visada perdeda.

„Tik ne šįkart", — nelinksmai pagalvojo Džimis, sploksodamas į priešais atsivėrusią nuniokotą erdvę. Žodžiai „Paskutinio teismo diena" čia visai tinka. Trūksta tik keturių Apokalipsės raitelių, raginančių savo žirgus pro tirštų dūmų kamuolius, ir fantazija įsikūnytų kraują stingdančia realybe.

Apversti automobiliai ties Basindeilo kvartalo įvažiavimais buvo padegti, ir nuo degančių padangų ir latekso sėdynių į orą vertėsi dusinanti juoda dūmų siena. Automobiliai užsidegė nuo atklydusio Molotovo kokteilio, nenuskriejusio iki savo taikinio — policijos automobilio. Sudužęs butelis padegė apverstą fordą „Cortina", ir iš bako tekantis benzinas sprogo. Vėjas, pučiantis nuo Besindeilą juosiančios betoninės sienos, skiriančios nuo laukų, nešė tirštus dūmus tiesiai policininkams į veidus, ir minčiai paskandinti „šunis" tirštuose dūmuose buvo visuotinai pritarta.

Džimis nebuvo vienintelis, supratęs, kad tai tik trumpalaikė sėkmė. Barikadininkai ant nosių ir burnų užsirišo skareles, kad būtų pasirengę, jeigu vėjas pakeistų kryptį ir padėtis pasikeistų ne jų naudai. Tačiau jiems tai nepadės — dūmai pernelyg tiršti ir aitrūs, kad juos sulaikytų medžiaga, o policija vėliau tvirtins, kad kaukes jie užsidėjo slėpdami veidus, o ne norėdami apsisaugoti.

Džimis puikiai matė, kad barikadai griuvus, bet kas, pasipainiojęs po ranka, bus suimtas. Vėjo gūsis akimirką praskyrė juodą dūmų uždangą, ir jis išvydo apsiginklavusius policininkus ir išsirikiavusių juodai vilkinčių riaušių malšintojų gretas. *Jėzau!* — blykstelėjo mintis, atsitraukiant į tarpdurį. — Visai kaip *Žvaigždžių karuose*.

Kai Džimis traukėsi atgal, kažkoks pyplys pasileido barikadų link ir, aidint pritarimo šūksniams, sviedė degančią benzino bombą per dūmų properšą. Liepsna ore nubrėžė į vaivorykštę panašų puslankį, ir butelis, ant asfalto sudužęs priešais policininkus, išsiliejo ugnies jūra. Vaizdas neturėjo nei dešimtadalio fejerverko grožio, bet jaudino šimtą kartų stipriau.

Prie Humberto gatvės 23-iojo

Veslio Barberio Molotovo kokteilis nulėkė ten, kur ir taikytas. Ugnies liežuviai, rangydamiesi ant iškrypėlio durų, juostomis degino dažus. Melani, kuri gaisrą iki tol buvo mačiusi tik filmuose, tai atrodė visiška prapultis. Tokių liepsnų taip paprastai neužgesinsi. Jei jau jos apėmė 23-iąjį namą, po kelių minučių persimes pas Granę Hovard į 21a ir Rožą su Benu į 21-ąjį.

— Dieve! Dieve! — suspigo ji, bėgdama ugnies link. — Daryk ką nors, Kolai! Daryk ką nors!

Jis bandė ją sulaikyti, tačiau nepajėgė, tad sustingęs stebėjo, kaip ji trypia degantį benziną, beviltiškai mėgindama pasiekti duris ir užgesinti liepsnas. Jei dar būtų turėjusi savo švarkelį, būtų galėjusi juo šiek tiek prisidengti nuo svilinančios ugnies arba ją užplakti. Tačiau ji vilkėjo vien marškinėliais ir šortais, o kaitra buvo tiesiog svilinanti.

Sudejavusi iš nevilties, nusukusi akis toliau nuo karščio, nusigręžė, užsidengė rankomis veidą ir sukniubo priešais žmones, isteriškai raudodama, maldaujamai sudėjusi rankas.

Staiga pasidarė tylu. Veslis Barberis ruošėsi padegti antrąjį butelį, tačiau vienas jo bendras išplėšė jam iš rankų.

— Tai Kolo Patersono sesuo! — riktelėjo jis. — Nori ir ją sudeginti?

Lėto mąstymo ir apdujęs nuo kvaišalų ir adrenalino Veslis visa gerkle užbliovė stojusioje visiškoje tyloje:

— Man nusišvilpt! Tai tik baltasnukė kalė.

Visi tai išgirdo. Taip pat ir Melani. Ji netvirtai atsistojo ant kojų ir atgalia ranka nusibraukė ašaras. Ją čia gerbė labiau, nei ji galėjo numanyti, ir ne tik todėl, kad jos šeima buvo pagarsėjusi visame rajone, bet ir dėl į akis nekristi negalinčio nėštumo. Kaip visada, apranga, arba tiksliau tariant, jos stygius veikiau atvirai nėštumą rodė nei slėpė, ir visi aiškiai matė, kaip ji ranka prisidengė savo nuogą suapvalėjusį pilvuką.

— Mano vaikelis juodaodis! — sukliko ji Vesliui. — Tai žudysi ir juodaodžius? — Ji apvedė aplinkinius veriamu žvilgsniu. — Ar ir jūs dėl to paties čia susirinkote? Spoksoti, kaip Veslis Barberis ir kiti silpnapročiai žudys žmones? Kaip žmonės išsigelbės, jeigu namai pradės degti? Čia gyvena seneliai ir vaikai. Ar būsit patenkinti, kai neštuvais gabens negyvus vaikelius? Gerai jausitės?

Šių žodžių moterys negalėjo neišgirsti. Kaip ir Kolinas. Pačiam sau netikėtai drąsiai jis žengė kelis žingsnius į priekį ir, paėmęs sesei už rankos, viešai stojo po jos vėliava, o kartu ir prieš draugus. Tai buvo gyvas simbolis to, kas juos vienijo — meilė šeimai ir noras

180

MINETTE WALTERSMINETTE WALTERS

apsaugoti vaikus, — ir šie du liaunų figūrėlių, atrodančių skaudžiai vaikiškai, murzinais nuo ašarų veidais, jaunuoliai buvo išsaugoję nesuterštą širdį.

Pagyvenusi juodaodė prasispraudė pro minią ir prisidėjo prie jų. — Taip ir toliau varyk, meilute, — moteris kreipėsi į Melani. — Taip ir reikia, — ji pakėlė balsą. — Pirmyn, sesės! — sušuko žemu gerkliniu balsu, kur kas veiksmingesniu nei plonas Melani balselis. — Būkime vieningos. Odos spalva čia nesvarbu, — tada ji atsigręžė į Veslį. — O tu verčiau tempk savo juodą subinę namo, berneli, kol dar nenusprendžiau pasakyti tavo mamai, kaip pavadinai šią ponią. Ponia Barber — dora moteris, ir tau už tai iškarštų kailį.

Buvusi Melani klasės draugė atsiplėšė nuo savo vaikino. — Aš irgi už, — šūktelėjo ji, išsivadavus iš prilaikančios jo rankos. Atbėgusi ji atsistojo šalia Kolino. — Visi būsite teisiami už žmogžudystę, jeigu neatsikvošėsite, — užsipuolė ji žmones. — Visa šita košė — tikra kvailystė. Mano močiutė gyvena vos už trijų namų ir nė vienam jūsų nepadarė ničnieko bloga. Kuo ji dėta, kad gatvėje gyvena iškrypėliai, tačiau jei deginsite juos, sykiu sudegs ir ji.

Prie šio būrelio ėmė eiti ir kiti, ir priešais degančias duris išsirikiavo ištisa narsuolių grandinė. Daugiau benzino užtaisų niekas nesvaidė, tačiau, ugniai nuo dažų persimetus į medį ir ėmus žirti kibirkštims ant gynėjų nugarų, ne tik Veslis džiaugsmingai apsilaižė lūpas.

Džimis sugrįžo į Basindeilo gatvę, tačiau nė nemėgino prasiskverbti pro siaurą įėjimą Humberto gatvės gale. Jis paėjo tolėliau ir pasuko dešinėn į lygiagrečią Baseto gatvę. Joje taip pat grūste grūdosi žmonės, daugiausia moterys, kurios stovėjo ant šaligatvių prie savo namų ir susijaudinusios klausinėjo, ar negirdėti naujienų apie policiją. Kur ji? Kodėl nieko nesiima? Iš lūpų į lūpas sklido gandai apie benzino užtaisus. Kaip ir pasakojimai, kad palikti likimo valiai namai dega, nes pro barikadas negali patekti gaisrinės.

Džimis skynėsi kelią gatvės viduriu ir nuduodavo negirdįs, kai kas į jį kreipdavosi. Jei jau tokie susirūpinę, tai verčiau tegu daro kaip jis ir rūpinasi savaisiais. Kuo daugiau tokių atsirastų, tuo būtų geriau. Jei bent pusė šitų moterų imtųsi veiksmų, užuot kraipiusios galvą ir dejavusios dėl policijos neveiklumo, vaikai ant barikadų būtų užspeisti iš abiejų pusių ir greičiausiai spruktų pabrukę uodegas.

Kai Džimis pasiekė Pietų Miško gatvę, ja plūdo ištisa išsigandusių žmonių upė, daugiausia besigrūdančių paauglių, kad tik greičiau dingtų kuo toliau nuo Humberto gatvės, ir žmonių, priešpriešiais besispraudžiančių šaligatviais jos link. Nuo gatvės sklido šūksniai:

— *Dėl Dievo meilės, varykit namo...*

— *Visiška košė...*

— *Trypia vaikus...*

Džimis čiupo už rankos vieną merginą.

— Kas ten vyksta? — pasiteiravo jis.

Iš išgąsčio ji vožė jam.

— Paleisk, šunsnuki!

— Nebijok, — ramino jis. — Ten mano ledi. Melani Paterson. Ji suorganizavo tą eiseną. Ar ją pažįsti? Gal matei?

Mergina sunkiai gaudė orą.

— Jos mama padeda žmonėms iš ten išsinešdinti, — išlemeno ji, rodydama angą tvoroje už kokių 50 jardų. — Štai ten.

— O Melani?

Ji pabandė ištrūkti.

— Nežinau, — sudejavo ir vėl iš baimės paklaikusiomis akimis ėmė jį kulti. — Kuo aš čia dėta? Noriu namo.

Jis nieko nelaukdamas ją paleido ir pasuko skylės tvoroje link. Buvo aišku, kad šiame išprotėjusiame pasaulyje tikrai nerasi jokios saugios vietelės. Vyravo visiška sumaištis. Tačiau ko jie siekia? — klausė savęs Džimis. Kad namas sugriūtų ant jų? Pjauti šaką, ant kurios sėdi? Ir tegu po viso šėlsmo tokios moterys, kaip ponia Hinkli, viską sutvarko? Ar jie bent žino, kad tokia yra?

Visa tai kvaila. Lygiai tiek jaunuolių iš gatvės pro tvorą veržėsi patekti į vidų, kiek iš visų jėgų stengėsi ištrūkti lauk, ir Džimiui atrodė, kad baimingi bėgančiųjų įspėjimai nė kiek neatvėsina, o tik dar labiau kursto smalsumą. Jis, būdamas tvirtai sudėtas jaunuolis, prasispraudė į vidų ir virš šokčiojančių galvų ėmė žvalgytis, kas dedasi. Aplink plytėjo tikras grumtynių laukas, kur žmonės grūmėsi dėl vietos ankštoje pirmojo sodo erdvėje, vieni stumdamiesi į vieną pusę, kiti — į kitą. Už trisdešimties pėdų prie kitos angos tvoroje Džimis pastebėjo Melani brolio bičiulę Lizą, piktai besibarančią su grupele vaikėzų. Ašarodama ji iš paskutiniųjų mėgino menkučiu savo kūneliu užstoti jiems kelią į vidų.

Džimis matė, kaip vienas berniokas mergaitę puolė ir sugriebęs už marškinėlių mėgino nustumti ją į šalį. Džimis metėsi į priekį. Kaip milžinas blaškydamas vaikiščius į šalis, kartu nenuleido akių nuo tos mergaitės, saugančios angą tarsi tigrė. Šaunuolė, pamanė jis sau, išvydęs, kaip ji atremia spaudimą iš abiejų pusių, savo kaulėtomis kojytėmis spardydama berniukams į blauzdas.

Džimis ranka užgriebė jos užpuoliko kaklą ir kirto jam per ranką, kad paleistų Lizos drabužius.

— Kas čia vyksta? — rūsčiai paklausė, visu savo šimto kilogramų svoriu atlaikydamas spaudimą iš nugaros.

— Anuos tai praleido, — piktai riktelėjo kitas vaikis, — tai kodėl, po velnių, mums negalima?

— Nepajėgiau jų sulaikyti, — raudojo Liza, sagstydamasi palaidinukę ant plokščios savo krūtinės. — Jūs tokie avigalviai. Manot, kad ten labai smagu?

Džimis pro ją metė žvilgsnį į sąmyšį soduose.

— Koks planas?

Liza giliai įkvėpė, kad galėtų sulaikyti kūkčiojimą, supratusi, kad reikia atsakyti skubiai.

— Padaryti išėjimą į Miško gatvę. Visus įtikinti skirstytis po namus. Vieno namo durys iš Humberto gatvės atidarytos. Ten Melani mama. Ji liepė pasirūpinti, kad šitoj pusėj praėjimas būtų laisvas. Tačiau viskas stringa, nes žmonės priešpriešiais brukasi pro tvorą vidun.

— Gerai.

Džimis tvirčiau suveržė gniaužtą apie berniuko kaklą, o kita ranka čiupo jo piktąjį draugužį už gerklės.

— Linktelėk, jeigu mane pažįsti, — paliepė jis.

Vaikiščias linktelėjo.

— Tada nežaisk su manimi, nes man jau ir taip įgriso visa šita marmalynė. Bus taip. Mano ledi su šeima yra Humberto gatvėje, atėjau jų išsivesti. Tu su savo draugužiais man padėsi. Supratai? Dar vienas linktelėjimas.

— Gerai.

Džimis atleido savo gniaužtus.

— Keliese esate? Šešiese? Septyniese?

— Septyniese.

Jis išsirinko keturis didžiausius patapšnodamas rankomis per pečius ir išrikiavo juos greta Lizos prie angos.

— Saugote ją, — nurodė. — Jei kas nors pateks iš šitos pusės, susirasiu tave ir išspardysiu užpakalį, — jis išsišiepė. — Supratai?

Vėl linktelėjimai.

— Liza siųs žmones pro jus. Jūs trise, — jis patapšnojo per galvas likusiems, — padėsite jiems pasiekti Miško gatvę. Vadinasi, visų pirma turite prasivalyti plotą! Aš praskinsiu kelią, o paskui tvarkysitės patys. Gerai?

— Jie mūsų neklausys, — prabilo vaikėzas, kurį Džimis buvo sugriebęs už gerklės.

— Ir dar kaip klausys. Duokš man tą baslį, — jis mostelėjo galva į nulaužtą tvoros kuolą. — Tai Paskutinio teismo diena, — pridūrė, — ir pirmąsyk per savo niekingus gyvenimėlius stovite gerųjų pusėje, — Džimis atsikrenkštė, suspaudė baslį galingomis rankomis ir išsproginęs akis bei taškydamasis seilėmis pasisuko. — AA-AAA-AA! — sustūgo, mosikuodamas lentgaliu virš galvos tarsi zulų vadas. — AA-AAA-AA!

Tai buvo kažkoks pirmykščių laikų aidas. Milžiniškas pašėlęs juodas patinas, šaukiantis į kovą. Visi akimirksniu net siūbtelėjo atatupsti. Niekas nenorėjo grumtis su pamišėliu.

Džimio akys, kai šis vėl atsigręžė į berniokus, vis dar buvo išsprogusios.

— Jeigu nerasiu jūsų grįžęs su savąja ledi, — įspėjo jis, — jūs visi lavonai.

Niekas nepratarė nė žodžio prieš. Tik paskutinis kvailys būtų ginčijęsis su tokiu apsėstuoju.

Eidamas pro šalį, jis raminamai uždėjo ranką Lizai ant peties. — Šūktelėk, jeigu jie mėgins sprukti. Aš išgirsiu. — Mergaitė išgąstingai pažvelgė į jį, o jis padrąsinamai mirktelėjo. — Nesijaudink, brangute. Viskas bus gerai.

Liza tuo patikėjo ir pajuto, kaip auga pasitikėjimas savimi... Tačiau greičiausiai būtų pasijutusi visai kitaip, jeigu būtų žinojusi, kaip dažnai Džimis Džeimsas šauna pro šalį.

Nebūtų taip dažnai sėdėjęs, jeigu bent retkarčiais būtų buvęs teisus...

DEVYNIOLIKTAS SKYRIUS

2001 m. liepos 28 d., šeštadienis
Humberto gatvės 23-iojo viduje

Triukšmas lauke staiga aptilo, kažkokiam balsui — merginos — garsiai sušukus. Franekas patenkintas patapšnojo sau per krūtinę.

— Tai policija, — tarė jis. — Jie iš pradžių pagąsdina... O tada įveda tvarką. Tokie jų metodai.

— Girdėtume megafonus, — pareiškė Sofi.

— Tu visad priešgyniauji, — piktai tarė senis. — Kodėl negali priimti to, kad Franekas teisus? Tau taip sunku? Kur tavo pagarba vyresniesiems?

— Nenusipelnei jos, — atšovė ji. — Kokios nesąmonės... — ji vėl ėmėsi mėgdžioti jo akcentą: — „Iš pradžių pagąsdina... Tada įveda tvarką." Kalbi tarsi apie gestapą. Tavo manymu, ką jie dabar daro? Šaudo kas dešimtą, kad įbaugintų kitus?

Pikta žodžių kruša lenkiškai.

— Verčiau neminėkite gestapo, — sunerimo Nikolas. — Beveik visa šeima žuvo per karą.

— Kaip ir mano, — nukirto ji. — Nėra anglo, kuris nebūtų netekęs senelių, dėdžių ar tetų. Į tai neatsakysi „na ir kas". Bandymas man užkišti gerklę nepavers to, ką jis tvirtina, tikrove. Dar nesigirdėjo sirenų, — priminė ji Nikolui.

— Juk nenorite dar labiau visko apsunkinti.

Ji papurtė galvą.

— Turi *kas nors* girdėtis, — atkakliai tęsė ji. — Jie žino, kad esate čia. Nepaliktų mūsų baimėje be reikalo.

Žinoma, ji turėjo galvoje „manęs". Nepaliktų „manęs" baimėje be reikalo.

Franekas nepatenkintas suurzgė.

— Užteks! Tegu daro, ką nori, kad tik, — jis paniekinamai mostelėjo gatvės link, — suvarytų tuos gyvulius atgal į urvus.

Sofi norėjosi išrėkti jam viską tiesiai į veidą, ir tik didelėmis pastangomis pavyko susivaldyti.

— O aš maniau, kad tai tu gyvulys, — atšovė ji. — *Gyvulys!.. Šūdžius!.. Iškrypėlis!..* — Ji pabrėžė kiekvieną žodį. — Ar ne tave taip vadino?

— Ką tu žinai?

— Žinau, kad tai *tu* urve, pone Holisai.

Nikolas suturėdamas uždėjo savo ranką tėvui ant rankos.

— Prašau, nedarykite to, — paprašė jis. — Nereikia.

— Man reikia, — atkirto ji. — Tavo tėvas klysta, pats tai žinai. Lauke dedasi kažkas baisaus... O mes čia sėdim kaip avinai ir laukiam, nes neturite drąsos tam pasipriešinti.

Jis ramindamas pakėlė ranką.

— Jis nori tikėti tuo, ką sako, — sumurmėjo. — Ramina save. Kaip gydytoja turite tai suvokti.

— Taip, tačiau kaip jo kalinė — neturiu, — atkirto Sofi. — Nes esu įsitikinusi, kad kuo greičiau įvyks kitas astmos priepuolis, tuo geriau... Ir šįkart galėsi tvarkytis pats, nes nesirengiu pajudinti nė piršto, kad jam padėčiau.

Vėl stojo tyla. Jie paprastai tylėdavo dėl Nikolo nenoro atsiliepti, ir Sofi svarstė, ar jis tai daro iš abejingumo, ar tyčiomis. Staiga Nikolas netikėtai prakalbo.

— Negerai nesilaikyti principų, — tyliai tarė, — kad ir kokios būtų aplinkybės.

Jeigu nebūtų pasakęs to taip švelniai, Sofi būtų apkaltinusi jį šališkumu.

— O kokie *tavo* principai? — pasiteiravo ji.

Jis kiek pagalvojo.

— Pakantumas... Santarvė... Atjauta. Nemanau, kad provokacijomis ir pykčiu galima ką nors laimėti.

Taip nemanė ir Sofi, tačiau ji taip pat nemanė, kad jo sėdėjimas rankas sudėjus, kai tėvas ją užpuolė, atitinka kurį nors šių žodžių. Tik ji, pati būdama auka, turėjo teisę atsukti kitą skruostą, o ne jis, pasyvus stebėtojas, net nenukentėjęs.

— Santarvė dar nereiškia nieko neveikimo, — atsakė ji. — Tai aktyvus... Kuriamasis... Sunkus darbas. Reikia stoti tarp žmonių, kad užkirstum kelią konfrontacijai, o ne vangiai stebėti, kaip tai vyksta. Būtent taip aš ir noriu elgtis tų žmonių lauke atžvilgiu... Tačiau jūs neleidžiate, nes verčiau jau dengsitės manimi kaip skydu. Ir tai ne atjauta ar pakantumas, — ji nutilo. — Tai bailumas.

Nikolas nedrįso pažvelgti jai į akis, tačiau Franekas sukrizeno.

— Tu mums naudingesnė čia, — tarė jis. — Savo kalbomis tik puti miglą. Taip bijai, kad nei minutėlę negali pabūti užsičiaupusi, — jis pakėlė ranką ir pirštais sudėjo anties snapą. — Kria... Kria... Kria... Tavo mama turėjo išmokyti tave laikyti jį užčiauptą. Savo zyzimu vyrą gali išvesti iš proto. Tačiau gal neturi tokio, a? Gal jie sprunka šalin, nes tu tokia valdinga.

Sofi trumpam užsimerkė ir pro nosį giliai įkvėpė. *Dieve, kaip ji nekenčia šito senio...*

— Pasaulis pasikeitė nuo to laiko, kai paskutinįsyk turėjai reikalų su moterimis, pone Holisai.

— Ką tai turėtų reikšti?

Sofi akies krašteliu pastebėjo, kaip Nikolas įspėjamai į ją pasižiūrėjo ir tvirčiau suspaudė kriketo lazdą.

— Moteris prisiartintų prie tokios žmogbeždžionės kaip tu, — tėškė ji, — tik jai prieš tai sumokėjus... Kekšė sakytų ar darytų ką nors tik tol, kol klotum jai pinigus. Todėl neaiškink man apie gerus santykius... Nesugebėjai jų sukurti net su sūnumi.

Senio žvilgsnis gręžte ją gręžė.

— Milošas gerai sutaria su savo tėčiu... Visada gerai sutardavo. Paklausk jo, jeigu manimi netiki.

— Neverta, — atsakė ji. — Jis jau aiškiai pasakė, kad vertina pakantumą, tad tu tikriausiai patenki į tą kategoriją, antraip su tavim kartu negyventų.

— Taigi. Tu klysti.

— Na, nepavadinčiau paliaubų, kai prieš buką agresyvų jautį tyliai, kaip pelytė po šluota, kiūto žmogus, gerais santykiais, — ji pašiepiamai kilstelėjo antakį. — Tau paranku, nes nori tikėti, kad turi kažkiek valdžios, tačiau to nepasakysi apie Nikolą, nes, kad galėtų gyventi kartu, jis turi visiškai užspausti savo jausmus, — ji įsmeigė savo žvilgsnį tiesiai į senį. — Todėl nepasakok man, kad klystu, pone Holisai. Nes nežinai net to, ką tavo sūnus iš tikrųjų mano apie tave, o aš žinau.

Jis vėl dūrė į ją pirštu.

— Nutilk... Jau nejuokinga.

— Tiesa niekad nejuokina, — atsakė ji ir tyliai nusijuokė, — ypač jei turi polinkį baimės priepuoliams.

— Liepsiu Milošui tave užčiaupti, — įspėjo jis.

Ji nužvelgė nulenktą sūnaus galvą, gniaužomas rankas ir nusprendė nebandyti laimės. Vis galvojo apie savo skambutį ir nežinojo, ar Dženė ją suprato. Mintys pasąmoningai sutapo su Baseto gatvėje moterų užduodamais klausimais. Argi nickam nerūpi, kas dedasi Rūgšties kvartale? Ar niekam nerūpi, kad ją kėsinasi išprievartauti?

Sofi ėmė gailėtis dėl savo lengvabūdiškai atsainių juokelių. Tai jos kaltė. Dženė turbūt pagalvojo, kad ji pokštauja, juk nuolat kvailai juokaudavo apie seksą. *Sakai, didelis? Pamatytum dramblio... Tokie dideli, kad velkasi žeme. Jei bent retsykiais neduosi jam poilsio, nukris... Mama sakydavo, kad vyrus užveda moterų pakinkliai... Bet aš ja netikiu...*

Reikėjo skambinti tiesiai į policiją. Joks policininkas nebūtų palaikęs moters pagalbos šauksmo dėl prievartavimo pokštu. Gal reikėtų jiems paskambinti? Sofi vėl apniko abejonės. Ką daryti? Ką daryti? Mobilusis — vienintelė prošvaistė. Gija, siejanti su pasauliu. Tačiau jei paaiškėtų, kad jį turi, Frankas tikrai atimtų ir neleistų pasakoti apie tai, kas vyksta. Jeigu jį slėps, kaip žmonės sužinos apie tai, kas čia dedasi?

Sodai tarp Humberto ir Baseto gatvių

Džimiui gražiuoju ir piktuoju raginant visus pasprukusius pasukti įėjimo į Miško gatvę link, sodai tarp gatvės ir ponios Kartju namo ėmė tuštėti. Kai kurie vyresni namų savininkai, įkvėpti Džimio autoriteto, atskubėjo į pagalbą. Vienas senas vyriokas, užsimaukšlinęs šalmą ir apsiginklavęs grėsmingai atrodančia mačete, likusiais nuo tarnybos Tolimuosiuose Rytuose laikų, stojo sargybon prie išlaužtos tvoros tarp 9 ir 11 namų, o Džimis tuo metu vijosi berniukus, besiveržiančius į galinį 23-iojo kiemą. Jie buvo ne vyresni kaip dešimties ar vienuolikos metų. Džimio pavyti jau buvo pradėję laidyti akmenis į namo su karstyklėmis sode langus. Jis keikdamasis puolė prie jų.

— Ką čia, po velnių, darot? — užriko. — Galvoj negerai, šunsnukiai?! Tai ne 23-iasis! Ar karstyklės jums nieko nesako? — Jis dūrė pirštu namo link. — Ten vaikai. Net nežinote, ko ieškot?

Jis čiupo vaikėzus į nagą ir nusivarė atgal, kaskart stuktelėdamas per pečius, kai jie, jo nuomone, judinosi per lėtai.

— Atsiimsi nuo mano tėvo, — tarė vienas. — Neturi teisės mušti vaikų.

— Pasakyk, kur gyveni, ir tau nereikės nė vargintis, — atšovė Džimis, stumdamas jį prie angos, kurią sergėjo senasis kareivis. — Tavo tėvas galės sumokėti už žalą, padarytą mano kaimynų langams. Tiesą sakant, visi galite duoti man savo pavardes ir adresus. Kažkas turės sumokėti už sulaužytas tvoras, ir tikrai ne tie, kas čia gyvena.

Padaužos leidosi į kojas ir nurūko prie išėjimo. Džimis kepštelėjo seniui ranką.

— Ar susitvarkysi, bičiuli? Man reikia prasibrauti iki namo. Mano ledi su vaikučiais ten užspeisti vidury viso šito pragaro, tai noriu įsitikinti, kad jie saugūs.

— Nepraeisi per Dolės Kartju namą, — įspėjo jis. — Priešpriešiais plūsta žmonės.

Jis buvo užkietėjęs rasistas, ir jo pažiūros į anglosaksų kraujo grynumą buvo nepajudinamos, todėl dabar įtariai tyrinėjo juodaodį.

— Panašu, kad ant tavo švarko kraujas.

— Taip.

Džimis pagavo baimingą gaidelę jo balse.

— Yra sunkiai sužeistų, o greitoji negali pravažiuoti. Pažįstate Eiliną Hinkli? Glibo daugiabutis... Buvusi seselė... Vadovauja „Draugystės linijai"... Jos butas paverstas pirmosios pagalbos stotimi.

Tarsi būtų ištaręs stebuklingus žodžius *Sezamai, atsiverk*, nes senasis kareivis linktelėjo.

— Galėtum praeiti pro mano namą, jeigu gyvenčiau Humberto gatvėje, bet aš iš Baseto gatvės, — jis mostelėjo galva sodo, esančio už ponios Kartju sodo, plynai ištrypto bėgančiųjų kojų, link. — Gal verčiau pasikalbėsiu su jaunąja Karena iš 5-ojo. Tau ji galinių durų neatidarytų, tačiau manęs išklausys, — senasis karys griežtai suraukė antakius. — Tačiau turi prisiekti, kad neleisi banditams įsibrauti, kai išeisi pro priekines duris. Ji neįgali... Dar partrenks koks storžievis.

Džimis linktelėjo.

— Suprantu.

Vyras ištiesė jam savo mačetę.

— Lik čia. Pabandysiu susitarti.

Džimis atrėmė ginklą į tvoros baslį ir atidarė savo mobilųjį tikėdamasis, kad baterija per tą laiką šiek tiek atsigavo. Jam atrodė, kad nuo to laiko, kai išėjo iš Glibo daugiabučio, praėjo jau kokia valanda, tačiau dirstelėjęs į laikrodį nustebo, kad prabėgo vos pusvalandis. Telefonas nerodė jokių gyvybės ženklų ir jis, svarstydamas, ką daryti toliau, įsikišo jį atgal į kišenę.

Nebuvo laiko kurti kokį nors planą, tačiau sprendžiant iš baimės apimtų žmonių, bėgančių pro ponios Kartju duris, veidų, Humberto gatvėje verda tikras pragaras ir geriausia būtų nešdintis nuo visko kuo toliau. Ar sunku bus išvesti Melani ir vaikus? Kur Geinora? Jeigu teisybė, kad ji tvarkosi prie priekinių ponios Kartju durų, tai jam su Mel vargu ar pavyks ją priversti viską metus bėgti.

Paprasčiausia turbūt būtų pavieniui pasiekti sodus ir ten susitikti. Galėtų patraukti į Geinoros namą ir saugiai sau tūnoti, kol riaušės nurims. Tačiau Melani būstas galinio išėjimo neturi, nebent jis pramuštų iš blokelių sumūrytą sieną į Granės Hovard svetainę...

Bet ta apgailėtina sena žiurkė greičiausiai kitoje pusėje jau lauktų su kirviu mėsai kapoti...

Staiga ant žolės jam prie kojų susmuko moteris su kūdikiu ir pasirėmė rankomis. Mirtinai išblyškęs veidas plūste plūdo ašaromis.

— Kažkur p-pasimetė m-mažoji Ana, — užsikirsdama pratarė ji, užvertė akis ir ėmė siūbuoti į šonus, po savimi spausdama vaiką. Džimis ištraukė vaikelį iš po jos ir laikė ant rankų, aplink dairydamasis mažos mergaitės.

— ANA! — riktelėjo jis. — MAMYTĖ ČIA! AN-A-A! A-NA-A!

Blogai, kad reikalai taip pakrypo... Ketino išsivežti Melani iš čia ir pradėti viską iš naujo... Dabar jau turėjo būti pakeliui į Londoną su savo prekėmis!

— A-NA-A! IEŠKAU MERGAITĖS VARDU ANA! AR KAS NORS MATĖ?

— Čia, — atsiliepė berniukas užverktu veidu, vesdamas sveikutėlę mergaitę. — Ji nugriuvo, — vaikio apatinė lūpa drebėjo. — O mano mama pradingo, pone.

Jo skruostu nuriedėjo didelė ašara.

Atsidusęs Džimis ištiesė savo platų delną ir pasitraukė abu prie savęs.

— Dabar jūs saugūs, — nuramino vaikus.

Praslinkus penketui minučių, naujasis pažįstamas kareivis geranoriškai sutiko priglobti nusiminusį pulkelį po savo sparnu. Būrelis pasipildė dar trimis purvinais vaikiščiais, pasimetusiais nuo draugų ar tėvų ir bijančiais jų ieškoti minioje.

— Po visko nusivesiu juos į savo virtuvę ir pagirdysiu arbata, — pasakė Džimiui. — Dabar eikite. Mažoji Karena jūsų jau laukia. Tik neužmirškite už savęs užsklęsti laukujų durų. Ji bijo ne mažiau už jus.

— Bus padaryta, — Džimis ištiesė ranką. — Ačiū, drauguži. Lieku tau skolingas.

Senis ją paėmė.

— Čia kaip kare, — susimąstęs pasakė jis. — Priešiška aplinka pažadina tai, kas žmoguje geriausia.

— Taip, — pritarė Džimis su vos juntama pašaipa, — panašiai sakė ir Eilina Hinkli.

„Mažoji" Karena buvo kokių šešiasdešimties metų ir sirgo Parkinsono liga. Sėdėjo vežimėlyje ir negalėjo kalbėti, tačiau šypsojosi ir linksėjo, kai Džimis jai padėkojęs pasakė, kad jis pats patikrinęs, kad durys būtų tvirtai užsklęstos. Knietėjo pasiteirauti, ar nebijojusi... Kas ja rūpinasi?.. Ar ne vieniša?.. Tačiau tam nebuvo laiko. O ir ji nebūtų galėjusi atsakyti. Nuo tų visų žmonių širdį tarsi švinas užgulė kažkoks slogus sunkumas. Piniginės skolos — suprantamas dalykas. O emocinės jį tiesiog ėmė slėgti. Neregimos gijos, siejančios jį ir tą sumautą pasaulį. Policininkės... Gelbėtojai... Kivirčytis linkusios senutės... Neįgalios senutės... Kvaištelėję kariūnai... Vaikai... Kūdikiai... Verčiau jis jau liktų nuošalyje nuo viso to.

Kai staiga išdygo Džimis, Geinora stipriai apkabino jo kaklą ir apsipylė ašaromis.

— Dieve, Džimi, — verkė ji. — Ačiū Dievui... Ačiū Dievui. Aš meldžiau stebuklo.

Po pirmosios bėgančiųjų bangos spūstis atlėgo, nes gatvėje pasidarė kiek laisviau, pasitraukus kokiems dviem trims šimtams žmonių. Tačiau atokvėpis nežadėjo būti ilgas. Per daug žmonių plūdo nuo Miško gatvės, tad vėl galėjo kilti aklas erdvės baimės priepuolis, ir Džimis, visa galva aukštesnis už Geinorą, aiškiai matė artėjančią minią.

— Dabar pats laikas išeiti, — tarė, galva mostelėdamas koridoriaus link. — Eik namo, o aš, kai tik surasiu Mel su vaikais, ateisiu paskui.

Ji papurtė galvą.

— Negaliu, — atkakliai priešinosi Geinora. — Kažkas turi čia likti, ir, žinoma, tai turiu būti aš, nes dėl mano kaltės viskas ir prasidėjo.

Ji parodė savo mobilųjį.

— Kalbuosi su policininku... Sako, kad reikia išlaikyti šitą koridorių... Pasitelkti kuo daugiau pagalbininkų, jei įmanoma... Arba neleisti kitiems prasibrauti į Humberto gatvę.

Geinora įspraudė telefoną vyrukui į ranką.

— Pasikalbėk su juo, Džimi, — maldaujamai paprašė. — Labai prašau. Gal išsiaiškinsi, kaip tai sutramdyti, kol dar kas nors nežuvo.

— O kur Mel?

Geinoros akyse pasirodė nerimas.

— Nežinau. Išsiskyrėme. Tik kartoju sau mintyse, kad turiu tikėti, jog viskas gerai. Tavo ledi nekvaila, branguti, ir nieku gyvu neleis, kad kas nors nutiktų vaikučiams, — jos veidu ėmė lietis ašaros. — Atvirai kalbant, labiau rūpinuosi dėl Kolo, — moteris pridėjo ranką prie širdies, maudžiančios nuo nerimo. — Jis visiškai netenka galvos prisiplempęs... Tačiau kažkaip nesuvaldomai jį myliu, Džimi.

Lauke prie Humberto gatvės 23-iojo

Kolinas dar niekada nesijautė toks blaivus. Arba išsigandęs. Jo oda po marškinėliais ėmė svilti, ir pasidarė visiškai aišku, kad reikia užgesinti ugnį, antraip kaitra privers juos apleisti savo postą, ir namas neišvengiamai sudegs. Jis vis gręžiojosi pasižiūrėti, ar ugnis dar neprarijo visų durų. Už savo seserį geriau suprato, kad prieš įsimesdama į vidų ir apimdama kilimus, grindlentes ir baldus, liepsna turi pradeginti duris, bet nesugalvojo, kaip ją sustabdyti.

Kolinui kėlė nuostabą tai, kad iškrypėliai sėdi sau rankas sudėję. Argi nesupranta, kas dedasi? Neužuodžia degėsių? Jais dėtas piltų vandenį pro plyšelį laiškams, kol dar nevėlu. Juk jie turi suvokti, kad ši saujelė žmonių turbūt negalės apsaugoti durų? Galvoje raizgėsi įtarimai. Gal tų atmatų ten jau nėra? Galbūt išnešė kudašių pro namo galą? Gal jie su Mel gina tuščią namą?

— Įlipsiu pro langą ir iš vidaus užgesinsiu liepsnas, — šūktelėjo jis Melani į ausį. — Tačiau žiūrėk, kad mūsų gretos išsilaikytų, nes nenoriu, kad Veslis sviestų bombą man pavymui. Aišku?

Tikriausiai merginos galvoje sukosi panašios mintys, nes ji

tylomis linktelėjo. Nepridengtos jos rankos ir pečiai buvo raudoni nuo karščio. Melani ištarė:

— Tik greitai, gerai?

Kolinas prasmuko pro ją ir nusiavęs batą iš lango rėmo išmušė styrančias stiklo liekanas. Susidomėjimo murmesys nuvilnijo per žmones, jam įsiritus per palangę į vidų. Ką jis ketina daryti? Stoti iškrypėlių pusėn ir juos ginti? O gal mėgina priversti pasiduoti? Pasigirdo Veslio Barberio balsas.

— Tavo broliukas iškeps, kale, jeigu neištemps tų atmatų lauk. Melani atsikrenkštė, nes gomurys jau buvo visiškai perdžiūvęs.

— Tai tu būsi iščirškintas, jeigu kas nors nutiks Kolui. Pati apipilsiu tave benzinu ir padegsiu.

Humberto g. 23-iojo viduje

Kolinas, nors įsilaužti jam buvo ne pirmiena, įkišęs galvą į koridorių, turėjo prisilaikyti durų staktos. Jam taip tirtėjo kojos, kad manė, jog pargrius. Viena kirviu prakirsti galines duris žinant, kad nieko nėra namie, ir visai kas kita įlįsti pas homoseksualius pedofilus, nė neabejojant, kad jie tavęs tykoja. Jis pasielgė neapdairiai. O ką, jeigu paims jį įkaitu? Jeigu dabar iš pasalų stebi?

Šū-ū-das!

Vaikinukas ištempė ausis, mėgindamas pagauti balsus, tačiau kliudė triukšmas iš lauko. Degančios durys skleidė aštrią smarvę, ir jis negalėjo patikėti, kad pedofilai į tai nekreipia jokio dėmesio. Kur, po velnių, jie pasidėjo? Jis pritykino prie pirmojo aukšto galinio kambario durų visą laiką įdėmiai klausydamasis ir pastebėjo, kad jos praviros, tačiau jeigu kas ir yra viduje, tai tyli — nė krepšt. Užmetęs akį į laiptus, įsitikino, kad viršuje niekas netykoja, tačiau jo visai netraukė ištyrinėti kambario. Galvoje sukosi filmuose matyti vampyrų ir karstų vaizdai.

Virtuvės durys buvo atlapotos, ir Kolas įsliūkino vidun. Už durų kyšojo stalo kraštelis, ir jis teisingai spėjo, kad juo buvo užremtos durys, kol kažkas vėl jas atidarė. Tačiau kodėl? Jie tūnojo viduje ir panoro sužinoti, kas vyksta? O gal jų jau nėra?

Jeigu jų jau nėra... Tada, sprendžiant iš atvirų durų, tie šūdžiai kažkur jam už nugaros...

Kolinas pasisuko, krūtinėje pašėlusiai daužantis širdžiai. Būtų jau sprukęs lauk, jeigu ne dūmai, besiverčiantys vidun pro pašto dėžutę. Reikia veikti nedelsiant, antraip Veslis su savo sėbrais paskandins liepsnose visą namą, vos tik Mel bus priversta atsitraukti nuo durų, tačiau baimė susidurti su iškrypėliais susipynė su gaisro grėsme, ir vaikinas sustingo negalėdamas apsispręsti. Kaip ir jo motina visai netoliese gatvėje, jis ėmė melstis. Dieve, neleisk, kad iškrypėliai būtų viduje... Dieve, Dieve!

Kai Kolinas atsuko abu virtuvės kriauklės čiaupus, galiniame miegamajame visi trys belaisviai išgirdo ūžiant tekantį vandenį.

— Kažkas vaikšto po namą, — tarė Sofi.

Franekas ėmė keltis.

— Nesiartink prie manęs, — įspėjo ji, pakėlusi kriketo lazdą. — Neketinu būti tavo skydas. Daugiau manęs nepaliesi.

Senis nekreipė dėmesio ir palinkęs į priekį mostelėjo sūnui užeiti iš šono, kad ji negalėtų užpulti abiejų iš karto.

Kai Nikolas pašoko, Sofi akimirką pasirodė, kad jis pakluso, tačiau jis metėsi ant tėvo, visu savo svoriu užgulė jį ir prispaudė galvą prie kelių, neleisdamas įkvėpti. Po trumpų grumtynių senis šonu nuvirto ant grindų, garsiai traukdamas orą pro burną.

— Labai lengvai išsigąsta, — tepasakė Nikolas.

DVIDEŠIMTAS SKYRIUS

2001 m. liepos 28 d., šeštadienis
Naitingeilo sveikatos priežiūros centras

POLICININKAS KENAS HIUITAS išsyk prisiminė tą pavardę, vos tik Geinora pasakė perduodanti telefoną dukters draugužiui Džimiui Džeimsui. Hiuitas dalyvavo jį suimant ir pasodinant už grotų dėl paskutinio darbelio ir nesitikėjo, kad vyrukas dabar panorės su juo šnekėtis. Suėmimas buvo susijęs su 1998 m. įvykdytais plėšimais ir rėmėsi buvusios Džimio draugužės, kuri buvo palikta, kaip dabar paaiškėjo, dėl Geinoros Paterson duktės, parodymais. Apakinta moteriško pavydo varžovei, paliktoji atkeršijo savo meilužiui.

Džimis suimamas priešinosi kaip pašėlęs, purtydamas policininkus nuo savęs kaip kokius įkyrius vabzdžius, tikino, kad pastaruosius metus praleido dorybingai ir kad jo naujoji draugė laukiasi. Tačiau pareigūnų širdis dėl to nesuminkštėjo. Jam tik pasisekė gauti gerą advokatą, kuris pasirūpino, kad bylos nagrinėjimas vyktų apylinkės teisme, įtikino Džimį prisiimti kaltę dėl trijų kaltinimų, o mainais gavo atleidimą nuo kitų penkių, įskaitant pasipriešinimą policijos pareigūnams; kaip sakėsi ir pačiame teisme, priėmusiame abejotinus įrodymus, kad jis jau metai kaip turi darbą, susirado gyvenamąją vietą, ruošiasi su naująja draugaže kurti šeimą ir iš pagrindų mėgina pakeisti savo gyvenimą. Tačiau net ir nusišypsojus laimei gavo aštuonis mėnesius, iš kurių turėjo atsėdėti keturis, nepaisant rusenusios vilties, kad atsipirks viešaisiais darbais.

— Labas, Džimi, — pasilabino Kenas, liūdnai merkdamas akį Dženei Monro, — policininkas Kenas Hiuitas.

Iš garsiakalbio aiškiai pasigirdo Džimio balsas.

— Prisimenu tave. Buvai tarp tų vyrukų, kurie mane susėmė. Jaunas... Juodaplaukis.

— Tas pats. Vos nenulaužei man rankos.

— Taip, bet nieko asmeniško. Klausyk, vos girdžiu tave... Aplink velniškas triukšmas... Kalbėk garsiai ir aiškiai, gerai? Sakyk, ką daryti. Geinora minėjo, kad verkiant reikia papildomų išėjimų.

— Verčiau pasikalbėkime stacionariu, Džimi. Ar gali nueiti į ponios Kartju namą ir užlipti viršun pas ją? Ji miegamajame. Pranešime jai, kad pasirodysi. Niekam neleisk eiti kartu. Ji paliegusi. Aišku?

— Žinoma. Šioje srityje jau turiu šiokios tokios patirties. Man atrodo, kad kuo jos labiau paliegusios iš išorės, tuo tvirtesnės dvasios.

— Ką jis norėjo pasakyti? — susidomėjo Dženė, kai Džimio balsas iš mobiliojo nutilo, užleisdamas vietą minios šurmuliui.

Hiuitas pakraipė galvą.

— Neturiu supratimo.

Humberto g. 9-ojo viduje

Ponia Kartju pasitiko Džimį tuščiu žvilgsniu ir nurausvintais skruostais. Ji sėdėjo krėsle prie lango ir meiliai nusišypsojo miegamojo tarpduryje išdygusiam milžinui. Ištiesė jam telefoną ir linksmai mostelėjo gatvės link.

— Ar jiems ten linksma? — paklausė, tarsi būtų kalbama apie kokią gatvės šventę.

— Kai kuriems — taip, — atsakė Džimis keldamas ragelį prie ausies, kad praneštų Kevinui, jog jis jau vietoje. Netikėtai pagavo save galvojant, kad štai čia skurdžiai gyvena dar viena senutė. Užmetęs akį į kambarius pirmajame aukšte, kai dairėsi jos, pamatė, kad jie visiškai tušti — buvo sunku suprasti, kodėl ji gyvena name, kuriame tilptų visa šeima. Didžioji dalis jos daiktų buvo sukrauta viename kambaryje, nors šiaip nieko vertinga — Džimis iš įpročio įžengdamas į kieno nors namus tai įvertina — tik būtiniausi baldai, senutėlis televizorius, keletas piešinių ir nuotraukų.

— Į ponią Kartju nekreipk dėmesio, — patarė Kenas Hiuitas. — Prieš pusantros valandos jai užėjo priepuolis... Mano, kad tai jau pasaulio pabaiga... Paskutinio Teismo diena. Jai prašviesėja ir vėl užtemsta, nes iš pradžių ji buvo *compos mentis...* Verčiau pritarti jos nuomonei, kad neišsigąstų.

— Ji čia visiškai viena, — pranešė Džimis, šiek tiek nusisukęs ir prisidengęs burną savo plačia plaštaka, laikančia ragelį. — Nesistebiu, kad jos protas tai aptemsta, tai prašviesėja. Kituose kambariuose — nei baldelio, ir nepanašu, kad pas ją lankytųsi daug svečių. Tikriausiai gyvena tik prisiminimais... Velnioniškai liūdna.

— Sakė, kad jos vaikai išsikėlė iš namo prieš dvejus metus, jai įsirašius į eilę globos namuose, ir nuo to laiko nepasirodė. Geriau apie tai neužsiminti. Kalbos apie vaikus ir sukėlė priepuolį.

— Aišku, — atsiliepė Džimis ir padrąsinamai pamerkė akį poniai Kartju. — Kaip jau sakiau, ne pirmas kartas. Senukai visi vienodi. Toks senis galiniame kieme saugo tvorą užsimaukšlinęs seną šalmą, šūkauja apie karą ir švaistosi mačete.

Hiuitas į tai prakalbo kaip policininkas:

— Nereikėtų panašių dalykų skatinti. Skamba kiek grėsmingai.

— Jis ir turi būti grėsmingas. Juk gynėjas.

— Atsidurs teisme, jei ką nors sužalos... Todėl gal sutiktum dėl...

— Baik postringauti, — sušnypštė Džimis, pasisukęs į ponią Kartju nugara, kad ši neišsigąstų. — Manai, man nors kiek rūpi tai, ko jūs, suskiai, imsitės po visko? Dėl jūsų, avinų, kaltės tai ir įvyko. Esu čia tik todėl, kad ištraukčiau iš čia savo ledi. Atskleisiu tau vieną paslaptį... Čia, vietoj, nelabai yra iš ko rinktis... Ir tai, kad vyrukas įtikinėja žmones skirstytis po namus, man atrodo kur kas vertingiau nei leisti žmonėms būti mirtinai užtryptiems šioje susmirdusioje gatvėje. Todėl nemėgink man užkrauti atsakomybės. Aš — ne sumauta policija... Nesiruošiu už nieką atsakyti, nes jūs, idiotai, pražiopsojote brėstančias grumtynes. Mano senukas prižiūri būrelį vaikų ir iš paskutiniųjų stengiasi palaikyti tvarką prie išėjimo... Ir jeigu ką nors perpjaus prisiartinusį per arti, tai jo paties bėdos. *Supratai?*

Ragelyje pasigirdo moteriškas balsas.

— Džimi, čia Dženė Monro, — tarė ji ramiai ir neskubriai. — Esu Naitingeilo sveikatos priežiūros centro registratorė. Jūsiškė Mel su savo vaikučiais — mūsų pacientai... Kaip ir Geinoros šeimyna. Leisk man paaiškinti, kuo čia dėtas mūsų sveikatos priežiūros centras ir ką mėginame daryti. Mėginame, naudodamiesi telefonine bendrija, kurią sukūrė viena mūsų darbuotoja, susisiekti su žmonėmis iš Humberto gatvės, kurie galėtų praverti duris, kaip ir ponia Kartju. Deja, poniai Kartju užkrito jų pavardės...

Džimis įsiterpė:

— Kaip vadinas ta bendrija?

— „Draugystės linija".

— Aišku. Girdėjau apie tokią. Glibo daugiabutyje yra tokia ponia Eilina Hinkli iš 406 buto. Ji žino visus numerius. Jei jos nėra sąraše, greitoji žinos, kaip su ja susisiekti. Ji tikrai padės.

Kurį laiką, kol Dženė kažkam persakė informaciją, ragelyje buvo tylu.

— Nuostabu, — džiugiai vėl prašneko ji. — Mano kolega jai jau skambina. Labai dėkoju.

— Viskas? — Džimis negalėjo patikėti, kad jo daugiau nekamantinės. — Nes velniškai noriu išsiaiškinti, kaip ten Mel ir vaikai. Susisiekite su jais, jei galėsite.

— Ne, — skubiai atsakė Dženė, būgštaudama, kad jis gali grąžinti ragelį poniai Kartju. — Prašau dar neišjungti! Mums žūtbūt reikia pagalbos, — ji pakėlė balsą. — Kas nors ten privalo imtis vadovavimo... Priversti atsikvošėti. Mums reikia generolų prie išėjimų. Labai... Ar dar klausotės?

— Taip.

Pasigirdo, kaip policininkas sumurmėjo šalia mikrofono: „Visko nepasakokite... Ji gali žūti, jeigu jie nuspręs įsiveržti į namą".

— Apie ką jis čia kalba? — pasiteiravo Džimis. — Kas ta ji? Kas gali žūti?

— Prašau luktelėti, Džimi.

Dženė pridengė mikrofoną ranka, tačiau jos aukštas įaudrintas balsas vis tiek pasiekė jo ausis. Ką atsakinėjo policininkas, nesigirdėjo.

— Tai beprotybė... Kažkuo juk reikia pasitikėti... Taip, bet policija tūno rankas sudėjusi... Žinoma, ji jausis saugesnė, jeigu perduosime jai žinią... Visai nesvarbu, kas perduos... Ne, man visiškai nusispjaut į jo bylą... Jei Geinora juo pasitiki, tai ir aš...

Dženė vėl prabilo į ragelį taip balsiai ir netikėtai, kad Džimis skubiai atitraukė telefoną nuo ausies.

— Juk galiu jumis pasitikėti? Regis, Geinora pasitiki. Ji tik ir kartojo: „O, kad čia būtų Džimis".

— Nešaukite taip, ponia. Telefono garsiakalbis nustatytas visu galingumu — turbūt ponia Kartju visiškai kurčia, — jis pastebėjo, kad senutė jį stebi, — ir jai trūksta šulo — suprantat, ką noriu pasakyti. — Jis trumpam nutilo. — Iš pradžių sakykite, ko iš manęs norite, o tada atsakysiu, ar galite manimi pasitikėti. Nesiruošiu veltis į kokį jovalą, dėl ko vėliau tektų tūpti į kaliūzę.

Dženė iš paskutiniųjų sutramdė virte verdančius savo jausmus.

— Dovanokit. Mes čia taip nerimaujam. Turiu būti visiškai tikra, kad niekam neprasitarsite apie tai, ką jums pasakysiu... Netgi Melani su Geinora. Kenas būgštauja, kad jei bent žodelis išsprūs, minia visiškai pašėls ir puls namą... Padėtis pasidarys dar pavojingesnė. Atrodo, vienas berniūkštis jau užsidegė nuo benzino užtaiso, ir iš policijos sraigtasparnio pranešama, kad tokių užtaisų turi ir kiti. Pasak jų, tik laiko klausimas, kada namas supleškės... Vadinasi, kartu sudegs visi, esantys viduje... Kartu su Sofi.

Džimis mėgino surankioti galus iš to, ką žinojo.

— Maniau, mergaitės vardas Eimė, — tarė jis.

Moteris sutrikusi nutilo.

— Kalbu apie Sofi... Sofi Morison. — Jis vėl išgirdo, kaip kažką murma Kevinas Hiuitas. — Dieve, ne! Tai neturi nieko bendro su dingusia mergaite, Džimi. Sofi yra mūsų daktarė. Nerimaujame dėl jos. Ji paskambino mums ir pranešė, kad du vyriškiai iš 23-iojo laiko ją įkaite. Iš balso atrodė klaikiai persigandusi — kalbėjo, kad ją gali, — moteris nutilo, tarsi ieškotų tinkamo žodžio, — užpulti, o paskui ryšys nutrūko.

— Ar ne ji už kelių savaičių rengia vestuves? Regis, ant kvietimų, kuriuos gavome su Melani, kaip tik tokia pavardė.

— Taip.

— Mel vis pasakojo, kokia ji šauni... Sofi padarė taip... Sofi sako šitaip.

— Beveik visi jos pacientai iš Basindeilo, ir daugelis jų — senyvo amžiaus. Ji ir sukūrė „Draugystės liniją", nes gerai suprato, kokie šie žmonės vieniši. Žinau, tikriausiai manote, kad taip kalbu tik todėl, kad priversčiau jus jai padėti, bet ji tikrai nuostabus žmogus, Džimi, viena tų, kurios šviesina žmonių gyvenimą, — Dženės balsas virptelėjo. — Dabar jos nebūtų tame name, jeigu jai nerūpėtų pacientai. Budėjimas šiaip baigiasi vidudienį, bet užsitęsė, nes ji mano, kad pabendrauti svarbiau nei įbrukti keletą piliulių. O aš dar paprašiau nuvykti pagal skubų iškvietimą, nes skambinęs vyras buvo visiškai sutrikęs.

Moters balsas užlūžo.

— Regis, labai ją mylite.

Ragelyje pasigirdo šnypščiama nosis.

— Negaliu pakelti minties, kad jai gali nutikti kas nors negera.

— Minėjote, kad ji gali būti užpulta, — prisiminė jis. — Turėjo galvoje vyrus viduje ar žmones gatvėje?

— Luktelėkit. — Ji vėl prakalbo po ilgokos pertraukėlės, ir jam šmėkštelėjo mintis, kad šiuokart ji išjungė garsiakalbį. — Sakė, kad vienas jų kėsinęsis išprievartauti, o ji ne iš tų, kurios išsigalvoja.

Džimis suraukė kaktą, prisiminęs pokalbį su Melani.

— Regis, tie vyrukai pedofilai, tai ko jiems prievartauti moterį? Be to, patys turėtų būti pridėję kelnes iš baimės, kai Rūgšties kvartale reikalaujama jų kraujo?

Atsakymo nebuvo, nes šalia ragelio vėl sududeno kažką sakančio policininko balsas.

Naitingeilo sveikatos priežiūros centras

Dženė išjungė garsiakalbį ir įpykusi atsigręžė į Keną.
— Liaukitės man nurodinėjęs, kad galvočiau, ką su juo kalbu, — rėžė ji. — Jis bent jau *ten*. Kalbasi su mumis. Ką policija padarė, kad išgelbėtų Sofi? *Nieko...* Tik sėdi padėję užpakalius ir stebi, nes bijosi viską tik dar labiau pabloginti. Aš manau taip, — ji dūrė į jį pirštu, — Haris paaiškins, kaip tai pavojinga... Ir jeigu jis sutiks padėti... Tada turėsime pulti ant kelių ir dėkoti, kad kažkas toje Dievo užmirštoje vietoje turi daugiau drąsos nei sumauta policija.

Humberto gatvės 9-ame name

Kai ragelyje vėl pasigirdo garsas, Džimis pamerkė akį poniai Kartju.
— Klausykit, aš visai suprasčiau tą daktarę, — tarė jis, tarsi aiškindamas skeptišką savo požiūrį. — Greičiausiai vargšelė mirtinai išsigandusi, tačiau kad ir kaip žiūrėtum, tai nelabai įtikima. Juk reikia būti paskutiniam avigalviui, kad prievartautum įkaitę, kai tave puola dėl to, kad esi iškrypėlis. Elgtumeis kaip tik priešingai... Būtum jai malonus... Kad apsaugotų tave... Įtikintų kvaišagalvius, kad esi sėdėjęs. Basindeilo gyventojams tai artima.
Jam atsakė vyriškas balsas.
— Čia Haris Bonfildas, Džimi. Aš — vyriausiasis Naitingeilo ligoninės gydytojas. Patikėk, ir mus buvo apnikusios tokios pačios abejonės, todėl kreipėmės patarimo į psichiatrą. Tu kalbi apie *protingus* veiksmus... O tie vyrai visai nebūtinai taip elgsis. Gauname žinių iš policijos sraigtasparnio, ir jie perduoda, kad prie langų nesimato jokių gyvybės ženklų... O jeigu jie norėtų, kad Sofi už juos derėtųsi, būtų visiškai priešingai. Leistų jai pasirodyti ir skatintų visiems paaiškinti, kas ji tokia, panaudoti ją kaip apsaugą — *tavo žodžiais tariant* — nuo benzino užtaisų.
— Galbūt ji atsisako iš baimės.
— Nepanašu. Sofi — sumani moteris ir, be to, tvirto būdo.

Puikiai suvokia, kad daugelis žmonių daktarę pažins ar bus apie ją girdėję, ypač jeigu ji ims kalbėtis su jais. Nėra logiško paaiškinimo, kad jai neleidžiama derėtis. Ji viena iš nedaugelio, galinti nuleisti garą tokiomis aplinkybėmis.

Džimis negalėjo nesutikti su jo argumentais.

— Tai kas ten, jūsų manymu, vyksta?

— Tik spėjame, tačiau manome, kad paradui vadovauja senis. Ne jis buvo nuteistas — sūnus, — tačiau yra liudijimų, kad tėvas yra užkietėjęs seksualinis prievartautojas. Ir žmona, ir sūnus yra nukentėję nuo jo rankos. Jis turi net botagą, o tai liudija stiprius sadistinius polinkius. Be to, yra nuolatinis prostitučių klientas — buvo sulaikytas ir nubaustas už naudojimąsi gatvinių paslaugomis, porą sykių apklaustas, kai moterys, patekusios į ligoninę, nupasakodavo jį atitinkančią išvaizdą. Nebuvo pakankamai įrodymų patraukti atsakomybėn — prisistato išgalvotomis pavardėmis ir, be to, jokia prostitutė nenorės liudyti prieš jį teisme, — tačiau jis tikrai ne tas, kurį norėtumėte matyti kalinantį jauną gražutę moterį.

Džimis staiga prisiminė Eilinos pastabą apie draugę, linkusią pagražinti. Daktaras stengėsi pavaizduoti tą vyruką kaip visišką psichopatą, tačiau jeigu taip, tai kodėl jis ne už grotų? Džimiui kilo įtarimas, kad tie žmonės, saugiai sau sėdėdami sveikatos priežiūros centre, žaidžia jo jausmais siekdami priversti padaryti tai, ko jis nelabai norėtų imtis.

— Esate tuo tikras, daktare? — nusišaipė jis. — Iš pradžių tvirtinat, kad turi potraukį berniukams... O po akimirkos jau sakot, kad po gatves dairosi prostitučių. Kažkaip galai nesueina. Ko jam lįsti prie savo sūnelio, jeigu iš tikrųjų mėgsta įmitusias kumeles?

Jo vaizdinga kalba sukėlė juoką.

— Nori išklausyti trejų metų kursą ar pasakyti keliais žodžiais? Gali neatsakyti, Džimi. Pasistengsiu išdėstyti trumpai. Kai kurios asmenybės, turinčios tokių psichikos sutrikimų, kaip šis vyras, nemąsto apie ateitį ir negali numatyti neigiamų savo poelgių padarinių. Auka bus pati kalta, jeigu skatins jo agresyvumą arba nepasitenkinimą. Jeigu, kaip mes manome, jo parafilija — tai seksualinis sutrikimas — pasireiškia sadizmu, tai aplinkui sėjama baimė kaip tik ir yra pagrindinis jaudinimo dirgiklis, ir jam pasireiškus visiškai nerūpės žmonės, o tik greičiau knietės pačiam pasitenkinti. Kitaip sakant, jo sūnus, greičiausiai gyvenęs nuolatinėje baimėje, buvo ir tėvo susijaudinimo šaltinis, todėl jį ir patenkindavo. Skamba logiškai?

— Eina šikt, — pasišlykštėjęs atsakė Džimis. — Kodėl, po velnių, vaiko nepaėmė į globos namus?

Haris atsiduso.

— Nes prieš keturiasdešimt metų niekas nė nenutuokė, kad dedasi tokie dalykai.

— Jėzau! Kiek metų tam vyrukui?

— Tėvui? Septyniasdešimt vieneri.

— Manote, jis vis dar pavojingas?

— Deja, taip... Ypač tokiems žmonėms kaip Sofi. Jeigu ji ginčijasi su juo ir mėgina save apginti — manome, kad būtent taip ir yra, — jis prieis prie išvados, kad ji pati dėl visko kalta.

— Argi jis neturėtų bijoti už tai vėliau atsiimti?

— Tai priklauso nuo to, kaip smarkiai susijaudins, ir nuo to, kiek laikys ją pačią kalta. Tai nestabilios psichikos žmonės, Džimi, ir ne itin gudrūs. Geriausia būtų laikytis kiek galima ramiau. Tai, kad nėra teistas dėl smurtavimo, greičiausiai tik leis jam manyti, kad turi teisę elgtis kaip panorėjęs. Jis netgi gali įsivaizduoti, kad ir policija su jo nuomone sutinka. Vyras stipresnis, todėl turi būti gerbiamas, — Haris kiek patylėjo, o patylėjęs tarė: — Buvai teisus, kai pokalbio pradžioje pavadinai jį avinu. Pridėk dar „iškrypęs" ir prieš akis turėsi aiškų vaizdą, su kuo dabar Sofi.

Humberto g. 23-iojo viduje

Sofi stebėjo, kaip senis gaudydamas orą raičiojasi ant grindų. Jeigu pavyktų atstumti spintą, arba Nikolas sutiktų tai padaryti, ji galėtų išsikrapštyti iš šito slogaus kambario.

— Leisk man nusileisti į apačią ir pasikalbėti su tuo, kas ten vaikšto, — paragino ji Nikolą. — Nedelsk... Kol tavo tėvas negali man sutrukdyti. Pažadu, kad nepabėgsiu. Atsistosiu laiptų apačioje ir nieko nepraleisiu į viršų.

Jis neryžtingai dirstelėjo į duris.

— Nepajėgsite jų sulaikyti.

— Sugebėsiu, jei tik gausiu progą į juos kreiptis. Patys turime sau padėti. Kaip tu nesupranti?

— Jau saugiau čia laukti policijos.

Staiga ji visiškai nuleido rankas, nes suprato, kad iš dalies jis teisus — kiekvienas jaučiasi drąsesnis susidūręs su tikru pavojumi nei tik su galimu. Ji beveik įtikino save, kad saugiau bus likti vietoje — keturioms niūrioms sienoms teikiant saugumo iliuziją. Kas žino, kas dedasi ten, lauke? Ar iš tikrųjų visi taip ims jos ir paklausys? O kas, jeigu ji tik dar labiau viską sujauks?

Tačiau pajutusi įsmeigtą Nikolo žvilgsnį ji prisiminė, kaip šis švelniažmogis prieš tai jos vos neužliūliavo. *Velnias! Velnias! Ji juk ne tokia jau ir bejėgė. Ką pasakytų Bobas, jeigu ji papasakotų, kad liko ir rizikavo būti išprievartauta, nes nedrįso išeiti iš kambario...*

— Man — ne saugiau, — ryžtingai paprieštaravo ji ir treptelėjo koja, kad padrąsintų ir jį. — Ten yra mano draugų... Žmonių, kuriems ne tas pats... Priešingai nei tau... Ir šitam — ji smakru parodė į Franeką — supuvusiam *šūdgabaliui!*

— Man labai gaila.

— *Baik, gerai?!* Turėk nors lašelį drąsos, — riktelėjo ji. — Jeigu policija būtų pasirodžiusi, ji jau būtų čia... Ir iš tikrųjų turi savęs paklausti, kodėl girdisi tik sraigtasparnis. Negi nesusigaudai, kad iš jo stebima, kas čia dedasi? Ir ar jiems to prireiktų, Nikolai, jeigu gatvės būtų pilnos policijos? Tu išsilavinęs žmogus, dėl Dievo meilės. Pakrutink smegenis... *Mąstyk...* Pats pagalvok. Mus greičiau užpuls nei išgelbės.

Jis nieko neatsakė, tačiau pastebėjo, kad Franeko judesiai rimsta ir kvėpavimas darosi lygesnis.

Sofi prabilo dar ryžtingiau.

— Tavo tėvas nesiruošia manęs paleisti, — tarė ji. — Abiem tai aišku... Ir žinome kodėl tu galvoji, kad mus išgelbės anksčiau, nei jis visiškai neteks savitvardos, tačiau jis mane jau dukart užpuolė, — Sofi pasičiupinėjo ištinusį savo skruostą. — Antras užpuolimas tik todėl dar ne toks, kad įsikišai tu, tačiau dabar jis tau neleis prisiartinti.

Kas bus, jeigu išbūsime čia iki vakaro, Nikolai? Ar užstosi mane nuo smūgių kaip bokso kriaušė? O gal įsisprausi į kampą ir leisi tėvui daryti ką nori?

Jis susikišo rankas į kišenes ir bato galu pabrūžavo dulkes.

— Jūs nelabai kokios nuomonės apie mane, ar ne? — paklausė jis.

Ką ji turi atsakyti? Taip? Ne? Būti nuoširdžiai ar sumeluoti? Koks jo psichologinis tipas? Šizofrenikas? Paranojikas? O gal koks nors tarpinis?

— Manau, kad su tavimi buvo elgiamasi taip blogai, kad be jo leidimo nedrįsti nė žingsnio žengti. Neapsimetinėsiu, kad manau, jog tai normalu — esi suaugęs žmogus ir neturėtum net kartu su juo gyventi — tačiau taip jau *yra*, — ir kiek galėdama abejingiau pridūrė: — Taip, tu teisus, mano nuomonė apie tave nekokia. — Akimirką Sofi įsistebeilijo į nunertą jo galvą. — Pavojus tau gresia lauke, Nikolai, ir slėptis čia, tikintis būti išgelbėtam, neprotinga. Ar nors šiek tiek pažįsti žmones, gyvenančius šioje gatvėje? Prisimenu, sakei, kad čia nesaugus kvartalas... Tai spėk iš trijų kartų, ką jie padarys pedofilui, jeigu nutvers jį anksčiau, nei pasirodys policija.

Jis neatrodė nustebęs, kai išgirdo, jog ji žino visą tiesą apie tai, dėl ko lauke susibūrė žmonės. Netgi atrodė, kad jam palengvėjo, nes daugiau nereikia apsimetinėti.

— Nurėš jam kotą, — abejingai atsakė. — Ir manau, kad bus teisūs. Bandžiau pats tai pasidaryti kalėjime, tačiau sulaikė... Niekas negali susiluošinti šiais laikais... Netgi pedofilai.

Dieve mano!

— Tau tikrai reikia pagalbos, — lygiai taip pat abejingai pasakė Sofi. — Kokia buza tavo galvoj, jei manai, kad turi būti amputuotas *tavo* kotas?

Telefoninis pranešimas

Kam: POLICIJOS INSPEKTORIUI Taileriui

Nuo: ponios Andželos Gou

Priėmė: POLICININKAS Driu

Data: 2001-07-28

Laikas: 15.46

Ponia Gou apmokėjo dukters Frančeskos sąskaitą ir užsakė bilietą į lėktuvą šiai popietei. *NB, Taunsendas buvo užsisakęs bilietą kitam šeštadieniui, 2001-08-04.* Ponia Gou prašė perduoti INSPEKTORIUI Taileriui, kad:

1. Nenorinti čia painioti pirmosios Taunsendo žmonos, bet yra pasiruošusi papasakoti tai, ką iš jos girdėjo apie Taunsendą.

2. Dukart išsiskyręs. Abiem atvejais skyrybų pareikalavo žmonos. Jos draugės atveju (ji mananti, kad ir antrosios žmonos) per skyrybas jam atstovavo Martinas Rodžersonas.

3. Oficiali pirmųjų skyrybų priežastis — Taunsendo ryšiai su moterimi, tapusia antrąja žmona. *Neoficiali* — Taunsendo potraukis podukrai (tada buvusiai septynerių metų, dabar — septyniolikos). Nėra įrodymų, kad prieš ją būtų naudojęs seksualinę prievartą — mergaitė tai paneigė, — tačiau motina, aptikusi vaizdo įrašų su nuoga dukterimi, buvo priblokšta. Prieš jiems susituokiant buvo filmuojama pati moteris, nes Taunsendas sakėsi norįs ją matyti visada, net kai jos nėra šalia. Ji rado dar dvi juostas su vaikais, kurių nepažįsta.

4. Rodžersonas ir žmonos advokatas susitarė, kad reikalai dėl vaizdo įrašų bus nutylėti. Ponia Gou mano, kad Rodžersonas gąsdino žmoną viešai pademonstruosiąs įrašus, nors jos draugė jai to nėra sakiusi. Žmona vis dar jaučiasi kalta dėl to, kad tylėjo, nes mano, kad Taunsendas yra pedofilas.

5. Ponia Gou matė Eimės nuotrauką per televizorių. Sako, kad mergaitė labai primena draugės dukrą, kai ji buvo tokio paties amžiaus.

6. Taunsendo antroji žmona turėjo aštuonerių metų dukterį. Ponia Gou apie šias vedybas gali pasakyti tik tiek, kad jos truko vienerius metus.

7. Ponia Gou įspėjo Frančeską, kad Taunsendas turi nesveiką potraukį mergaitėms. Frančeska apkaltino ją pavydu, esą ji pati nesugebanti prisivilioti vyro. Ponia Gou apgailestauja, kad tada neištarė žodžio „pedofilas".

Dž. Driu

DVIDEŠIMT PIRMAS SKYRIUS

2001 m. liepos 28 d.
Hempširo policijos štabas

INSPEKTORIUI TAILERIUI ĮŽENGUS į apklausų kambarį, Martinas Rodžersonas atrodė suirzęs. Prie ausies laikė mobilųjį, todėl buvo sunku pasakyti, ar pyktis skirtas Taileriui, ar pašnekovui. Greitai atsisveikinęs trumpu „iki" jis uždarė telefoną ir padėjo priešais save ant stalo. Veidas buvo persikreipęs iš nepasitenkinimo, ir Taileris priešais save dabar išvydo tą bulių, apie kurį anksčiau pasakojo Lora. Jo išraiška draugiškumo neberodė nė užuominos.

Taileris atsitraukė kėdę ir įsitaisė priešais.

— Dovanokite, kad priverčiau jus laukti, — maloniai šypsodamasis tarė jis.

— Žinojau, kad mano skambutis pasieks jus pusiaukelėje į Bornmutą, tačiau, kaip supratau, pareigūnės Anderson prašėtės nuvežamas į Sautamptoną?

Taileris to pasiteiravo pabrėžtinai, tačiau Rodžersonas buvo tokios prastos nuotaikos, kad nieko neatsakė ir net nenusišypsojo.

— Ji man pasakė, kad tai itin skubu, kažkas susiję su naujais pėdsakais, — atsakė jis išlavintu gero kalbėtojo balsu labai nekantriai kapodamas žodžius, — tačiau, matyt, nėra taip jau svarbu, jeigu ramiausiai paliekate mane čia spoksoti į pliką sieną dvidešimt minučių. — Jis pabarbeno į laikrodį. Aukščiausios klasės vyras, trokštantis dominuoti. — Turite mano mobiliojo numerį. Kodėl negalėjome pasikalbėti telefonu? Antrą Sautamptone dalyvauju susitikime.

— Tokiu atveju turite sočiai laiko. Iš čia mažiau nei pusvalandis kelio, — Taileris, jausdamas nuolat augantį Rodžersono nekantrumą, įdėmiai jį stebėjo. — Juk jūsų duktė svarbiau nei susitikimas?

Jūsų žmona nė bluosto nesudeda, kad nepramiegotų kokios nors žinios per radiją.

— Tai smūgis žemiau juostos, inspektoriau. Seržantas man jau pranešė, jog kūno dar neradote, ir, pasak jo, tai leidžia išsaugoti viltį, — Rodžersonas pamėgino atsipalaiduoti. — Pernelyg seniai advokatauju, kad imčiau per anksti dėl ko nors išgyventi, priešingai nei mano žmona, kuri vis nervinasi, o vėliau visada pripažįsta, kad tik tuščiai eikvojo jėgas, — jis uždėjo rankas ant stalo ir palinkęs į priekį sunėrė pirštus. — Papasakokite apie tą pėdsaką. Žinoma, padarysiu viską, kad tik padėčiau.

— Dėkoju, — Taileris kiek patylėjo, svarstydamas, su kuo Rodžersonas galėjo kalbėtis mobiliuoju, ir ar tas pokalbis sukėlė kartu ir optimizmą, ir tokią nekantrą. — Norėčiau pasiteirauti keleto dalykų apie Edvardą Taunsendą, sere.

Advokato akys vos pastebimai prisimerkė.

— Kokių dalykų?

— Kokie buvo jūsų santykiai? Asmeniniai ar verslo? O gal ir tokie, ir tokie?

— Kaip tai susiję su mano dukterimi?

Reikalo slėpti nėra.

— Turime pagrindo manyti, kad ponas Taunsendas gali būti susijęs su Eimės dingimu.

— To negali būti.

Atsakymas nuskambėjo labai tvirtai.

— Kodėl?

— Nuo antradienio jis išvykęs į užsienį.

Taileris akimis parodė į mobilųjį.

— Ar su juo dabar ir kalbėjotės? Tame susitikime antrą jis taip pat dalyvaus?

Rodžersonas papurtė galvą.

— Nesiruošiu su jumis aptarinėti savo klientų verslo reikalų, inspektoriau, jeigu nepateiksite tam svarios priežasties.

— Tai vis dėlto susitikimas vyks dėl pono Taunsendo verslo?

Advokatas nė neprasižiojo.

Taileris kurį laiką tylėdamas žvelgė jam į akis.

— Ar dalyvavote abiejose pono Taunsendo skyrybų bylose?

— Ką tai turi bendro?

— Tik prašau jūsų patvirtinimo, kad jam dirbote, sere.

Rodžersonas tylėjo.

— Na, ką gi, — inspektorius pakilo. — Kadangi Taunsendo nėra, vienintelis žmogus, galintis tai paliudyti, yra pirmoji žmona, o tai, deja, reiškia, kad jums teks vėl ilgokai palūkėti, kol su ja susisieksime.

Rodžersonas nekantriai mostelėjo jam sėstis.

— Taip, atstovauju jam. Tačiau daugiau tuo klausimu kalbėti nesiruošiu. Jei dar turite klausimų, susijusių su mano klientu, teks juos pateikti tiesiogiai jam.

— Kai tik jį surasime, taip ir padarysim, — atsakė sėsdamasis Taileris. — Ar žinote, kur jis, pone Rodžersonai?

— Ne.

— Gal žinote numerį, kuriuo galėtume jam paskambinti?

Rodžersonas apsilaižė lūpas.

— Ne. Tuo numeriu, kurį turiu, niekas neatsiliepia.

Taileriui pasirodė, kad jis meluoja, tačiau nusprendė kol kas daugiau nesigilinti.

— Klausimai susiję su jumis, pone Rodžersonai, ir su tuo, ką žinote apie savo klientą. Edvardas Taunsendas keliose įtarimą keliančiose juostose yra nufilmavęs savo podukras, todėl bent jau viena jo žmona tikrai mano jį esant pedofilą. Kaip jo advokatas, tai žinote. Gal galėtumėte paaiškinti, kodėl, esant tokioms aplinkybėms, neprieštaravot, kad jūsų dukra gyventų su juo?

Advokato šaltakraujiškumas visiškai išgaravo. Prieš atsakydamas kurį laiką patylėjo.

— To nekomentuosiu, tik pasakysiu, kad jūsų versija tokios pat abejotinos vertės, kaip ir tos jus dominančios juostos.

— Tai kodėl, — tęsė Taileris, — jūs reikalavote, kad Eimė grįžtų jūsų globon, jeigu Taunsendui ji nusibostų? Arba tada, kai nusibostų? — Vyriškio veidas staiga visiškai subliūško. — Gal ji buvo išnuomota, pone Rodžersonai?

Advokatas pakėlė mobilųjį ir įsikišo į kišenę.

— Neturite pagrindo klausinėti tokių dalykų, inspektoriau, o aš nesirengiu į juos atsakinėti. Verčiau klokite ant stalo faktus.

— Regis, turiu tvirtą pagrindą, — ramiai atrėmė Taileris. — Pakankamai tvirtą, kad sulaikyčiau jus, jei mėgintumėt išeiti, — šįkart jau jis palinko į priekį. — Jūsų klientas Edvardas Taunsendas vakar šeštą ryto išvyko iš Maljorkos, ir mašina, tokia pati kaip jo, su sėdinčia ant užpakalinės sėdynės mergaite, kurios išvaizda iš nupasakojimo panaši į Eimės, po septynių valandų buvo pastebėta Portisfilde. Gal galėtumėte tai pakomentuoti?

Rodžersonas trumpam pravėrė burną, tačiau taip ir nepratarė nė žodžio. Netgi ne itin jautriam Taileriui jis pasirodė sukrėstas.

— Jis jaučia nesveiką potraukį mergaitėms... Ypač jūsų dukrai. Manome, kad žinojote tai dar prieš Eimei persikeliant pas jį. Jo iškrypėliškas polinkis — filmuoti nuogas dar nesubrendusias mergaites. Turi keletą elektroninio pašto adresų — visi įslaptinti, tik jo oficialusis verslo adresas yra viešas. Šią savaitę buvo Maljorkoje, kur filmavo labai panašią į Eimę mergaitę, bet ketvirtadienį jam paskambino kažkoks Martinas. Jų pokalbis buvo toks asmeniškas, kad merginai, buvusiai kartu, nebuvo leista jo klausytis, tačiau po skambučio Taunsendas grįžo į Angliją. Gal malonėsite pasakyti, apie ką su juo šnekėjotės, pone Rodžersonai? Ypač mane domina tai, kas susiję su Eime.

Rodžersonas kurį laiką dvejojo.

— Tai kažkoks absurdas. Jūs leidotės ne tais pėdsakais. Net jeigu aš ir būčiau buvęs tas Martinas, su kuriuo jis kalbėjosi, kaip būčiau galėjęs pasakyti ką nors apie savo dukrą, jeigu ištisus mėnesius nesu su ja persimetęs nė žodeliu?

— Tai neigiate, kad skambinote Edvardui Taunsendui į Maljorką?

— Neigiu, kad kaip nors esu susijęs su dukters dingimu.

Taileris pasižymėjo šį diplomatišką atsakymą.

— Nežaiskite su manimi, pone Rodžersonai, — rėžė jis. — Kalbame apie mergaitės gyvybę — jūsų dukters gyvybę. Ar kalbėjotės su Taunsendu per pastarąsias dvidešimt keturias valandas akis į akį arba telefonu?

Prieš atsakydamas vyras kurį laiką svarstė.

— Mėginau susisiekti, — atsakė. — Jo mobilusis arba išjungtas, arba išsikrovusi baterija, — Martinas Rodžersonas iš inspektoriaus akių išskaitė kitą klausimą. — Neturėjau — ir neturiu — nė menkiausios priežasties manyti, kad Eimė su juo, — tvirtai tarė jis. — Reikėjo aptarti verslo reikalus.

Taileriui advokato išraiška nepasirodė vienareikšmė. Gal tai dar vienas išsisukinėjimas, nes paprasto „ne" nebūtų pakakę?

— Kurio verslo?

— Žinau tik vieną. Statybų bendrovė „Etstone".

— Įtariame, kad jūsų klientas gali užsiiminėti ir internetiniu verslu. Gal jums kas nors apie tai žinoma?

Rodžersonas suraukė kaktą.

— Ne.

— Ar žinojote, kad jis sugrįžo į Angliją vakar rytą?

— Ne.

— Kada jis turėjo sugrįžti?

Jis dvejojo.

— Regis, datos neminėjo.

„Melas", — pagalvojo Taileris.

— Turime žinių, kad užsisakė bilietus namo kitam šeštadieniui.

Advokatas dabar žvelgė kažkur į šalį.

— To nežinojau.

Taileris staigiai pasuko pokalbį kita kryptimi.

— Eimė prieš dvi savaites skambino kito žmogaus, kurį vadino „Emu", sąskaita. Ar tai buvote jūs, pone Rodžersonai?

— Ne.

— Gal nutuokiate, kas tai galėtų būti?

— Neturiu supratimo. Kaip jau sykį minėjau, nesimačiau ir nesikalbėjau su mergaite jau kelis mėnesius.

— Jūsų žmona mano, kad ji kreipėsi į „Edą", bet neištaria d raidės. Ar pastebėjote tai, kai Eimė gyveno su jumis?

— Ne.

— Turite galvoje, kad apskritai nepastebėjote, ar tai, kad ji *taip* ištardavo šią raidę? — pasitikslino jis.

— Nei to, nei to. Kai grįždavau iš darbo, paprastai ji jau miego-davo — toks mano darbo ritmas, tačiau jeigu būčiau į tai atkreipęs dėmesį, būčiau pataisęs.

— Ar jūsų santykiai su dukra buvo šilti?

— Nelabai. Ji visad buvo daugiau mamos vaikas. Taileris tarsi patvirtindamas linktelėjo.

— Tai kodėl grasinote ją pasiimti pas save? — paklausė jis. — Kam gąsdinote Lorą mūšiu dėl globos?

Rodžersonas giliai įkvėpė pro nosį.

— Jau ne kartą į šį klausimą atsakiau... Vakar vakare ir dar prieš spaudos konferenciją.

— Tai prašau atsakyti dar sykį.

Jis vėl žvilgtelėjo į laikrodį, tik dabar jau sunkiai slėpdamas su-sijaudinimą.

— Su Lora sutarėme, kad rugsėjį aš nedarysiu kliūčių jai Eimę pasiimti su savimi, o ji savo ruožtu pasižadėjo, kad, pasikeitus ap-linkybėms, byla dėl globos pateks svarstyti į teismą... Ir viską lems Eimės nuomonė. Maniau, kad teisinga, būtina leisti mergaitei pasi-rinkti pačiai.

— Ir būtumėte džiaugsmingai ją priėmęs, jeigu pasirinktų jus?

— Be jokių abejonių. Juk ji mano duktė.

— Tada kodėl ji to nežinojo?

Vyras suraukė kaktą.

— Nesupratau klausimo.

— Jeigu ji žinojo, kad ją mylite, kodėl nepaskambino ir nesakė, kad nori apsilankyti namuose, kai Lora paliko Taunsendą?

— Tikriausiai jai draudė. — Galbūt Rodžersonas, kaip ir jo žmona, bijo kažką prasitarti, nes ėmėsi įtikinėti: — Leiskite klausi-mą pasukti kitaip, inspektoriau. Kodėl Lora vengė bylos nagrinėji-mo teisme? Negi jums neatrodo, jog tai yra svarus liudijimas, kad Eimė būtų pasirinkusi mane?

— Nelabai, — atrėžė Taileris. — Labiau vertinu tiesioginius akivaizdžius įrodymus. Jei Eimė būtų norėjusi gyventi su jumis, būtų paskambinusi. Loganų namuose yra telefonas. Ji laisvai galėjo niekieno nekliudoma paskambinti jums, kai Lora ir Gregoris rytais

išeidavo į darbus. Vaikui tai buvo tikra kankynė. Nesaugi... Vieniša...
Ujama savo auklės... Meluodavo motinai, kad ši galėtų toliau dirbti
ir išsikrapštyti iš balos, į kurią puolė. Jūs — jos tėvas. Tas žmogus,
kuris ir turėtų ištiesti pagalbos ranką. Tai kodėl ji nesikreipė pagal-
bos į jus?

— Galbūt mėgino, bet neužtiko manęs namie. Arba nenorėjo
skaudinti mamos. Vaikai turi savų, kartais sunkiai suvokiamų elge-
sio priežasčių. Gal nenorėjo, kad imčiau dėl jos nerimauti.

Taileris mintyse pritarė paskutiniam teiginiui, tačiau žodį „ne-
rimauti" būtų pakeitęs žodžiu „erzintis". Šio vyro susierzinimo prie-
žastis vis dar lieka paslaptis.

— Turiu dvi versijas dėl šio vadinamojo susitarimo, pone
Rodžersonai, — be užuolankų rėžė inspektorius. — Viena jų ta,
kad jums duktės reikėjo tik kaip įrankio, kuriuo galėtumėt užvožti
žmonai. Edvardas Taunsendas buvo jums lyg griaustinis iš giedro
dangaus — nenumanėte, kad Lora su juo užmezgusi romaną arba
kad ketina jus palikti, — todėl galėjote išlošti laiko, kad galėtumėte
išslapstyti savo turtus. Kol Lorai egzistuoja grėsmė netekti Eimės,
ji nė iš tolo nesiartins prie advokatų, nes iš savo patirties žino, kad
žaidžiama prieš ją.

Rodžersonas papurtė galvą.

— Kodėl nenorite pripažinti, kad atsakingai žiūriu į tėvo parei-
gas? Lora pradėjo romaną ne mano valia. Ir ne Eimės. Kol jos gyveno
su Edvardu Taunsendu — nepaisant to, kad Lora kvailai užsispyrusi
siuntinėjo mano čekius atgal, — buvau patenkintas, nes žinojau, kad
mano dukterimi tinkamai rūpinamasi. Pažinojau tą žmogų, žinojau,
kaip jis gyvena. Atsiradus antram vyrui tokios garantijos neliko...
Tuo akivaizdžiai ir turėjome progos įsitikinti. Nemanau, kad dabar
ieškotume Eimės, jeigu žmona būtų mūsų susitarimo laikiusis.

Taileris šią puikią kalbą praleido negirdomis ir tęsė toliau:

— O antra versija, — prašneko jis, tarsi apklausiamasis nebūtų
ištaręs nė žodžio, — ta, kad galėjote sutikti kuriam laikui išnuomoti
Eimę Taunsendui — greičiausiai, kad šis galėtų tęsti savo verslą. Dėl
to leidote jam suvedžioti savo žmoną, kuri jūsų jau netraukė, ir iš-
naudoti savo dukterį. Su ta vienintele išlyga, kad Eimė bus grąžinta

jums, kai Taunsendo susižavėjimas atslūgs... Arba kad pats galėtumėte ją prievartauti, arba pasiūlytumėte kitiems klientams.

Kad ir kaip ten būtų, — tvirtai varė toliau inspektorius, nekreipdamas dėmesio į sutankėjusį Rodžersono kvėpavimą, — žiūrėjote pro pirštus į tai, kad jūsų dešimtmetė dukra pateks į vyro, kurį žinojote esant pedofilu, globą.

Rodžersono akys sužėravo vos tramdomu įniršiu.

— Einate labai slidžiu keliu, — įspėjo jis. — Kokį pagrindą turite drabstytis tokiais kaltinimais?

— Jūs buvote Taunsendo advokatas ir per pirmąsias skyrybas. Pasistengėte, kad neiškiltų į dienos šviesą jo pedofilijos įrodymai.

— Aš tai kategoriškai neigiu.

— Neigiate, kad būta vaizdo įrašų, kuriuose yra jo devynmetė podukra ir kad per skyrybas apie juos nė pusiau lūpų neužsiminta?

— Galiu pasakyti tik tiek, kad tam tikri punktai buvo išbraukti jo žmonos, nenorėjusios, kad kai kurios kompromituojančios detalės iškiltų į viešumą, pageidavimu. Iš tos medžiagos neturiu pagrindo Edvardo Taunsendo laikyti pedofilu. Maniau — ir manau, — kad jį traukia tik moterys.

Taileris įsmeigė į advokatą savo žvilgsnį.

— Dėl ko Eimė verkė, kai nuvežėte ją pas savo tėvus?

Netikėtas posūkis vyrą visai išmušė iš vėžių.

— O kaip tai su kuo nors susiję? — atkirto jis.

— Tada Eimė buvo viena su jumis... Be mamos.

Advokato veidas staiga vėl tapo neįžvelgiama kauke.

— Ką bandote tuo pasakyti?

— Tik noriu sužinoti, kodėl Eimė tądien jautėsi tokia nelaiminga, kad jūsų tėvai paprašė jos daugiau nesiimti kartu?

— Mergaitė verkė. Tai jau taip neįprasta? Tiesiog per daug įspūdžių.

— Kodėl?

— Velniai rautų! — Jis nutilo ir giliai įkvėpė, kad nusiramintų. — Nes mano tėvai gyvena slaugos namuose, ir nemažai pacientų serga Alzheimerio liga, — paaiškino jau ramėliau. — Mažą mergaitę tai gąsdina.

— Maniau, kad jie senelių namuose.

— Slaugos ligoninė... Senelių namai... Koks skirtumas.

— Senelių namuose nelaikomi sergantys Alzheimeriu.

Rodžersonas kiek patylėjo ir pridūrė:

— Be to, mano duktė iš prigimties drovi. Ko jūs iš manęs norite? Kad po kaulelį narstyčiau vieną mergaitės gyvenimo dieną? Taileris atsilošė kėdėje ir ištiesė kojas.

— Niekas kitas jos neapibūdina kaip nedrąsios, pone Rodžersonai. „Dainorėlė ir šokėjėlė" — toks apibūdinimas jai turbūt geriausiai tinka. Man sakė, kad mergaitė mėgsta linksminti kitus.

Šįsyk tyla truko dar ilgiau.

— Nesuprantu, kur link sukate, — pagaliau pratarė Rodžersonas.

— Vieninteliai žmonės, be jūsų paties, teigiantys, kad ji nuolatos verkia, yra Kimberlė ir Baris Loganai... O jie beširdiškai ją ujo. Jie taip pat tvirtina, kad ji vis tupėdavo tualete, skųsdamasi skaudančiu pilvu. Jūsų tėvai sakė tą patį: „... vis lakstė į tualetą, skųsdamasi pilvo skausmais, ir jai niekaip nepraėjo".

— Neatsimenu.

Taileris pastebėjo, kaip Rodžersono akys vėl nukrypo į laikrodį, tarsi vienintelis jo rūpestis būtų susitikimas Sautamptone.

— Tai būdingas prievartos simptomas, pone Rodžersonai, ypač mergaitėms. Nesibaigiantis lakstymas į tualetą... Pagalbos atstūmimas siekiant nuslėpti smurto pėdsakus. Fiziologiškai skausmų pilve priežastis gali būti šlapimtakio ar genitalijų infekcija. Psichologiškai tai gali liudyti susikaupusią įtampą... Galima anoreksija ar bulimija, pasitaiko ir pykinimo. Jūsų duktė labai laiba, be to, tiesiog apsėsta manijos įtikti.

Rodžersonas įrėmė į Tailerį savo žvilgsnį.

— Kaltinate mane vaikų seksualiniu išnaudojimu?

— Mane domina jūsų apsilankymo pas tėvus laikas, sutampantis su Loros ir Taunsendo romanu.

— Tai ir kalbėkitės su Lora. Kaip puikiai atskleidėte per pastarąsias dešimtį minučių, man dukra nuo pat gimimo visiškai nerūpėjo.

Jis, ruošdamasis stotis, uždėjo ranką ant stalo.

Taileris dunkstelėjo pirštais į stalą.

— Nesikelkite, — griežtai pasakė. — Dar nebaigiau.

Rodžersonas jo nepaisė.

— Jau baigėte, — jis atsistojo, — nebent galite pateikti savo teiginių įrodymus.

Jis jau grįžėsi eiti.

Taileris irgi atsistojo.

— Stokite, pone Rodžersonai. Sulaikau jus už dalyvavimą ir skatinimą tvirkinant vaikus. Viskas, ką pasakysite, gali būti panaudota prieš jus...

Advokatas atsigręžė grėsmingai perkreiptu veidu.

— Baikit, — įsakė grasinamai mosuodamas pirštu. — Prieš mane įspėdamas verčiau tinkamai paaiškinkite kaltinimus.

— ...teisme. Viskas, ką pasakysite, gali būti pateikta kaip įrodymas.

Taileris verte vėrė inspektorių žvilgsniu.

— Jus areštavus, policija įgauna teisę apieškoti visą jūsų turimą arba valdoma turtą... Įskaitant asmeninio kompiuterio laikmenas ir kietuosius diskus. Ar supratote tai, ką pasakiau?

Sulaikytojo veidas visiškai subliūško ir tik kairysis antakis ėmė nevaldomai trūkčioti. Jis tylėjo.

Taileris šyptelėjo ir ištiesė ranką.

— Prašyčiau telefoną, pone Rodžersonai.

Humberto g. 9

Džimio išgąstis, klausantis Hario Bonfildo nurodymų, vis augo. Trumpai tariant, reikia įeiti į 23-iąjį namą pro galines duris ir tartis dėl Sofi paleidimo. Savo pastangomis arba Sofi mobiliuoju pradėti derybas tarp Holisų, Hario Bonfildo ir policijos.

— Jūs manęs dar klausotės? — pasiteiravo Haris, neišgirdęs atsiliepiant Džimio.

— Taip, taip. Galvoju. — Ilgoka pauzė. — Na, aš tai suprantu taip. Turite reikalų su psichu ir šiukšle, iš baimės leidžiančiu į kelnes, nes pusė kvartalo susigrūdo prie jų durų, ir nuo suplėšymo į skutelius juos gali apsaugoti tik ta daktarė, kurią jie laiko įkaite. Jie nepasielgė protingai ir nepasinaudojo ja, kad ji užtartų juos, todėl greičiausiai ketina slėptis už jos pakišę peilį po kaklu, kai kas nors įsiverš vidun. Be to, ji jau gali būti ir išprievartauta — arba dėl to, kad yra visiški iškrypėliai ir nevalios susilaikyti, arba manydami, kad kuo labiau ją įbaugins, tuo mažesnė tikimybė, kad bandys išsiveržti iš jų gniaužtų pas juos įgriuvus įtūžusiems žmonėms. Ką į tai pasakysit?

— Sakyčiau, tiksliai apibūdinot.

— Būtent, tai kas bus kitaip, jeigu įsiveršiu aš? Nemanau, kad yra koks skirtumas, ar ten įpuls vienas vyras ar visas šimtas. Tie Holisai vis tiek virpės kaip drebulės lapai iš baimės, o ledi po kaklu vis tiek bus pakištas peilis. Nieko neišmanau apie tokias velniavas, daktare. Jeigu ką nors padarysiu ne taip, jūsų kolegė gali žūti. Ar jums neatrodo, kad geriau būtų palaukti faraonų?

Vėl girdėjosi, kaip kažkas tariamasi.

— Kenas Hiuitas sako, kad riaušių malšintojams įsakyta nepulti barikadų, kad prie įvažiavimų neužsiliepsnotų namai. Du būriai žvalgosi laukuose palei sieną, bet užtruks dar kokią valandą, kol atvyks pastiprinimas, kad būtų galima prasiveržti. Visa mūsų viltis jūs, Džimi, — Haris kiek patylėjęs tarė: — Vienintelė viltis. Nenoriu jūsų daugiau spausti, bet iš sraigtasparnio praneša, kad jaunuoliai Humberto gatvėje į Holisų namą ėmė svaidyti padegamuosius užtaisus. Grupelė žmonių išsirikiavo priešais ir mėgina jį apsaugoti nuo sudeginimo, tačiau nepanašu, kad jiems pavyks ilgai juos sulaikyti.

— Kas ten stovi?

— Daugiausia moterys, — Haris nutilo, klausydamasis, ką perduoda Kenas Hiuitas. — Visų priekyje aukšta šviesiaplaukė nėščia mergina.

— Mėšlas!

— Tai jūsiškė Melani?

— Ko gero.

— Tada turite jai padėti, — tarė Haris. — Sofi tikrai to norėtų...
Kaip ir aš.

Džimis tylėjo.

— Atrodo, jis dingo, — pasigirdo Hario balsas kitame laido
gale.

— Jėzau, daktarėli, duok man įkvėpt oro! Aš galvoju. O tai teisė-
ta? — Jis nelaukė atsakymo, todėl nesustodamas varė toliau. — Gerai,
darysim taip. Jokių derybų nebus. Vietoj jų tie šunsnukiai iš manęs
sulauks tokio pasiūlymo, kurio atsisakyti negalės. Kaip jums atrodo,
ar Sofi pakaks drąsos sekti paskui mane, jeigu pasiūlysiu juos saugiai
išvesti iš kvartalo? Matot, man atrodo, kad šita košė greičiau nu-
slūgs, jeigu žmonės įsiverš į vidų ir ras tik tuščią namą. Bet tada jie,
žinoma, viską nuniokos.

— Kaip ruošiatės juos išvesti iš gatvės?

— Judėti faraonų, kurie bando užeiti iš užpakalio, link, — Dži-
mis giliai įkvėpė, išduodamas klausantiesiems savo jaudulį. — Bus
saugiau traukti į kvartalo gilumą nei mėginti apeiti barikadas. Visi
susispietę prie pagrindinės gatvės, ir nedaug kas smirdžius pažįsta
iš matymo. Tiesiog atrodys, kad trys vyriškiai ir mergina traukia
namo. Ką jūs į tai?

Nors viskas atrodė kebloka, tačiau Haris pasakė:

— Geriau nei tai, ką mes sugebėjom sukurpti. Sėkmės.

Džimis ištiesė telefoną poniai Kartju ir laiptais nubildėjo į
sodą.

Hempširo policijos štabas

— Prie jo numerių — vien inicialai, — tarė seržantas peržvelg-
damas Rodžersono telefono meniu raides ir skaičius. — Verčiau jau
neklystumėte dėl jo, šefe. Antraip išgręš iki paskutinio skatiko. O jūs
galėsite sau šluoti lapus.

— Aš tuo tikras, — atsakė Taileris, žvelgdamas jam pro petį. —
Nematei jo išraiškos, kai užsiminiau apie kompiuterio kietąjį diską.
Jis ten saugo kažką, dėl ko gėdijasi, ir žino, kad mes tai aptiksime.

— Radau. ET. Greičiausiai šitas.

Garis Batleris užrašė skaičius ant lapelio ir ištiesė jį viršininkui.

— Ką su juo darysite?

— Pamėginsiu paskambinti, — atsakė Taileris, siekdamas telefono. — Jeigu Rodžersonas nemelavo, Taunsendas neatsilieps, — jis atitraukė ranką. — Kita vertus, — tęsė, — pasinaudosiu Rodžersono telefonu. Tas gražuolis gal greičiau atsilieps, ekranėlyje išvydęs savo advokato numerį.

— Sužlugdysite bylą, jeigu neprisistatysite, šefe.

— Mes dar neiškėlėme bylos, — kaip kirviu nukirto Taileris.

Humberto gatvės 23-iojo viduje

Kolino mėginimas pilti vandenį per pašto dėžutę iš namo vidaus buvo visiškai bergždžias. Jam pakėlus dubenėlį, kraštas stuktelėjo į duris, ir beveik visas vanduo pasiliejo po kojomis. Vaikinas žvilgtelėjo pro plyšelį laiškams į lauką ir į metalo plokštelę nusidegino pirštus. Jį apėmė baimė išvydus, kad kaitra Melani ir kitus privertė atsitraukti nuo namo arčiau įniršusių žmonių.

Vaikinukas puolė atgal į virtuvę ir, ieškodamas kibiro arba kokio nors kito indo, kuriame tilptų daugiau vandens, išnaršė visas spinteles. Po kriaukle aptiko nedidelį kibirėlį, pakišo jį po atsuktu čiaupu ir dairėsi dar ko nors. Didelis dubuo. Pakišo jį po čiaupu vietoj persipildžiusio kibirėlio ir nutempė gerą puskibirį vandens koridoriumi durų link.

Buvo jau priėjęs išvadą, kad vienintelė likusi galimybė yra pradaryti duris ir pilti vandenį tiesiai ant ugnies. Tačiau rankos, siekiančios skląsčio, virpėjo, nes Kolinas puikiai žinojo, kad prasivėrus durims Veslis Barberis tučtuojau puls į namą arba, dar blogiau, blokš į vidų dar vieną benzino užtaisą.

Tiesiai į jį...

Greitosios pagalbos pranešimas

Greitosios nr.:   12

Data: 2001-07-28

Iškvietimo laikas: 15.55

Budėtojas: K. Peris, V. Singas

Paciento asmens duomenys: (pateikti Endriu Falono,
                             pažįstamo)

Vardas: Kevinas Čarteris

Adresas: Basindeilo gatvė 206, Basindeilas

Amžius: 15

Artlmleji: Mama — ponia M. Čarter,
                             Basindeilo gatvė 206
                             (prisiskambinti nepavyko)

Būklė: pacientas pristatytas į greitąją
                             prie barikadų

                             Jau buvo miręs

                             Atgaivinti nepavyko

                             Maždaug 75% apdegę (antrojo
                             ir trečiojo laipsnio nudegimas)
                             Mirė nuo šoko — maždaug
                             10 min. prieš pristatant

Kur vežti: Sautamptono klinika

DVIDEŠIMT ANTRAS SKYRIUS

2001 m. liepos 28 d., šeštadienis
Hempširo policijos štabas

JAU PO PIRMOJO SIGNALO balsas atsiliepė.
— Kas atsitiko, Martinai?

Kalbėjo vyras, ir iš variklio ūžesio bei eismo gausmo galėjai spręsti, kad jis važiuoja automobiliu, o kalba naudodamasis laisvų rankų įranga. Besikaitaliojantis balso stiprumas ir trukdžiai bylojo, kad ryšys nekoks.

Taileris puikiai gebėjo pamėgdžioti balsus, ir, keičiantis kapotomis frazėmis, žemą aiškų Rodžersono tembrą bei krištolinį skambesį pamėgdžioti nebuvo sunku.

— Kur esi? — pasiteiravo jis.
— Anglijoje. Už valandos kelio... Dėkok Džonui Finčui... Papasakojo man... Gandai...

Vyras kalbėjo ryškiu Londono akcentu ir buvo įširdęs. Pusiau nuryjamos balsės aidėjo su švilpesiu, išduodančiu įniršį.

Taileris pridengė ranka mikrofoną ir ją atitraukdamas tarė:
— Eimė...
— Ryšys blogas. Negirdžiu... gerai. Kaip ji?
— Policija... klausinėja.

Vyro balsas atsklido netikėtai raiškiai.
— Na, apgailestauju dėl mergaitės, tačiau tai nieko nekeičia. Tau atsirūgs, jeigu po valandos nebūsi Hiltono viešbutyje.

Ryšys nutrūko.

Taileris išjungė mobilųjį ir padavė jį seržantui.
— Na? — pasiteiravo kitas pareigūnas.

Taileris smiliumi ir nykščiu spūsčiojo sau nosį.

— Jei tai Taunsendas, jis pakeliui į Hiltono viešbutį Sautamptone. Ir jis velniškai įsiutęs.

— Dėl ko?

— Bala žino, — atsakė jis.

— Manote, kad Eimė su juo?

Taileris pavargusia ranka perbraukė sau per veidą.

— Nepanašu.

Sodai už Humberto gatvės

Džimis senajam kareiviui nieko negalėjo pasakoti, todėl tik paprašė jo saugoti tvorą ir neleisti nieko vidun. Senio akyse šmėkštelėjo nepasitikėjimas, tarsi būtų pamanęs, jog Džimis, sprukdamas ištuštėjusiais sodais Basindeilo gatvės link, gelbsti savo kailį, tačiau laiko, kaip ir prasmės, aiškintis nebuvo. Tiesa būtų perduota kitiems, o melu niekas nepatikėtų.

Džimis lėkė palei berniukų sulaužytą tvorą, dairydamasis galinių kiemų eilėje Grenės Hovard būsto 21a. Moteriškė buvo įsileidusi jį į prieškambarį, kai jis mėgino rasti su ja bendrą kalbą, ir jam krito į akį puošmenos, kurias laikė ištačiusi ant palangės. Viena jų ypač patraukė dėmesį, nes atrodė vertinga. Didoka piestu atsistojusio žirgo bronzinė skulptūra. Džimis ėmė melsti Dievą, kad ji būtų ten pat, arba kad pati šeimininkė sėdėtų prie lango, nes, jei jam nepavyks surasti Melani namo galo, bus keblu suieškoti 23-iąjį.

Žirgą lange išvydo vos už kelių namų nuo sodo su karstyklėmis ir akies krašteliu pastebėjo piktą Grenės Hovard veidą, kai Džimis kirto piktžolėmis apželusį lopinėlį žemės, taip pavydžiai ginamą nuo kitų, nors pati ten nekelia nė kojos. Vadinasi, kita tvora ribojasi su 23-iuoju. Džimis nėrė į nedidelės obels šešėlį ir ėmė pilna krūtine traukti orą, iš savo slėptuvės dairydamasis gyvybės ženklų galinio miegamojo ir virtuvės languose.

Žinojo, kad namo planas toks pat, kaip ir ponios Kartju, vadinasi, vienintelis kelias veda pro virtuvę, tačiau ten tektų nežinia kiek laiko tūnoti, kol įsitikintum, ar vyriškių pirmame aukšte nėra. Protingiau atsargiai pritykinus perlipti tvorą ir slapčiomis pasieniu prišliaužus prie langų žvilgtelėti į visus kambarius paeiliui. Tačiau jo karštas kraujas ragino veikti visiškai priešingai. Pulti stačia galva — peršokti tvorą ir nerti pro duris, nors ir turėjo numatyti, kad durys greičiausiai bus užrakintos ir teks jas išlaužti pečiu.

Vyrukas tylomis atsiduso. Kad ir ką pasirinktų, vis tiek ta pati velniava. Ir taip blogai, ir anaip negerai.

Toks gyvenimas.

Hempširo policijos štabas

Tokia pati mintis praskriejo ir Tailerio galvoje. Gyvenimas tarsi pokeris. Žaisti toliau? O gal nerizikuoti? Martinas Rodžersonas atsiprašymo tikrai nepriimtų, todėl sustoti pusiaukelėje neverta, o be to, jam, kaip ir Džimiui, knietėjo veikti.

— Po velnių viską! — pareiškė jis seržantui. — Sulaikysime Taunsendą ir apklausime. Susisiek su Sautamptonu ir paprašyk jį sulaikyti, vos pasirodys Hiltono viešbutyje. Po kokio pusvalandžio jau gali laukti mūsų. Perduok, kad atvykstam ir apklausime jį ten. Jeigu jis domėsis priežastimi, tegu sako, kad tai susiję su tuo pusmečiu, kai jo namuose gyveno Eimė. Nenoriu, kad jis pradingtų kaip į vandenį. Ir dar, paprašyk jų sulaikyti visus, kas atvyks susitikti su juo ir Rodžersonu. Tegu visus laiko atskirai.

— O kaip elgtis su Rodžersonu?

— Neatsitraukite nuo jo.

Batleris atrodė sunerimęs.

— Esate tikras, kad neklystate, šefe?

Taileris šyptelėjo.

— Ne.

— Tada gal nereikėtų...

— Taunsendo veikimo būdas verčia, Gari. Žinau jau dvi moteris ir penkias mergaites, nufilmuotas nuogas, — ir ėmė vardyti jas lenkdamas pirštus. — Pirmoji žmona... Pirmoji podukra... Lora...

Eimė... Franė... Ir dar dvi mergaitės, kurių pavardžių nežinau. Ir tai tik tos, apie kurias žinome. Abi moterys tikėjo, kad filmuoja jas savo malonumui. Bet tada kodėl vos tik joms atsikrausčius griebiasi filmuoti dukteris? Kodėl naudojasi įslaptintu elektroninio pašto adresu?

— Kam apskritai įsileisti moteris pas save? Vargintis ir tuoktis? Apsimetinėti su Lora?

Taileris pirštu dūrė į ponios Gou pranešimo eilutę.

— Ji sako, kad Eimė panaši į pirmąją podukrą. Gal tai kas nors labai asmeniška. Galbūt jam patinka tik tam tikros išvaizdos mergaitės. Laibos, tamsiaplaukės, maždaug dešimties metų. Pyko ant Franės Gou, nes ji pernelyg subrendusi.

— Arba Rodžersonas teisus, ir jį traukia tik moterys. Kad jas filmavo, tik patvirtina tai. Galbūt jis meniškos prigimties... Mėgsta moteriškas formas... Nebrandžių ir subrendusių moterų. Daugelis mūsų jas mėgsta, šefe.

— Vadinasi, geidulingai spoksai į mergaites, Gari?

Batleris gužtelėjo pečiais.

— Nė viena moteris neteigė, kad jis seksualiai išnaudojo mergaites, tiesiog jas filmavo.

— Kad galėtų tai parduoti. Kertu lažybų, kad jis pedofilas. Kaip ir dėl to, kad Rodžersonui tai buvo žinoma.

— Taip, tačiau ne tas pedofilas, kuris išsivežė Eimę. Nepamirškite, jam dar būnant Maljorkoje, ji susitikinėjo su kažkuo kitu. Kimberlė su Bariu tvirtina, kad jos nebuvo namie ir antradienį, trečiadienį bei ketvirtadienį. Pats sau išsikasite duobę, jeigu tučtuojau nepaleisite Rodžersono. Jis sakė jums, kad ji ne su Taunsendu, ir nudirs kailį, jeigu kūną aptiks kitame šalies pakraštyje, kol jūs čia sutelkėte visas jėgas persekiodamas jį ir jo klientą.

— Dirs jį bet kuriuo atveju, — inspektorius gremžė kaklą ir suraukęs kaktą paskendo mintyse.

— Kas tada tas „Emas", jeigu ne „Edas"? Kieno kito juodas automobilis, jei ne Taunsendo? Kas ta mergaitė, kurią matė lipančią į jį, jei ne Eimė? Kodėl Taunsendas pirma laiko grįžo? Ir kodėl ne namo? Kur lakstė pastarąsias 24 valandas?

— Verčiau paklaustumėt savęs, kodėl pasiėmė Franę Gou su savimi į Maljorką, jeigu po ranka jau turėjo Eimę? Man regis, kažkas čia ne taip.

Taileris žvelgė kažkur pro jį nieko nematančiu žvilgsniu, paskendęs savo mintyse.

— Galbūt pasakymas „turėjo po ranka" tikslus, — po kiek laiko prabilo jis. — Žinojo, kur ji, žinojo, kad ras ją ten pat grįžęs, — inspektorius vėl pažvelgė į seržantą. — Jam nuolat reikia naujų merginų, jeigu jis valdo pornografijos tinklapį, — pridūrė, — ir Franė sakė, kad kelionė nebuvo iš anksto planuota.

— Tačiau kam jam trenktis į Maljorką? Kodėl nenufilmavus Franės jos bute?

— Gal paįvairinimo dėlei? Nenorėjo, kad ponia Gou kreiptųsi į policiją, nes jai daug kas buvo žinoma iš pirmosios žmonos lūpų.

— Visa tai tik spėlionės, šefe. Negalima sulaikyti žmonių remiantis kad ir labai gudriomis spėlionėmis. Vadas ant jūsų užsisės, nespėsit nė mirktelėti. Rodžersonas mintyse jau ruošia atkirtį, — kiek patylėjęs seržantas tarė: — Sakykite, kam Taunsendui viską stumti į pavojų ir grobti mergaitę? Ko tokio ketino imtis Eimė, kad privertė jį mesti Franę ir dumti namo? Kaip jis *sužinojo*, ką ji ruošia? Mergaitei nebūtų užtekę pinigų paskambinti iš telefono būdelės Anglijoje į mobilųjį Ispanijoje. Nelabai įtikinama. Per daug plyšiukų plyšelių.

— Turi kitą pasiūlymą? — kietai paklausė Taileris. — Dingo mergaitė, mes įtariame gerai ją pažinojusį pedofilą. Vyro ryšiai su jos tėvu velniškai artimi ir pašėlusiai keisti... Dar turint galvoje, kad nuviliota žmona. Tau neatrodo, kad tai verta dėmesio?

Pašnekovo akyse šmėkščiojo abejonė, ir Taileris suirzęs mostelėjo galva durų link.

— Tiesiog pirmyn, Gari. Jeigu aš klystu, tai klystu. Šią akimirką man nerūpi, kuo tai gali baigtis... Kol nesam tikri, kad mergaitė gyva. Tiesą sakant, man atrodo, kad ji — pasipūtusi mergišča, kuri nebus prie širdies, jeigu kada susitiksime. Ne prie širdies man dainorėlės ir šokėjėlės. Labiau patinka paprastos mergaitės... Šiek tiek drovios... Labiau mėgstančios kitų vaikų nei suaugusiųjų draugiją... Kita vertus, neteko atsidurti Eimės kailyje. Nelabai smagu kaulyti meilės sau.

Sodas prie Humberto g. 9-ojo

Senasis karys iš savo posto stebėjo keistus juodaodžio vyro veiksmus. Tvoros nebuvo tokios aukštos, kad užstotų nuo jo akių Džimio slapstymąsi ir sėlinimą. Iš to, ką regėjo, žmogus padarė pačias baisiausias išvadas. Dėl ko dar juodukas žvalgytųsi pro langus skuosdamas palei galinius namų kiemus ir užsiglaudęs po medžiu vieną tyrinėtų? Juočkis naudojasi palankia proga ir ketina apšvarinti be priežiūros likusius būstus. Senojo kario pasipiktinimas, netyčia tapus nusikaltimo bendrininku, buvo begalinis. Gal tas juodukas laiko jį visišku kvailiu? Arba bailiu? Tikriausiai nė nesuabejojo, kad pensininkas apsimes, jog nemato, kaip plėšiami kaimynai.

Pamatęs, kad Džimis liuoktelėjo per tvorą, jis pasilenkęs čiupo į tvoros baslį atremtą mačetę ir leidosi iš paskos.

Humberto g. 23-iojo viduje

Apsimuturiavęs ranką nukarusių savo marškinėlių kraštu Kolinas mėgino apgraibom sugriebti įkaitusį skląstį, bet išgirdęs laužiamų virtuvės durų staktos garsą, iš baimės sustingo. To jau per daug. Visi siaubingi įvykiai, kuriuos ką tik audė mintyse, pildosi. Jis užspeistas spąstuose... Nėra kur pasprukti... Nei pasislėpti... Galvoje sukosi vienintelė mintis, suvokimas, kad nieko panašaus nebūtų įvykę, jeigu nebūtų padėjęs Kevinui su Vesliu dirbintis benzino užtaisų.

Viršuje Sofi su Nikolu tiesiog sustingo, kâi smūgis, nuo kurio išlūžo durys, po jų kojomis sudrebino grindis. Jie įtempė ausis ir palenkė galvas, kad pagautų garsus, iš kurių galėtų spręsti, ką tai reiškia. Sakoma, kad per sekundę galvoje gali praskrieti tūkstančiai minčių. Abiejų galvose sukosi tik viena vienintelė mintis.
— *Kas?..*
Sofi trenkėsi į sieną pakaušiu, net nespėjusi pajusti, kaip dvi rankos stipriai griebia ją per kelius ir verčia nuo kojų. Ji spėjo pa-

matyti, kaip Nikolo galvos link artėja kėdė, ir pajuto, kad yra velkama į kambario gilumą, ir stiprų Franeko delną, spaudžiantį lūpas ir gniaužiantį besiveržiantį riksmą.

Sofi spoksojo pakėlusi į jį išplėstas akis.

Senis pasilenkė prie jos ausies.

— Nori, kad Franekas dabar tave patvarkytų, mergyte? — sušvokštė jis.

Džimis įsitempė, pamatęs iš čiaupų kliokiantį vandenį ir sklidinus indus kriauklėje. Jis nė nebandė svarstyti, kam jie gali būti skirti, tik sumetė, kad tai ženklas, jog kažkas visai šalia yra. Prisispaudęs prie sienos greta durų pamėgino šiek tiek nurimti. Jo ausis pagavo iš viršaus sklindantį garsą. Kažkas sunkaus dunkstelėjo į grindis. Tada pasigirdo medžio girgždėjimas, tarsi būtų stumdomi baldai. Šūksniai iš Humberto gatvės sklido taip aiškiai, tarsi pro atdarą langą ar duris. Tvyrojo degančio medžio ir benzino tvaikas.

Džimis metė dar vieną žvilgsnį į čiaupus, bandydamas susivokti. Benzino užtaisai. Bėgantis vanduo. Nesunku susigaudyti, jog kažkas mėgina užgesinti ugnį, kaip ir tai, kad išgirdo jį laužiantis. Kuris iš Holisų? Psichas ar pedas? Gal jie tyko pasislėpę koridoriuje?

Jis žaibiškai atstūmė stalą nuo durų, spyriu plačiai atidarė duris ir abiem rankomis sugriebė mikrobangų krosnelę, pasirengęs ja smogti per galvą laukiančiam už durų.

Jį pasitiko baimės kupinas šūksnis.

— *Šūdas*, Džimi! — nusikeikė Kolinas ir apsipylė ašaromis. — Tu mane mirtinai išgąsdinai! Jau maniau, kad tai iškrypėlis ruošiasi mane sudoroti.

Kolinas buvo toks užkietėjęs vagišius, jog pirma Džimiui į galvą šovusi mintis buvo ta, kad jis čia plėšikauja, tačiau prie berniuko kojų pastebėjo kibirą. Džimis pastatė krosnelę ant grindų ir, slinkdamas pro galinį kambarį ir laiptus, greitai užmetė ten akį, visai kaip prieš tai Kolinas. Kaip ant delno matėsi plytų nuniokota svetainė, iškultas langas ir lauke lūkuriuojanti minia.

— Kas čia vyksta? — jis apkabino berniuką per pečius ir priglaudė prie savęs.

— Visi tiesiog neteko galvos, — šniurkščiojo Kolinas. — Susmirdusios durys dega, tačiau su dubenėliu nieko nepavyko padaryti, — jis rankove nusišluostė ašaras. — Mel ten, anapus, mėgina juos sulaikyti, kad neįvyktų kas nors dar blogesnio, tačiau turėjo trauktis į šalį, nes pernelyg karšta. Norėjau atidaryti duris ir šliūkštelėti vandens, tačiau bijau, kad Veslis mane sudegins. Kevas jau užsiliepsnojo kaip koks fakelas... Pusė odos nudegė...

Džimis greitosiomis svarstė, ko griebtis.

— Kaip čia patekai?

— Pro langą.

— Gerai, — išsamiau aiškintis nebuvo laiko. — Būtų jau padegę svetainę, jei būtų norėję — tarė jis. — Tu atidarysi duris. Aš išpilsiu kibirą. Pasiruošęs?

— Taip.

Džimis sugniaužė kibirėlio rankeną.

— Tik nepraverk per plačiai, — perspėjo, — nes abu iščirškins. Na? Daryk.

Tačiau durims vos prasivėrus ir liepsnoms ėmus laižyti staktą Džimis suprato, kad ugnis pernelyg įsišėlusi, kad ją pavyktų užgesinti vienu kibirėliu. Spyriu jas vėl užtrenkė ir šliūkštelėjo vandenį į plyšį tarp durų ir staktos.

— Per vėlu, — pasakė. — Iš vidaus nepavyks užgesinti.

Iš Kolino lūpų vėl išsiveržė dejonė.

— Jėzaumarija! Ką dabar darysim? Jei užsidegs šitas, užsidegs ir Mel namas... O ten Roza su Benu. Todėl ji ir bando sulaikyti tuos smirdžius, kad daugiau nelaidytų užtaisų.

Džimis karštligiškai suko galvą, ką daryti, ir atgręžė jį svetainės durų link.

— Nešk savo užpakalį atgal, o aš padavinėsiu kibirus tau pro langą. Tegu Mel su kitais tau padeda. Kai ugnis bus užgesinta, pasakyk, kad laikytųsi priešais duris ir langą, kol duosiu ženklą, kad jau galima pasitraukti.

Vyrukas uždėjo ranką Kolinui ant peties ir padrąsinamai jį spustelėjo.

— Ar sugebėsi, drauguži?

— Aišku.

Kolui tarsi akmuo nusirito, kad išdygo Džimis ir ėmėsi vadovauti, todėl nė į galvą neatėjo pasiteirauti, ką jis čia veikia arba iš kur žino, kad priešais iškrypėlių namą Mel išrikiavo gynėjų grandinę.

Vadovybės štabas. Vaizdas iš sraigtasparnio

Iš viršaus veidų buvo neįmanoma atpažinti, bet plaukus ir drabužius — taip. „Co-op" siaubėjams užteko proto užsimaukšlinti kepuraites ir po visko nieko nelaukus atsikratyti drabužių. Jaunuoliai barikadose veidus slėpė po skarelėmis, kurias vėliau taip pat išmetė. Nė vieno jų asmenybės nustatyti nepavyko.

Iš oro atsivėrė visiškai priešingas Humberto gatvės vaizdas. Niekas nelaikė savo dalyvavimo čia nusikaltimu ir pakibusį virš galvų sraigtasparnį daugelis stebėjo užvertę galvas ir iššaukiamai mojuodami rankomis, tarsi sakytų: „Štai kaip turėtų būti vykdomas teisingumas. Iškrypėliai, lauk. Tos pačios teisės Rūgšties kvartalui ir Portisfildui. Akis už akį. Dantis už dantį. Baimė už baimę".

Nepaisant to, kad vėliau visi neigė ten dalyvavę, prisidėję arba kurstę žudynes, per šimto žmonių asmenybės buvo nustatytos iš nuotraukų, padarytų iš vaizdajuostės. Tai buvo ilgas ir varginantis triūsas, užtrukęs beveik dvejus metus ir pasibaigęs visišku šnipštu, nes teisėjas nepažino perkreipto iš neapykantos riaušininko veido išdidintoje juodai baltoje nuotraukoje. Teismo nuomone, tvarkingai, gražiai apsirengęs besišypsantis aštuoniolikmetis teisiamųjų suole niekuo neprimena laukinės išvaizdos paauglio nuotraukoje. Visos kitos bylos taip pat buvo nutrauktos.

Viskas baigėsi tuo, kad vieninteliai, prisipažinę ten dalyvavę, buvo narsieji Melani Paterson vadovaujamos grupelės savanoriai, išsirikiavę į gyvą užtvarą. Visi jų veiksmai buvo užfiksuoti iš sraigtasparnio filmavimo kamera: tai, kaip jie sulaikė vaikėzus, besiruošiančius svesti benzino užtaisus, užgesino ugnį ir pagaliau mėgino sulaikyti prasidėjusį namo puolimą. Tačiau nė vienas jų nedrįso liudyti prieš kitus. Pernelyg bijojo kerštingų Rūgšties kvartalo taisyklių.

Vienintelė išimtis buvo Veslis Barberis.

Jį įvardijo visi kaip vienas.

DVIDEŠIMT TREČIAS SKYRIUS

2001 m. liepos 28 d., šeštadienis
Humberto g. 23-iojo viduje

KASKART, GRĮŽĘS Į VIRTUVĘ pripildyti kibiro ir dubenų, Džimis įtempdavo ausis. Vienąsyk pasigirdo prislopintas dunkstelėjimas, tarsi kas būtų trinktelėjęs galva į grindis, kitą kartą jam pasirodė, jog girdi balsus. Apačioje tikrai nieko nėra. Eidamas per svetainę jis atlapojo miegamojo duris ir apmetęs jį žvilgsniu įsitikino, kad jame nėra nė gyvos dvasios. Tačiau kambarys nebuvo tuščias.

Jis buvo grūste prigrūstas aparatūros. Tiesiog garso įrangos ir instrumentų lobis. Kompiuteriai. Sintezatoriai. Stiprintuvai. Klavišiniai. Gitaros. Būgnai. Netgi saksofonas. Džimiui tikrai buvo sunku atsispirti pagundai. Visa tikrutėlė įrašų studija. Viskas, ko reikia, kad galėtų pradėti normalų gyvenimą. Vos tai išvydęs jau žinojo, kaip pasielgs. Neleis, kad kas nors tai sulaužytų ar išneštų. Jam pačiam viso šito reikia.

Trečią kartą apžiūrėdamas svetainę jis patikrino spyną ir rado iš kitos durų pusės įkištą raktą. Akimirksniu užrakino duris ir įsimetė raktą į kišenę. Žinoma, tai nesulaikys tų kretinų iš gatvės, jeigu jie nuspręstų jas išlaužti, tačiau jis tai išgirs ir bematant pareikš savo teises.

Žinoma, vėliau jis gailėjosi užrakinęs duris, nes nepaliko vienintelės vietos tame klaikiame name, kurioje būtų buvę galima pasislėpti.

Tačiau po laiko kiekvienas protingas...

Dienai slenkant vakarop Sofi vis labiau drąsinosi. Ji mintyse sau kartojo, kad jeigu Franekas vėl bandys ją pulti, ji iškabins jam akis, smogs keliu į tarpkojį, kandžiosis, draskysis, žalos jį. Tikrai nepasiduos. Geriau jau kovoti iki galo, negu pasirodyti tik silpnute moterimi. Drąsios svajonės. Labiau tinkančios filmams, o ne gyvenimui. Jos drąsino, kol ji stovėjo ant kojų ir spaudė rankoje ginklą, bet neįgyvendinamos gulint ant nugaros partiestai ant grindų. Juk ji dabar tarsi drugelis, prismeigtas prie lentos ir negalintis išsilaisvinti. Senis laikė ją užgulęs visu savo kūno svoriu, delnais prispaudęs jai virš galvos rankas, mėsinga savo krūtine ir juodais tankiais gaurais užgulęs burną ir nosį, neleisdamas nė cyptelėti. Nuo jo trenkė įsisenėjusiu prakaitu, ir Sofi jautė, kaip gniaužia gerklę iš pasišlykštėjimo ir apmaudo. Ji išsigando, kad neuždustų. Negalėjo pasakyti, kas atėmė visas jėgas — baimė ar jo stiprumas. Tik aiškiai suvokė, kad jeigu nenori gauti dar vieno smūgio, turi ramiai gulėti ir jo neerzinti.

Senis nusijuokė savo belaisvei į ausį.

— Tu tokia pati, kaip visos, — piktdžiugiškai tėškė jis. — Geriau jau Franekas tave tvarko negu sudarko tavo mielą veidelį. Bet gal aš padarysiu ir tai, ir tai. Kaip tada pasijusi, mažoji panele? Šlykšti? Purvina? Bėgsi ir slėpsies, nes Franekas tave išgąsdins? Labai gerai. Tu negerbi vyro taip, kaip turėtum.

Pajuto, kaip jis mėgina suvesti jos rankas, kad galėtų abi suimti savo plaštaka. O kita ranka nuslydo žemyn prie kelnių ir ėmė grabinėti palei diržą. Tuo metu ji išgirdo kažką lipant laiptais. Nematė, ar tai Nikolas. Jis pasišalino, palikęs ją savo tėvo valioje? Gal mano, kad išėjęs iš kambario išvengs atsakomybės?

Akyse ėmė tvenktis pykčio ašaros. Iš visos širdies ėmė nekęsti sūnaus. Bailys. Dviveidis šliužas. Kodėl klausėsi jos, jeigu nė neketina užstoti? Kaip drįso ją apleisti? Kaip *drįso* leisti tėvui ją suterši?

Vėliau ji stebėsis ironišku poelgiu, kad pyktį nukreipė visai ne ten. Kartą susidūrusi su šiurkščiu pacientu, užuot davusi jam atkirtį, užsipuolė Bobą. Bobas ramiai palaukė, kol jos įniršis išsilies, ir su-

MINETTE WALTERS

murmėjo, kad jeigu ruošiasi visada lieti pyktį ant ko nors kito, tada verčiau tegu pradeda boksuotis.

— Visi puikiai jaučiame, kad saugiau užsipulti žmones, kurie neduos grąžos, — tarė jis, — bet taip labai greitai neteksi draugų. Turi išmokti susitvarkyti konfliktinėmis situacijomis, ir tuoj pat.

— Verčiau jau jų vengti.

— Na, taip, žinoma. Toks požiūris būdingas moterims. Baiminiesi apsikvailinti.

Galbūt iš atminties nesąmoningai iškilo šis pokalbis. O gal tiesiog grabaliojanti Franeko ranka pažadino iš stingulio ir grąžino ryžtą. Juk ji prisiekė sau, kad nepasiduos.

Tačiau juk tai besąlygiškas pasidavimas.

Sofi ėmė blaškyti galvą į šonus ir suklykė — čaižus veriantis garsas pasiekė Džimį apačioje, o Franekas paleido jos rankas ir smogė į veidą. Nuo smūgio į galvą Sofi tučtuojau nutilo.

— Užsičiaupk, kale, — suurzgė senis persikreipusiu iš pykčio veidu, kraujui srūvant iš jos nagais nudraskytų žaizdų galvoje. — Nori, kad Franekas tau padarytų kaip Milošo mamai?

Jis kirto jai į veidą kumščiu dar kelis kartus, tarsi ji būtų koks negyvas mėsos gabalas, kurį reikia išmušti, ir, sąmonei gęstant, Sofi šmėstelėjo mintis, kad Milošo mama buvo užmušta.

Džimis išgirdo klyksmą keldamas kibirą per palangę, jo krūtinė nuo bėgiojimo pirmyn ir atgal sunkiai kilnojosi.

— Atrodo, jau gana, Kolai, — sušniokštavo jis. — Dabar paliksiu tvarkytis tave vieną. Sulaikyk tuos šunsnukius prie įėjimo dar kokias penkias minutes. Kaip manai, galėsi tiek išsilaikyti?

Kolino veidas apsiniaukė.

— O ką tu darysi?

— Tau verčiau nežinoti, drauguži. Pasitikėk manim, gerai?

Pro berniuką jis pažvelgė į Melani, kuri vėl rikiavo savo bičiulius į gyvą užtvarą, krintant Veslio Barberio ir jo sėbrų įžeidinėjimų krušai. Kolinas užstojo jį nuo žmonių akių, tačiau jau pasklido kalbos, kad iškrypėlių namuose šmėžuoja juodaodis. Jiems stengiantis

sutramdyti ugnį, iš visų pusių pylėsi patyčios. *Ten tavo vyras, Mel?..*
Ką broliukas ten veikia su iškrypėliais?.. Kaip jis tau padarė juodu-
ką, jeigu laksto su vyrais?.. Gal tave pačią traukia psichai?..
— Laikyk tą avigalvį ir nepraleisk, — įniršęs tarė Džimis, — nes
nušuksiu jam galvą, jeigu pasipainios po ranka. Sugebėsi?
Koliną staiga apėmė baimė.
— O jei nepavyks?
— Užsirakinkite su Mel ir vaikais name. Kai tik galėsiu, at-
skubėsiu pas jus, — jis pliaukštelėjo jam per delną. — Tu šaunus
vyrukas, Kolai. Turi drąsos ir smegenų tiek, kiek tas juočkis niekada
neturės.

Sodas prie Humberto gatvės 21a

Senasis karys, stovėdamas šešėlyje po medžiu, išgirdo Sofi
klyksmą, tačiau iš savo kaimyno buvo nugirdęs tik miglotą paaiški-
nimą, kodėl Rūgšties kvartale kilo riaušės — į Humberto gatvę atkė-
lė pederastus, — todėl padarė išvadą, kad moteris klykia dėl juočkio..
Jis nemėgo homoseksualistų, kaip ir jo kaimynas, tačiau aišku kaip
dukart du, kad jiems moterų savo iškrypėliškiems poreikiams pa-
tenkinti nereikia.
Tačiau tie laukiniai — kitas reikalas. Jokia baltaodė nebus saugi
su tokiu nuo grandinės nutrūkusiu patinu. Senis perlipo tvorą ir,
slinkdamas virtuvės durų link, abiem rankomis suėmė mačetę. Dži-
mio išlaužtos durys sūpavosi ant vyrių, ir seniui kuo akivaizdžiausiai
paliudijo, nors jis tuo ir šiaip nė kiek neabejojo, kad stipruolis viduje.

Humberto g. 23

Nors ir kaip tvirtai sudėtas, Džimis tyliai kopė laiptais, prisi-
spaudęs nugara prie sienos ir stebėdamas, ar kas nejuda laiptų aikš-
telėje. Namas atrodė visiškai toks pat, kaip ir ponios Kartju, visos jo
durys buvo atlapotos, išskyrus galinio miegamojo. Prasmukęs pro

turėklus, jis stambiais savo pirštais suėmė rankeną, klausydamasis
įtemptomis ausimis.

Girdėjo vyro balsą, bet negalėjo suprasti, ką jis sako. Tai buvo
niūniavimas. Tylus ir švelnus, melodinga nesuprantama kalba. Džimis paspaudė rankeną ir užgulė duris, tačiau jos buvo užrakintos ir
nepajudėjo iš vietos. Patylomis ėmė keiktis. Ką daryti dabar? Išsiduoti, kad stovi už durų ir tuščiai švaistyti laiką paaiškinimams? O
gal pabandyti išlaužti ir šias duris?

Petys jau buvo sumuštas pirmųjų durų, o ankštoje laiptų aikštelėje nebuvo pakankamai vietos įsibėgėti, tačiau ausyse vis dar
skambėjo moters klyksmas, tad Džimis neturėjo kitos išeities, kaip
tik užklupti juos netikėtai. Tarsi paraginimas staiga iš kambario atsklido kažkoks triukšmas, į grindis sušiušeno batai, kažkoks baldas,
matyt, kliudantis praeiti, buvo nustumtas į šalį, moters balsas, tramdomas delno, vis kartojo: „Ne... Ne... Ne!..", o paskui pasigirdo kraują
stingdantys duslūs smūgiai kumščiu. Vėl niūniavimas.

Šventasis Dieve!

Džimis užsimojo koja ir, atsirėmęs į turėklus, nusitaikė tiesiai į
spyną. Po penkių spyrių vyriai išlūžo iš staktos, bet durys prasivėrė
vos per pirštą, nes į kažką rėmėsi. Vyrukas, visai uždusęs, palenkė
galvą, sekundėlę atsikvėpė, įrėmė petį į duris ir užgulė visu savo
šimto kilogramų svoriu, kad nustumtų ir duris, ir tai, kas jas laiko.

Humberto gatvėje 9

Geinorai labai palengvėjo, kai gavo žinią, kad visoje Humberto
gatvėje ėmė rastis naujų išėjimų. Nors ji tada dar nežinojo, kad per
„Draugystės liniją" sūnūs, dukterys, anūkės, anūkai ir draugai buvo
įkalbinėjami atverti praėjimus per sodus abiejose gatvės pusėse, ir
tai jau buvo tas geras, kas išėjo iš blogo. Paliudijimas, kad net ir
labiausiai susvetimėjusioje bendruomenėje žmonių ryšiai dar nėra
visiškai nutrūkę, teikiantis ateities vilčių.

Kadangi jokio paaiškinimo negavo, Geinora šį nuopelną priskyrė Džimiui.

— Sakiau, kad jis tikras vyras, — pareiškė ji Kenui Hiuitui, pasidalijusiam su ja gerąja naujiena. — Dabar turbūt jau galiu skubėti pas Mel ir Kolą? Taip dėl jų nerimauju. Mano telefono baterija jau beveik išsikrovė, ir manau, kad daugelis čia jau susivokė, ką reikia daryti. Čia dar niekada nebuvo tokios savitarpio pagalbos.

— Atrodo, žinome, kur Melani, — jis persakė tai, ką girdėjo perduodant iš sraigtasparnio. — Džimis tvirtino, kad šviesiaplaukė iš nupasakojimo labai primena Melani. Greta stovi ir vaikinas. Vilki *Saints* marškinėlius ir mėlynus džinsus. Gal tai Kolinas?

— O, dėkui Dievui, dėkui Dievui, — atsiduso moteris. Balsas iš susijaudinimo virpėjo. — Ar jiems nieko nenutiko?

— Kiek žinau, ne, — atsakė Kenas. — Pareigūnas, stebintis iš sraigtasparnio perduodamą vaizdą nuolat informuoja mus, ir, naujausiomis žiniomis, jie gesina ugnį 23-iajame, kad neišplistų. Jie tikri drąsuoliai, Geinora. Galite didžiuotis.

Moteris smagiai nusijuokė, tarsi akmuo būtų nusiritęs nuo širdies.

— Tai juk mano vaikai, brangūti. Žinoma, kad jais didžiuojuosi. Visada didžiavausi. O Džimio nematyti? Ar jis su jais?

Atsakymas atsklido ne iškart.

— Kol kas negalime pasakyti. Jo mobilusis išjungtas, todėl nėra kaip susisiekti.

— O kaip mažieji? Kur jie?

— Turite galvoje Melani vaikus?

— Taip, Rozą ir Beną. Atsivedė su savimi į demonstraciją.

— Nežinome. Šalia jos jų nematyti, todėl greičiausiai bus nuvedusi į savo namą. Ten gana pavojinga, Geinora.

Moterį vėl apėmė nerimas.

— Dieve mano! — Ji pažvelgė į kitą gatvės pusę, bet žmonės, vis dar besigrūdantys joje, užstojo vaizdą. — Kas ten dedasi? Minėjote gaisrą.

— Kažkokie vaikėzai mėgina padegti namą benzinu. Jūsų vaikai stovi priešais ir neleidžia to padaryti, — paaiškino jis. — Sakiau, kad jie tikri drąsuoliai, Geinora.

Stojo ilga tyla.

— Turėjau numanyti, kad tas niekšelis nejuokauja, — ji baigė pokalbį.

Humberto g. 23-iojo viduje

Grindys buvo išteptos krauju, ir dėmių matėsi net ant sienų. Išvydusiam kraują Džimiui pasidarė koktu, kaip ir Glibo daugiabutyje. Tvankiame kambaryje tvyrojo dvokas. Prakaito ir priplėkusių senienų. Akies krašteliu užmatė, kad kažkas susirietęs guli kampe, tačiau geriau įsižiūrėti nebuvo laiko, nes kitame kambario gale tiesiai prieš save išvydo vyrą ir moterį.

Per ilgai užtrukau, pagalvojo Džimis. Per ilgai gesinau gaisrą. Per lėtai įsiveržiau vidun.

Susmukusi moteris, tarsi kokio pilvakalbio lėlė, buvo prispausta — jos akys užmerktos, veidas kraupiai sutalžytas, kaklas ir krūtinė permirkę krauju. Džimis būtų palaikęs ją ir negyva, jeigu ne kruvini purslai, kylantys ant lūpų. Ji grūmėsi kaip tigrė. Senio veidas suraižytas ir apdraskytas tarsi erelio nagais.

— Nori, kad ją nugalabyčiau? — Franekas uždėjo ranką po nusvirusia Sofi galva, o kita suėmė viršugalvį. — Nusuksiu sprandą, jei bent krustelėsi. Paliksiu gyvą, jeigu sulaikysi savo sėbrus, kol atvyks policija.

Džimis stovėjo nejudėdamas. Norėjo ką nors atsakyti, bet ant liežuvio galo sukosi tik keiksmai ir gąsdinimai. Argi jis neįspėjo to sumauto daktaro? Aiškiai prisimena, kaip sakė. Koks, po velnių, skirtumas, ar jis vienas, ar čia būtų pasirodę šimtai. Susmirdęs psichas, kuris ją nužudys, jei ką padarysiu ne taip. Juk buvo sakyta. Jėzau! Net paskutinis avigalvis būtų numatęs, kad taip ir atsitiks.

— Supratai mane, negre? O gal smegenėlės per skystos? — piktai tėškė Franekas, sutrikdytas be garso žiopčiojančio vyro burnos ir visiškai bereikšmės veido išraiškos. — Nugalabysiu, jeigu artinsies.

Džimis pamatė, kaip pro primerktus vokus subolavo Sofi akių obuoliai. Žvilgtelėjo į susirietusią figūrą kampe.

— Supratau, — atsakė perdžiūvusiu balsu.

Franekas patenkintas linktelėjo.

— Elkis atsargiai, — paliepė. — Tada liks gyva.

Džimis, kaip darydavo ir Sofi, liežuviu suvilgė sau gomurį.

— Tu — lavonas, jeigu neisi su manimi, pone Holisai, — tarė jis.

Vyriškio akys piktdžiugiškai suspindo, tarsi grėsmė jį tik dar smarkiau jaudintų.

— Užmušiu merginą, jeigu mėginsi mane išsivesti.

— Ne, tu nesupratai. — Džimis pamėgino paaiškinti: — Aplink kvartalą išstatytos barikados, ir policija negali čia patekti. Kilo visuotinis maištas. Gatvėje kai kas pasiruošę jus sudeginti gyvus benzino užtaisais. Sutikau jus su sūnumi išvesti pro galines duris ir pristatyti policijai prie kvartalą juosiančios sienos. Turi pusę minutės apsispręsti.

Franekas visiškai sutriko.

— Manai, Franekas tuo patikės? Laikai Franeką kvailu?

Sofi vokai, grįžtant sąmonei, ėmė krutėti.

— Taip, — tėškė Džimis, nes jam pašėlusiai knietėjo nuo senio veido nupūsti tą šypsenėlę. — Dar nesu sutikęs nė vieno susmirdusio psicho, kuris turėtų nors kruopelę smegenų. Visi paskutiniai avigalviai. Daug proto reikia, kad išmuštum moteriai dantis? Bet kuris kretinas tai gali.

Franekas tvirčiau sugriebė Sofi kaklą, nes ji ėmė gaivelėtis.

— Mes liekam, — tarė jis. — Tu stovėsi prie durų. Saugosi mus.

Dabar buvo Džimio eilė išsišiepti.

— Jie jus iščirškins, pone Holisai. Ar neturi galvoj nė trupučio košės, kad tai suprastum? Niekas nepasikeis, jeigu aš čia stovėsiu, nes vienintelis kelias laukan bus pro langą, o apačioje jau lūkuriuoja vyrukai, paruošę peilius. Jie labai nemėgsta piderų, o be to, visiškai apkvaišę. Vos jus išvydę sukapos į gabalėlius.

Franekas nė nemirktelėjo, tačiau Džimis nesuprato, ar jis toks neišmušamas iš pusiausvyros dėl drąsos ar dėl nesupratingumo. Juk neįmanoma negirdėti šūksnių lauke pro praviras miegamojo duris. Džimio ausis tarp kitų pagavo Veslio Barberio balsą, ir tai buvo blogas ženklas, nes greičiausiai Veslis artinasi prie apačioje išdaužto lango.

Išvesk iš namo brolį, Mel, arba kartu sudegs ir jis...

— Ne tą keiki, negre. Gal sūnus nesveikas? Nepasidomėjai, gal jis tai išdarinėja? Ne, tu spjaudai ant tėvo ir sakai, kad jis kaltas, — senis įbedė žvilgsnį į Džimį. — Bet aš — Franekas — nieko nedoro nedarau ir tik aš — Franekas — stengiuosi iš paskutiniųjų išgelbėti jam gyvybę.

Šitas niekad savęs nekaltins... Džimis nukreipė akis į kūną kampe.

— Tai tavo sūnus? Negyvas?

— Smogiau jam kėde, kai lindo prie merginos. Dar neatsigaivelėjo.

— Gerai, galėsi tai papasakoti policijai, pone Holisai. Nė už ką nepatikėsiu, kad tavo rankos nesuteptos. Reikia būti paskutiniam šikniui, kad grasintum nusukti moteriai sprandą.

— Neturėjau kitos išeities. Jeigu nebūčiau grasinęs, nebūtum manęs nė klausęsis. Bet Franekas ne tas, kurį reikia išvesti. Milošas viską čia užvirė. Milošas blogai elgiasi, — senis, pastebėjęs, kaip pasikeitė Džimio išraiška tai išgirdus, prisimerkė. — Ko taip žiūri? — paklausė. — Ką ten rezgi?

— Man sakė, kad tavo pavardė Holisas.

— Na, ir ką?

— O iš tikrųjų esi, velniai rautų, Zelovskis, ar ne?

— O koks skirtumas, kokia pavardė?

Džimis sugniaužė kumščius. Dabar jam pasidarė aišku, kieno studija ten, apačioje.

— Ir dar kaip svarbu. Jėzau! Žinau tavo darbelius. Nenuostabu, kad sūnus vos pravėrus duris krūpteli. Mušei penkerių metų vaiką, šunsnuki.

— Tai melas.

— Nemalk šūdo! — piktai riktelėjo Džimis. — Susipažinau su tavo sūnumi cypėje. Susibičiuliavom. Milošas Zelovskis. Puikiausias muzikantas, koks tik gali būti, — vyrukas visiškai pratrūko pykčiu. — Jam sulaužė pirštus, nes suuodė, kad jis grabinėjasi, tačiau tik vienas smirdžius galėjo jį to išmokyti. Tu tikras kietuolis. Labai drąsus su moterimis ir vaikais, — jis nusispjovė ant grindų. — O prieš vyrus kinkos dreba.

Sofi nuo skardaus Džimio balso pramerkė akis. Jos veidas buvo atsuktas tiesiai į Džimį, tačiau buvo sunku pasakyti, ar ji suvokia, kur esanti, kadangi net nesujudėjo, ko gero, bijodama pavojaus. Džimiui pasirodė, kad ji, įtemptai žvelgdama, norėtų kažką pasakyti. Tačiau negalėjo suprasti ką. Franeko Džimio protrūkis nė trupučio nesujaudino.

— Bandai mane pulti, taip? Galvoji, Franekui lengvai užkalbėsi dantis, ir jis pamirš, kodėl laiko šį laibą baltą kaklelį?

— Jeigu jį sulaužysi, pats išmesiu tave pro langą. Senio akys sužibo keistu pasitenkinimu.

— O gal man tas pats. Gal aš vis tiek tai padarysiu. Galbūt sakau sau, „pažiūrėkime, ar negras bent sykį gali nemeluoti", — jis įdėmiai sekė Džimio išraišką. — Aha! — pergalingai šūktelėjo. — Noras kovoti truputį atvėso. Gal verčiau perduok kitiems, ką pasakys Franekas. Tegu tavo sėbrai lenda atgal į savo urvus. Perduok, kad jei Franekui nieko nenutiks, tai ir mergina liks sveika. Eik. Daryk, kaip sakau, — jis pirštu paglostė Sofi skruostą, — ir mažoji panelė gyvens. Dar pasigerinčyk, ir jai galas.

Sofi akys staiga išsiplėtė, ir šįkart Džimis suprato nebylų jų šauksmą. Nepalik manęs vienos. Ji labiau atsigavusi, nei vaizduoja, pamanė sau Džimis.

Jis jau buvo žvilgsniu išmatavęs, kad nespės įveikti atstumo tarp jų, kol Franekas pasuks savo rankas. Galėtų tikėtis, kad Sofi tuo metu išsiverš iš jo gniaužtų arba kad Franekui iš pirmo karto nepasiseks. Tačiau rizika pernelyg didelė. Kozirių nėra, nes reikia išgelbėti Sofi. Visi jie Franeko rankose.

— Jie manęs neklausys, — pasakė Džimis.

— Nesigerinčyk.

— Aš negras, o negrų Rūgšties kvartale nelabai pakenčia, — jis mostelėjo galva durų link. — Paklausyk pats! Šūkauja, kad sudegins ir mane, nes aš juodaodis.

Franeko akyse jau šmėstelėjo abejonės šešėlis. Neatrodė, kad jis suprastų paskirus žodžius, tačiau tai, ką tvirtino Džimis, atitiko jo paties požiūrį, todėl jis užkibo.

Džimis galva parodė į Sofi.

— Jie paklausys jos. Ji — jų gydytoja. Jei nuvestume ledi į kambarį prie gatvės, galėtų kreiptis į juos pro langą.

Tačiau Franekas užsispyręs papurtė galvą.
— Tada gausi progą mane užpulti. Eik. Daryk kaip sakau. O gal jie tavęs ims ir paklausys.

Ilgai tramdytas Džimio įniršis prasiveržė. Nėra nei laiko, nei jokio noro derėtis, be to, jis visiškai nebuvo nusiteikęs pulti paklusniai vykdyti šios šiukšlės paliepimų. Jis trinktelėjo kumščiu į spintą. — Paklausyk, šūdžiau, — užriaumojo. — Man jau pakaks. Verčiau jau patikėtum, kad esu vienintelis šioje susmirdusioje gatvėje, kuris neketina tavęs nudėti. Tėra vienintelis būdas išnešti sveiką savo susmirdusį kailį, tai yra eiti su manimi. Dabar einu prie Milošo, o tu paleisk ledi ir kelk savo storą užpakalį nuo grindų.

Galbūt Sofi kaip tik ir laukė tokio griežto ultimatumo, o gal tiesiog pajuto, kad vyro gniaužtai nuo kaklo šiek tiek atsileido, nes staiga trūktelėjusi išsilaisvino iš Franeko rankų ir keturpėsčia ėmė šliaužti Džimio link. Nors Džimis ne itin vikriai šoko į priekį, tačiau vis tiek buvo greitesnis už septyniasdešimt vienerių senį.

— Na, va, — Džimis apglėbė Sofi per liemenį ir pakėlęs pastatė sau už nugaros. Tada, įtraukęs į pečius galvą, pakėlė rankas ir pasirengė imtis. — Na, ką dabar pagiedosi, šūdo gabale? — kandžiai tarė Džimis. — Pabandysi laimę su negru?

— Netikėk juo, — iš už nugaros išgirdo švokščiantį Sofi balsą. — Jis beprotis. Greičiausiai nužudė savo žmoną. Gali užmušti ir tave.

Franekas sukikeno.

— Ji kliedi, — atsiliepė jis. — Visiškai kvaila mergiotė. Be perstojo kvaksi. Dabar tesėk savo pažadus. Išgelbėk Franeką, kaip sakei.

Džimis išsitiesė ir taikiai nuleido rankas.

— Aišku, viršininke, tačiau nesiruošiu palikti Milošo, — jis žengė žingsnį susirietusio savo bičiulio link ir išgirdo išgąstingą Sofi šūksnį, kai Franekas metėsi ant jo. Džimis seniui kumščiu smogė į smilkinį. — Kaip ir sakiau, — sumurmėjo Džimis, trindamas krumplius. — Dar neteko sutikti psicho, kuris turėtų nors kiek smegenų.

DVIDEŠIMT KETVIRTAS SKYRIUS

2001 m. liepos 28 d., šeštadienis
prie Humberto gatvės 23-iojo

MELANI NEGALĖJO SUPRASTI, kodėl Veslis su savo sėbrais
nė nemėgina prasiveržti. Juk galėtų lengvai prasimušti pro juos ir
akimirksniu įšoktų pro langą vidun. Tai keista, nesuprantama. Tarsi
būtų nujautę, jog teisybė Mel ir Kolo, o ne jų pusėje. Galvoje Melani
praskriejo *Žvaigždžių karų* epizodai, ir ji įsivaizdavo, kad ji — prin-
cesė Lėja, o Kolas — Lukas iš žvaigždžių. Brolis ir sesuo — Džedi
riteriai. O kariuomenė laukia jų įsakymo.

Melani pajuto, kaip Kolinas pakratė jai ranką.

— Kas tau? Alpsti? — išgąstingai paklausė.

— Ne, jaučiuosi kuo puikiausiai.

Melani niekada nesamprotaudavo apie gėrį ir blogį. Pailsėjęs
būni geras, o pavargęs — piktas. Galbūt juodaodė, stovinti greta, vis
kartojanti Vesliui, kad mama jam nudirs kailį, atgrasė jį nuo puoli-
mo? O gal sraigtasparnis, kabantis virš galvų? Galbūt sutrukdė ir jo
sėbrai, kurie juk yra ir Kolino bičiuliai? Veslis — visiškas pusgalvis,
kad ir kaip į jį žiūrėtum. Apdujęs nuo rūgšties. Besišvaistantis ap-
link su atlenktu peiliu rankoje. Užgauliotojas, grasinantis nurėšiąs
Džimiui kiaušius.

Na, ir kas? Ji nesulaukė iš Džimio nieko gero, jis tik nuolat kur
nors prikiša nagus ir sėda, palikdamas ją vieną vargti nešiojant jo
kūdikį. Net nepasivargino ateiti į demonstraciją... Dingo tada, kai
žūtbūt reikia pasirūpinti vaikučiais. Kur jis dabar? Pasak Kolo, *šva-
rina iškrypėlio namus. Galiniame kambaryje esąs tikras aparatūros
lobynas.* Sumautas šiknius. Jam visad labiau rūpi pinigai nei ji.

Kolinas vėl sugriebė jai už rankos.

— Jėzau, Mel. Tikrai gerai jauties? Svirduliuoji į šonus, sesute. Jos paraudusios iš nuovargio akys paplūdo ašaromis.

— Tikriausiai Džimis manęs nemyli, Kolai. Kur jis buvo dingęs visą tą laiką? Kodėl neatsiliepė, kai skambinau? Tau neatrodo, kad susirado kokią kitą?

— Aišku, kad ne. Tiesiog turi kai ką užbaigti.

— Ką tokio? Kas gali būti svarbiau už mane ir kūdikį?

— Tiesiog reikalai, — netvirtai atsakė Kolinas. Jį taip pat apniko abejonės. Negalėjo patikėti, kad Džimiui svarbiau aparatūra nei Mel ir jis. Juk jie šeima, o juk visa šeima turi laikytis drauge.

Humberto g. 23-iojo viduje

Džimis kaklaraiščiu iš spintos Franekui priekyje surišo rankas, paplekšnojo per žandus, kad atsigaivelėtų ir pakėlė ant kojų.

— Mes išeinam, — paaiškino jam. — Aš išsivedu Milošą. Gali pasilikti arba eiti kartu. Jeigu eini, darysi taip, kaip tau liepsiu. Jeigu neklausysi, atiduosiu jiems tave sudraskyti. Supratai?

— Atrišk man rankas.

— Ne. Tu — sumautas ligonis, negaliu tavimi pasitikėti, — Džimis atitempė Milošą į kambario vidurį ir pasilenkęs persimetė per petį suglebusį kūną. Kartu nenuleido akių nuo Franeko. — Rinkis. Sek iš paskos arba žūk. Aš nesigręžiosiu, kapstysies pats. Padarysi klaidą... Kas nors tave pastebės... Aš dingstu su Milošu ir Sofi. Supratai?

Franekas ėmė sunkiai šnopuoti.

— Man pavojinga būti surištomis rankomis.

— Žinau. Nemalonu, ar ne? — Džimis pasuko durų link ir ranka paragino Sofi pasiskubinti. — Tikriausiai prostitutės tau sakydavo tą patį, kai ruošdavaisi jas sutalžyti.

Senasis karys, išgirdęs greitus Sofi žingsnelius ir sunkų Džimio tapnojimą, nieko nelaukdamas spruko kuo toliau nuo laiptų.

Apačioje jis girdėjo balsus, tačiau per triukšmą iš gatvės negalėjo suprasti, kas kalbama. Jis buvo jau senas ir sunkiai gaudėsi, be to, kaip pats sau prisipažino, buvo labai išsigandęs. Nė neįsivaizdavo, kad žmonių Humberto gatvėje ištisa jūra ir visi tokie įtūžę.

Šiaip panašių susidūrimų, nors tokio masto nepasitaikė, kildavo ir anksčiau — dėl šiurkštaus policijos elgesio. Rūgšties kvartale visi smarkiai griežė dantį ant pareigūnų, manydami, kad taip šiurkščiai elgiamasi tik su jais. Keletą kartų įsiplieskus mūšiams policininkai guminėmis lazdomis išvanodavo kokį nors gaujos vadeivą, apkaltinę pasipriešinimu policijos pareigūnams suimant. Kaip ir daugelis kvartalo gyventojų, karys visada patikėdavo pareigūnų versija, tačiau šįkart jam pasirodė, jog turėjo atsitikti kažkas siaubingo, kad susirinko tokia gausybė įsiutusių žmonių.

Gailėjosi atsekęs paskui juodaodį į šiuos spąstus. Jį atvijo savigarba. Noras įrodyti, kad jį vis dar reikia gerbti. Dabar keikė save už kvailumą. Žmona mėgdavo kartoti, kad jis, vos apsivilkęs kareivio uniformą, visiškai prarado protą. „Tai, kad Borneo džiunglėse tampei šautuvą, — piktai tėkšdavo ji, — dar neduoda tau teisės visiems pamokslauti. Karai niekada nieko gero neduoda, vienintelė jų pasekmė — žūsta motinų vaikai." Tuo prasidėdavo visi kivirčai, nes jis negalėjo pakęsti, kad būtų menkinamas didžiausias jo gyvenimo laimėjimas.

Vyriškis karštligiškai apsidairė po koridorių, ieškodamas vietos užsiglausti, tačiau pasislėpti nebuvo kur. Iš baimės jam užėmė kvapą. Durys į miegamąjį užrakintos, o pabėgti į sodą nuo juodaodžio jau nespės. Jis bijojo Džimio ir jo bendrų, o ne tų storžievių lauke, kurie tikrai pažintų „niurzgalį seną krieną", kiekvieną šeštadienį auklėjantį juos, kad girtuokliauja ir kelia triukšmą prie jo namų. Prispaudęs mačetę prie krūtinės, senis įpuolė į svetainę ir pasislėpė už durų...

Humberto gatvės sodai

Geinora buvo įsitikinusi, kad tų, kurie nė neketina sprukti, į šalį nustumti nepavyks, todėl nutarė nesibrauti pro minią. Ji tiesiog per ponios Kartju namą išbėgo į sodą ir nuskubėjo tuo pačiu keliu palei galinius namų kiemus, kaip ir Džimis, nes žinojo, kad išilgai gatvės sudarytas ne vienas išėjimas, tad tikėjosi aplenkusi spūstį kaip nors pasiekti savo vaikus.

Už namų buvo klaikiai tylu. Ji manė, kad sodai bus pilni išsigandusių žmonių, ir negalėjo suprasti, kodėl jų čia nėra. Moteris sulėtino žingsnį. Sraigtasparnio menčių gausmas virš galvos priminė, kad viską stebi policija. *Ar ji gerai elgiasi?..*

Vadovybės štabas. Vaizdas iš policijos sraigtasparnio

Per vaizdo kamerą, laukiant iš 23-iojo pasirodančio Džimio, buvo matyti sodas su karstyklėmis ir į viršų žvelgiantis Geinoros veidas. Keno Hiuito nurodymu gatvės pusėje, apstatytoje namais su nelyginiais numeriais, išėjimai buvo uždaryti, kol jis gavo pranešimą, kad Sofi su Zelovskiais apleido namą. Tarp stebinčiųjų vaizdą, išniru trims figūroms, o galingam juodaodžiui ant peties nešant ir ketvirtąją, nuvilnijo palengvėjimo atodūsis.

Objektyvas nulydėjo juos iki Basindeilo gatvės, kur Džimis savo kaustytu batu išspyrė tvoras, o tada vėl atsigręžė Humberto gatvės link.

— O kur pradingo vyrukas skardiniu šalmu? — pasidomėjo kažkas.

Tačiau atsakyti niekas negalėjo.

Humberto gatvės sodai

Geinora buvo tolokai, bet Džimį pažino išsyk, vos tik jis išniro pro virtuvės duris. Moters greta veidas jai pasirodė matytas, tačiau jis buvo visas kruvinas, ir Geinora negalėjo geriau įsižiūrėti. Ji iškėlė ranką ir pamojavo, tačiau jie pasuko į kairę Basindeilo gatvės link, ir net nepažvelgė jos pusėn.

— DŽIMI!

Tačiau jis, kai tik koja išversdavo vieną tvorą, skubėdavo prie kitos, todėl moters šūksnio nė negirdėjo.

Geinora nieku gyvu nebūtų atspėjusi, kad yra pedofilų pabėgimo liudininkė. Prasidėjus toms riaušėms jie visai iškrito iš galvos. Moteris mintyse nepaliaudama kaltino save, kad padėjo sukelti riaušes. Ir dabar iš didelio susijaudinimo net nesusigaudė, kur yra Melani būstas, nes sodų pusėje lankėsi pirmąkart. Šitą reginį, remdamasi savo turimomis žiniomis, ji išsiaiškino savaip ir pamanė, kad tai galbūt nauji išėjimai, kurių padaryti Džimis ir buvo pasiųstas. Buvo akivaizdu, kad įvyko kokia nors nelaimė. Arba dar blogiau. *Dar vienas benzino užtaisas? Grūstis?* Kuo dar būtų galima paaiškinti Džimio skubą, kūną, persimestą per petį, kruviną moters veidą ir juos sekantį įkandin pagyvenusį vyrą, laikantį rankas priešais save, tarsi būtų sužeistas. Džimis gelbsti sužeistuosius.

Širdis ėmė tankiau plakti, staiga apėmus baimei dėl savo vaikų. Ji dairydamasi praėjo pro karstykles, tikėdamasi išvysti daugiau žmonių, bėgančių Džimio padarytu keliu, tačiau aplink buvo keistai tylu. Prisidengusi akis nuo saulės, Geinora vėl pažvelgė aukštyn į sraigtasparnį. Kas čia, *po velnių,* dedasi? Kur *visi* prapuolė?

Džimis nuleido Milošą ant žemės prie šešių pėdų aukščio tvoros, skiriančios galinio Baseto gatvės namo sodą nuo Basindeilo gatvės. Jis kirto Baseto sodus tikėdamasis, kad žmonių, plūstančių iš Humberto gatvės, čia bus mažiau, tačiau klyksmai ir šūkavimai dar sklido visai čia pat. Girdėjosi, kaip į asfaltą dunksi kojos, netgi galėjai užuosti cigarečių, kurias viską stebintieji iš tolėliau prisidegdavo, dūmus. Džimis pridėjęs pirštą prie lūpų davė ženklą Sofi ir Franekui laikytis tyliai ir pastebėjo, kad ir jų veidus kausto baimė. Franekui, kuris buvo toks pat išblyškęs, kaip ir jo sūnus, to nė nereikėjo sakyti. Jis susmuko prie tvoros ir užsidengė veidą rankomis, tarsi ši netvirta uždanga galėtų apsaugoti nuo kraujo ištroškusios minios. Sofi ir Džimis į jį visiškai nekreipė dėmesio.

Džimis atsiklaupė ant žemės greta Milošo ir prieš prabildamas kurį laiką godžiai visa krūtine traukė orą.

— Abejoju, ar pajėgsiu jį išnešti, — sušnabždėjo Sofi į ausį. — Sunkus kaip švinas. Gal negyvas?

Ji klūpodama šalia iš pradžių pirštais apčiuopė Milošo kaklą, o paskui pridėjusi ranką prie krūtinės, patikrino, ar kvėpuoja.

— Į nieką nereaguoja, — sušnibždėjo ji, nykščiu pakėlusi akies voką, — tačiau refleksai veikia — jis kvėpuoja ir pulsas stiprus. Tai — ne smegenų sutrenkimas, nes jau būtų atsigavęs; panašu, kad jis visiškai atsijungęs.

— Ką tai reiškia?

— Taip bėga nuo savo baimės, — sumurmėjo ji. — Susitraukia į savo kiautą. Jo tėvas ginasi dengdamasis veidą.

Sofi įkišo du pirštus Milošui į šnerves ir nagais žnybtelėjo nosies pertvarą. Akys virptelėjo, nervais pajutus skausmą, tačiau sąmonė negrįžo, priešingai nei policininkei, kai Eilina Hinkli šiai po nosimi pakišo amoniako.

— Deja, — atsiprašomai sušnabždėjo ji. — Kol kas galiu padaryti tik tiek, o jam reikia rimtesnės pagalbos. Net jeigu *galėčiau* jį atgaivinti, kurį laiką dar nepajėgtų paeiti.

Džimis mostelėjo galva tvoros link.

— Turime prasimušti į Basindeilą ir patraukti prie sienos. Vadinasi, reikės brautis pro priešpriešiais plūstančius žmones, o tai su tokia našta ant pečių ir pora klipatų iš paskos bus tikrai ne juokai. Nepykit, ledi, bet jūs atrodote kaip ištraukta iš kanalizacijos, — jis parodė galva į Franeką, — o ir jis ne ką geriau. Neįsivaizduoju, kaip mes praeisim. Tereikia vienam iš mūsų nugriūti, ir visiems bus riesta.

Sofi visa nutirpo iš baimės. Ji negalvojo, kad Franekui tame kambaryje Džimis sakė tiesą. Manė, kad tai tik dingstis išvilioti juos iš namo.

— Dieve mano, — suaimanavo ji, traukdamasi atatupsta nuo Milošo ir Džimio. — Aš nesugebėsiu. Tikrai, negaliu. Neturiu tiek drąsos.

— O daktaras sakė, kad turite.

— Koks daktaras?

— Haris... Iš klinikos... Ir tokia Dženė. Laiko jus tikra kovotoja, — jis sulaikė ją už rankos. — Jūs Sofi, taip? Mel daktarė. Ta, kuri sukūrė „Draugystės liniją". Ta, į kurios vestuves ruošiamės eiti. Po velnių, mergyt! Mel nesitraukia nė per žingsnį nuo namo, prižiūri, kad tie pusgalviai nesvaidytų Molotovo kokteilių. Tai ji kietesnė už jus, ką?

Sofi akys paplūdo ašaromis.

— Melani Paterson? Jūs — Džimis Džeimsas?

Jis linktelėjo.

— Daviau žodį, kad prieš sugrįždamas pas Mel ir vaikučius išvesiu jus ir šituos avigalvius. Tačiau turime nesustoti, o jūs privalote man padėti. Vienas negaliu to padaryti. Su ledi pašonėje atrodysime patikimiau.

Ji ėmė pavydėti Nikolui komos būklės. Kodėl ji tiesiog neišsitiesė paslika — nebūtų reikėję dėl nieko sukti galvos. Norėjo atsakyti: *Aš sužeista... Dar bėga kraujas... Išsigandusi...* Tačiau to nepasakė, tik žvilgtelėjo į Franeką.

— O ką darysi, jeigu jam pasidarys silpna? Dviejų nepaneši.

— Išsilaikys. Iš baimės leidžia į kelnes, kad tik neatsiliktų. Suplėšys į gabalus, jeigu nespės kartu.

— Jam astma. Gali nepajėgti.

— Tada jis lavonas, — abejingai atsakė Džimis.

Dieve mano! Galvoje vėl ėmė spiečiais suktis mintys. Viskas taip sudėtinga. Netgi Rūgšties gatvėje nepaliksi senio surištomis rankomis. Žmonės tuoj susidomės.

— Nepažįstate jo... Jis ims šaukti... Atkreips į save dėmesį... Privers grįžti, kad visi žūtume... Jį būtinai kas nors pažins.

— Pasitikėkite manimi, — atsakė Džimis nuduodamas drąsesnį, nei iš tikrųjų jautėsi. — Daugelis čia esančių net nenumano, dėl ko prasidėjo visa šita košė, ir net jei žinotų, nieku gyvu nepatikėtų, kad koks nors juodaodis ir mergina vaikštinėtų kartu su šiukšlėmis. Tiesiog atrodys, kad netyčia čia užstrigome. — Jo veide pražydo šypsena. — Tegu supranta, kad esate gydytoja... Pakiškite porą medicinos terminų... Nekelsim įtarimo. Jūsų kolega Haris mano, kad galite susitvarkyti bet kokiomis aplinkybėmis.

Sofi trumpam užsimerkė. Norėjosi šaukti. Haris — tikras idiotas. Be to, mintis, kad sumušta ir kruvina moteris, einanti gatve ir žarstanti medicinos terminus, atrodys patikimai, labai abejotina.

— Kur mes esame? — paklausė ji, žvalgydamasi aplink.

„Visai susisuko galvelė, kaip ir policininkei", — pamanė Džimis.

— Galinis Baseto gatvės namas, — atsakė, — sankryža su Basindeilo gatve.

— Kuris numeris?

— Nežinau.

Ji žvilgtelėjo į už jų esantį Humberto gatvės namą.

— Jeigu čia galas ties Basindeilo gatve, tada jo numeris turėtų būti mažesnis nei Melani.

— Taip. Jos namas — 23-ias, kitoje pusėje.

— Gerai, — Sofi mintyse pagal savo pacientų duomenis išdėstė gatvių planą. — Vadinasi, šitas yra 2-asis, — parodė į gretimą sodą, — tas — 4-asis, o už jo — 6-asis. Pažįstu moterį iš šeštojo.

— Kas mums iš to? Einame visai ne į tą pusę, ir gatvėje greičiausiai pusė Baseto gyventojų. Tikriausiai ji net neatsilieps... Tačiau, net jeigu ir įsileis, vis tiek turėsime grįžti atgal į Basindeilą. Tik ilgiau užtruksime.

Sofi papurtė galvą.

— Ji tik retkarčiais išeina į ligoninę, o šeštadieniais ten tikrai nesilanko. Galėsime ten prisiglausti, aš pasirūpinsiu Milošu, o jūs sugrįšite pas Melani ir vaikus, — jos veidas ištįso. — Jaučiuosi visai nusiplakusi, Džimi, visų mūsų nenunešite. Judam į 6-ąjį, o paskui grįšite pas Mel. *Gerai?*

Džimis galva mostelėjo į Franeką.

— O ką darysim su juo?

— Taip stipriai jį surišiu, kad nedrįs nė žvilgtelėti į mano pusę.

— Gerai.

Jis pasodino Milošą ir pasilenkęs užsivertė ant pečių.

— Kas tai jūsų pacientei? — pasidomėjo, sunkiai atsitiesdamas. — Kodėl ji neišeina iš namų?

— *Squamous cell carcinoma,* — glaustai atsakė Sofi. — Teko pašalinti beveik visą nosį. Vidury veido jai žioji skylė.

Po velnių...

Vadovybės štabas. Vaizdas iš policijos sraigtasparnio

Kamera vėl nukrypo į Džimio grupelę, kai juos stebintis pareigūnas pranešė, kad jie nuo Basindeilo gatvės pasuko atgal ir traukia Baseto sodų link. Štabe nustatė, kad įeita į 6 namą, ir pagal sąrašus jų savininkė — ponia Frenšam. Šie duomenys buvo perduoti Kenui Hiuitui į Naitingeilo sveikatos priežiūros centrą ir neilgai trukus buvo gautas patvirtinimas, kad Klara Frenšam yra Sofi Morison pacientė. Teisingai buvo spėjama, kad Sofi ketina ten prisiglausti, o po keleto minučių duryse pasirodęs vienas Džimis spėjimą tik patvirtino.

Iš to, kad jis patraukė tiesiai 23-iojo link, buvo aišku, kad skuba pagelbėti savo ledi.

Mėginant nustatyti, kas yra moteris, kuri stovėdama už namo keletą minučių negalėjo apsispręsti, o paskui staiga įėjo į vidų, buvo nutarta, jog, labiausiai tikėtina, kad tai — Geinora Paterson, nors abejonių liko, nes sveikatos priežiūros centras nurodė tik vieną požymį — Dženė Monro tvirtino, kad jos plaukai, kaip ir dukters, taip pat šviesūs. Bandymai susisiekti su ja mobiliuoju buvo bergždi, kaip ir su Džimiu, nes buvo išsikrovusi baterija.

Neaiškumų liko ir dėl Melani, nes Džimio tvirtinimas Hariui Bonfildui, kad aukšta šviesiaplaukė nėščia mergina panaši į „jo Mel", dar neįrodo, kad būtent ji stovi priešais namą. Visi Keno Hiuito ir Dženės Monro mėginimai paskambinti Melani buvo nesėkmingi. Iki tol buvęs nuolat įjungtas telefonas nebeatsakė, nes jį sutraiškė riaušių dalyvio koja, kai Kolinas išmetė jį puldamas padėti Melani. Kas yra vyras skardiniu šalmu, kodėl jis įžengė į 23 namą ir kodėl neišeina, policijai taip ir liko paslaptis.

Džimiui artinantis prie 23 namo užpakalinės dalies, į kameros lauką pateko vaizdas abipus šio namo. Buvo matyti, kaip staiga Džimis Džeimsas pasileidžia dar didesniais žingsniais per sodą ir įpuola pro galines duris, kaip žmonės siūbteli išdaužto lango link, ir kraują stingdantis reginys, kaip šviesiaplaukė, Vesliui Barberiui tvojus jai į suapvalėjusį pilvuką, pargriuvusi paskęsta minioje po trypiančiomis kojomis.

Vadovybės štabe choru išsiveržė išgąsčio šūksnis.

DVIDEŠIMT PENKTAS SKYRIUS

2001 m. liepos 28 d., šeštadienis
Automobilių stovėjimo aikštelė, „Hilton" viešbutis, Sautamptonas

TUŠČIAS TAUNSENDO BMW stovėjo „Hilton" automobilių stovėjimo aikštelės pakraštyje.

— Radai ką nors? — Taileris pasiteiravo apie automobilį besisukinėjančio pareigūno.

Vyras papurtė galvą.

— Bagažinėje švaru kaip operacinėje. Patologas gal ką nors ir užtiktų, tačiau ir tai vargiai.

— Švarut švarutėlė? Niekuo nekvepėjo?

— Nieko neįprasto. Būčiau užuodęs valiklį.

— Nei lagamino? Nei vaizdo kameros?

— Tik nešiojamasis kompiuteris.

— Įdomu, — Taileris prikišo galvą prie galinio stiklo. — O viduje?

— Odekolonas. Sakyčiau, prabangus. Nuo vyruko juo tiesiog trenkia, — pareigūnas susiraukė. — Jis tikrai save be galo puoselėja, sere. Sprendžiant iš vairuotojo pažymėjime nurodytų gimimo metų, jam keturiasdešimt penkeri... Tačiau neriasi iš kailio, kad atrodytų kaip trisdešimties. Tikras sukčius, mano nuomone, — policininko veide pasirodė mįslinga išraiška. — Jo lengvai neužspeisi į kampą...

Nė nemirktelėjo, kai prisiartinęs atidariau automobilio dureles.

— Neprieštaravo, kad apieškotum bagažinę?

— Nė kiek. Netgi pats ją atidarė.

— Nesidomėjo, ko ten ieškai?

— Ne.

— Įdomu, — vėl pakartojo Taileris.

Konferencijų salė, „Hilton" viešbutis

Sukčius jis ar ne, tačiau Taileris vos šį vyriškį išvydęs suprato, kodėl Lora jį įsimylėjo. Apibūdinimas „gražuolėlis" — jam kaip tik. Įdegęs švariai nuskustas veidas. Tvirtos rankos, platūs pečiai, trumpai kirpti plaukai. Raudonplaukis Taileris savo išvaizda labiau primena šv. Bernardą, o Taunsendas visas blizgėte blizga, kaip koks Barbės Kenas. („Todėl veikiausiai ir patiko aštuoniolikmetei, labiau panašiai į dvylikametę", — kandžiai pagalvojo Taileris.) Tačiau jis atrodo pernelyg dirbtinai, kad ilgai trauktų moterį. Akis ieškojo ko nors, kas paskatintų sustoti daugiau pasidomėti — juoko duobučių, būdo šakotumo, — ko nors, kas kirstųsi su meilės išbadėjusios moters puoselėjamu vyriško grožio įvaizdžiu.

Iš toliau jis atrodė tikrai įspūdingai. Tačiau kai Taileris prisiartino, jam paaiškėjo, kodėl „Bella Vista" administratoriui šio vyro santykiai su Frane sukėlė įtarimą. Matėsi, jog plaukai dažyti, greičiausiai dirbtinis buvo ir įdegis, o jo neramios blyškios akys be perstojo lakstė į šalis, nenustygdamos vietoje. Taileris pamėgino atsiriboti nuo išankstinių nuostatų ir pažvelgti į šį vyriškį nešališkai — išankstinės nuostatos labai greitai paveikia požiūrį į žmogų, — tačiau vis tiek jautė, kad viduje šiaušiasi. Galbūt kaltas tas odekolono tvaikas?

Prie durų budintys du sustingę konstebliai, abu susinėrę rankas, pasitraukė į šalis, leisdami Taileriui ir Batleriui įeiti. Viename stalo, stovinčio viduryje patalpos, gale gulėjo užrašai, stovėjo kavos skardinė, puodukai, keletas atitrauktų kėdžių. Taunsendas sėdėjo įsitaisęs kitame gale. Jis buvo pasiraitojęs rankoves, švarką užmetęs ant kėdės atkaltės, priešais nešiojamąjį kompiuterį, kurio ekrane matėsi plaukiančių debesų vaizdelis.

— Inspektorius Taileris ir seržantas Batleris... Tiriame Eimės Bidulf dingimą, — prisistatė Taileris. Jis atitraukė kėdę šalia vyriškio, atsisėdęs parietė kojas po savimi, o vieną alkūnę uždėjo ant stalo. — Dėkojame, kad sutikote su mumis pasikalbėti, sere.

— Man niekas nesakė, kad galiu rinktis.

Tas pats balsas, kalbėjęs mobiliuoju, tačiau šįkart Londono dialektas nebuvo toks ryškus kaip pirma. „Gal jis kilęs iš toliau ir nori tai nuslėpti?" — pagalvojo Taileris. Juk turi visus blizgučius, privalomus prasimušusiam vyrui: BMW, roleksą, Armanio kostiumą.

— Tokiais atvejais kaip šis visada būna keblumų, — dviprasmiškai pasakė Taileris. — Turime nedelsdami pasikalbėti su galinčiais kuo nors pagelbėti.

— Aš nieko prieš atsakyti į klausimus. Eimė — miela mergaitė. Padėsiu, jei tik galėsiu. Aš tik noriu paprašyti šių vyrų, — jis mostelėjo ranka į uniformuotus konsteblius, — kad leistų man apie tai pranešti kitiems mūsų susitikimo dalyviams. Juk tai ne areštas, inspektoriau?

— Jau paaiškinome už jus, sere, — mandagiai atsakė Taileris. — Jie mielai sutiko palaukti, kol mes baigsime. Visi pritaria, kad dėl vaiko gyvybės galima kiek ir lukterėti.

Taunsendo žvilgsnis trumpam įsmigo į inspektorių.

— Ką jiems pasakėte?

— Kad turite svarbios informacijos apie Eimę Bidulf ir kad esame priversti nedelsdami su jumis susitikti.

— Kokios svarbios informacijos?

— Apie tą laiką, kai ji kartu su savo mama gyveno pas jus. Kiek man žinoma, esate ją nufilmavęs į keletą juostų. Būtume dėkingi už jas, sere. Vaizdas mums labiau praverstų nei fotografija, kurią dabar skelbiame. Žmonėms vaiką bus lengviau atpažinti iš filmuotos juostos.

Vyriškis atrodė sumišęs.

— Jų jau neturiu. Prieš palikdama mane, Lora sudraskė jas ir išmėtė svetainėje ant grindų. Argi jums nesakė?

Taileris mažumėlę sutriko. Tokiais atvejais kaip šis visada tenka skubėti. Daugelis klausimų taip ir lieka nepateikti.

— Ne.

— Gaila, bet padėti negaliu.

Taileris linktelėjo.

— Iš kur žinote, kad Lora surado visas? Ar prisimenate, kiek jų iš viso buvo?

— Žinoma, prisimenu. Filmavau į tas pačias tris juostas. Eimę filmavau todėl, kad ji mėgo vaidinti ir norėjo pamatyti save per televizorių.

— Tada kam ją filmavote nuogą vonioje?

Taunsendas negarsiai nusijuokė.

— Gera akustika, o vietoj mikrofono laikė kempinę. Ji atliko „Vėl mergaitė". Puikiai dainavo. Ji — puiki dainininkė.

— O kur juostos, kuriose nufilmavote Lorą?

Taunsendas vėl nusijuokė, jam po akimis susimetė linksmos raukšlelės. Vyriškis buvo visiškai ramus. Netgi žaismingas.

— Nagi, inspektoriau. Jos nepadės jums surasti Eimės. Joje mergaitės nebuvo. Greičiausiai jums tai pasakė Lora. Atvirai šnekant, ten ne tokios juostos, kurias tiktų parodyti ir vaikams.

— Aš taip ir maniau. Iš to, ką papasakojo Lora, jos — erotiniams reikalams. Greičiausiai jas išsaugojote?

Jis atsakė nedvejodamas.

— Iš nutrūkusių draugysčių nieko nepasilieku, inspektoriau. Panaudojau jas dar kartą.

— Kam?

Jis kiek pasvarstė ir tarė:

— Greičiausiai pastatams, kuriuos statome Gildforde. Turėjome bėdų dėl medžiagų vagysčių, todėl statybų aikštelėje įtaisiau kamerą. Darbininkams tai, aišku, nepatiko, tačiau nebuvo kitos išeities, kai nenori būti apvagiamas.

Juodadarbiai, su kuriais Taileris buvo susitikęs, — šiurkštūs ir sugrubę vyrai, tačiau kalbėdamiesi žiūrėjo tiesiai į akis. Tai nereiškia, kad jie atviresni ir nuoširdesni už kitus, tiesiog tiesesni, ir inspektorius pagalvojo sau, įdomu, kokia jų nuomonė apie patį Taunsendą.

— Dėl juostų, kuriose nufilmuota Eimė, jūs neabejojate... Keista, tačiau dėl kitų juostų, kuriose Lora — nesate toks tikras.

— Su Lora esu nufilmavęs ir daugiau... Daugiausia dar prieš jai įsikeliant pas mane gyventi. Su Eime iš viso buvo tik trys. Jos nedomindavo seniau įrašytos juostos... Viskas turėdavo būti visiškai šviežia, antraip ji imdavo bodėtis, — jis nusisegė savo roleksą ir pasidėjo ant stalo priešais save, išduodamas nekantravimą kuo greičiau viską baigti, kaip prieš tai Martinas Rodžersonas. — Kaip jau sakiau, niekuo negaliu padėti, inspektoriau.

Taileris mintyse sau priminė, kad jo veikimo būdas yra įtikinėti moteris pozuoti nuogas prieš kamerą. Jis kuo puikiausiai žino, kaip atremti nepatogius klausimus. Balse ir toliau jautėsi susierzinimas, tačiau vyras tvardosi pavydėtinai.

Taileris palinko į priekį.

— Atrodo, labai nekantraujate, — sumurmėjo jis. — Dėl ko, sere? Mergaitei žūtbūt reikia pagalbos, o jūs tvirtinote, kad trokštate jai padėti.

Atsakymas buvo piktesnis, nei inspektorius galėjo tikėtis. Žvilgsnis tapo kietas it metalas.

— Kai kas verčiau užsidirba pats, užuot egzistavęs išlaikomas valstybės, — tėškė jis. — Trukdote pasitarimą. Suprantu, kad priežastys rimtos, ir jau sakiau, kad esu pasiruošęs atsakyti į klausimus, tačiau pageidaučiau, kad jūs nedelstumėt. Ką galite iš manęs sužinoti apie Eimę, ko nežino Lora su Martinu?

Taileris tarsi teisindamasis pakėlė ranką.

— Turime duomenų, kad maždaug prieš dvi savaites Eimė skambino kito sąskaita kažkam, vardu Emas. Gal numanote, kas tai galėtų būti, sere?

— Ne.

— Prašytume jus pasistengti ką nors prisiminti. Gal ji minėjo kokį nors draugą vardu Emas arba Ema gyvendama su jumis?

— Kiek atsimenu, ne. Ji tarškėdavo be perstojo, ir aš visąlaik nesiklausydavau. Jei kas ir žino, tai jos mama.

Taileris sunkiai atsiduso.

— Tai labai svarbu, pone Taunsendai.

Vyras pasirėmė smakrą ant sunertų rankų ir giliai įkvėpė.

— Suprantu, apgailestauju. Eimė atvyko kartu su mama. Maloniai su ja elgiausi, keletą sykių esame šnekėjęsi, nufilmavau ją dainuojančią ir šokančią ir, kadangi turiu iš ko, stengiausi ją aprūpinti. Lora turėjo savų komplikuotų sumetimų ir nepriimdavo pinigų iš vyro... Kalbėdavo, kad nori visiškai nuo jo atsiriboti, tačiau iš tikrųjų tai buvo tarsi smūgis Martinui į paakį. Galiu ir be tavęs išsiversti. Kažkas panašaus. Buvau jai tik laiptelis bėgančiai santuokos. Dėl to tarp mūsų kilo barnis, ir kitą vakarą ji su Eime jau išvyko. Nuo to laiko nė su viena nesimačiau ir nesikalbėjau.

— Tai, kad Lora suplėšė juostas ir išmėtė po kambarį, leidžia numanyti, kad buvo kažkas daugiau nei tai, ką iš jūsų išgirdome, sere.

Taunsendas pirštais kelissyk sau čiuptelėjo nosį ir dar kartą pažvelgė į inspektorių.

— Ko jums iš manęs reikia? Kad juodinčiau tą moterį? Dėl Dievo meilės, juk ji ką tik neteko vaiko.

— Mes girdėjome jos versiją. Būtų įdomu išgirsti jūsiškę.

Apklausiamasis užsidengė veidą delnais ir vėl juos atitraukė.

— Na, gerai, ji pavydėjo, — jis pakėlė akis. — Kažkokia nesąmonė. Santuokinis tėvas beveik visai nekreipė dėmesio į dukrą, ir Lora manė, kad bus gerai apsigyventi pas vyrą, kuris Eimei dėmesingesnis. Taip truko kokius keturis mėnesius. Gyvendama su Martinu Rodžersonu mergaitė visa priklausė Lorai, tai jai nepatiko, kad Eimė prisirišo prie manęs. Pabudo savininkiškumo jausmas, moteriškė ėmė piktintis net ir menkiausiu mano dėmesiu Eimei, ypač vaizdajuostėmis, ir puolė kaltinti, kad žaviuosi mergaite labiau nei ja. Taip tąsėmės dar du mėnesius — aš atsukdavau Eimei nugarą, kad nepykdyčiau mamos... Ir vargšelė dėl to tikrai labai nusiminė — kol vieną kartą pasakiau, kad užteks. Kitą dieną Lora išsikėlė.

Taileris linktelėjo.

— Ar tas pats nutiko ir su pirmosiomis dviem santuokomis? — pasiteiravo jis.

Klausimas išmušė vyrą iš pusiausvyros. Veide šmėkštelėjo sutrikimas.

— Ką, velniai rautų, mano vedybos turi bendro su Eime?

— Tiesiog įdomu. Abi taip pat truko neilgai.

Taunsendas pajudino kompiuterio pelę, kad ekrane vėl pasirodytų debesys.

— Nuklysdavau į šoną, — atsakė jis trumpai ir aiškiai. — Žmonoms, tai, suprantama, nepatiko. Tas pats būtų buvę ir su Lora, jeigu ji nebūtų išėjusi. Aš nesukurtas būti šeimos tėvu, ir tai paliudys daugelis tų moterų, kurias pažinojau.

— Ar ponas Rodžersonas tai žinojo?

— O ką tai turi bendro?

— Turiu pagrindo manyti, kad Lora su Eime buvo jums išnuomotos, kol galų gale jūsų aistra priblėso.

Vėl plieninis akių žvilgsnis.

— Tai kaltinimas.

Taileris patraukė pečiais ir sugrįžo prie telefono skambučio.

— Lora mano, kad Eimė kreipėsi į Edą, o ne į Emą, ir tvirtina, kad taip ji vadina jus, pone Taunsendai. Skamba panašiai, ir vaikai, nuklausę pokalbį, galėjo neteisingai išgirsti.

Taunsendas vėl papurtė galvą.

— Jau sakiau, kad nekalbėjau su Eime jai išvykus.

— Niekas to negali paliudyti, sere.

Vyras įsmeigė akis į Tailerį ir kelias sekundes visiškai ramiai žvelgė. Jo žvilgsnis nebuvo draugiškas, tačiau nebuvo ir slapukaujantis.

— Manote, kad esu prisidėjęs prie Eimės dingimo? — paklausė jis. — Ar ten sukate visais tais klausimais?

— Kas jus verčia manyti, kad telefono skambučiai prieš dvi savaites turi ką nors bendro su tuo, kas nutiko vakar, pone Taunsendai? Mes tik mėginame išsiaiškinti, kas dėjosi vaiko galvoje. Ji, be jokios abejonės, jautėsi nelaiminga, nes pokalbio metu verkė, ir skambino geram pažįstamui, nes pašnekovas sutiko apmokėti sąskaitą.

— Na, tikrai ne man. Žinoma, būčiau apmokėjęs skambutį, jeigu būtų mėginusi su manimi susisiekti — velniai rautų, mergaitės buvo gaila, — nes ji liko visai apleista. Abejojo, ar ją myli mama... Tėtis... Jokio ryšio su plačia savo gimine, nes niekas nepritarė santuokai. Dešimtmetei tai sunki našta, ar ne?

Tailerio galvoje ėmė suktis spiečiai minčių, ir reikėjo šiek tiek laiko apmąstyti. Puikiai žinojo, kad vyksta tikrų tikriausia žūklė, bet kol kas ničnieko neužkibo.

— Ar sutiktumėte tai patvirtinti leisdamas pasižiūrėti savo

telefono sąskaitas? — pasiteiravo jis. — Jeigu jose nėra tos apmokėjimo sumos, vadinasi, skambinta kažkam kitam, ir daugiau jūsų netrukdysime.

Taunsendas linktelėjo.

— Žinoma. Ko tik pageidaujate.

Ant lapelio jis brūkštelėjo tris telefono numerius.

— Tai mano sąskaitos. Namų. Darbo. Mobiliojo. Mielai leidžiu visas tris peržiūrėti.

Taileris pakėlė lapelį.

Garis Batleris sukruto savo kėdėje.

— Turite penkis skirtingus savo namų numerius, pone Taunsendai. Patikrinau vakar vakare ieškodamas, kaip su jumis susisiekti. Tikėjausi, prasimušime pro mobilųjį. Bergždžiai. Vienas fakso numeris, antras — modemo ir dar trys telefono linijos. Joms patikrinti reikia orderio.

Taunsendas žvilgtelėjo į jį.

— Mes, be jokių abejonių, prašysime kratos orderio, — nė kiek nesivaržydamas tęsė Garis. — Gal pageidaujate, kad aiškinant procedūrą dalyvautų advokatas?

— Neturite pagrindo kratos atlikti. Jau sakiau jums, kad nesikalbėjau su Eime po to, kai ji išvyko iš mano namų.

— Mergaitė, kurios išvaizda iš nupasakojimo panaši į Eimės, įsėdo į tokį patį kaip jūsų automobilį vakar apie pietus prie Portisfildo katalikų bažnyčios.

Jokio nerimo.

— Tai joks pagrindas, — tvirtai atrėmė Taunsendas. — Vakar nesilankiau Portisfilde.

Batleris žvilgtelėjo į Tailerį, ir šis galvos linktelėjimu davė ženklą tęsti.

— Ar galite tai įrodyti, sere?

— Žinoma, galiu. Per pietus buvau kitoje vietoje, — jis įkišo ranką į švarko kišenę, išsitraukė piniginę ir iš jos išsiėmė sąskaitą. — Valgiau Flito degalinėje pusryčius M3 kelyje.

Kurį laiką padvejojęs, kuriam popierėlį įteikti, ištiesė jį Taileriui. Taileris pasidėjo jį ant stalo ir išlygino.

— Ankstyvi priešpiečiai. Vienuolika keturiasdešimt trys.

— Nebuvau pusryčiavęs. Vykau į Gildfordą susitikti su darbų vykdytoju.

— Kada nuvykote?

— Kiek atsimenu, penkiolika po pirmos. Stivas Abletas. Adresas Dokų g. 12, Milbrukas. Rasite jo numerį telefonų knygoje. Kaip tik tai, ko ir reikia. Puikus alibi. Netgi Michaelis Šumacheris nesugebėtų nuvažiuoti iš Flito degalinės į Portisfildą, o paskui į Gildfordą per valandą ir penkiolika minučių.

— Ką užsisakėte, pone Taunsendai?

— Makaronų patiekalą ir kavos.

Teisingai, bet tai įsiminti nėra keblu.

— Makaronų patiekalas — 6,25, kava — 0,95 svaro.

Ant popierėlio buvo matyti blankios linijos, tarsi jis būtų buvęs suglamžytas, o paskui išlygintas. Taileris linktelėjo Batleriui, šis išsitraukė savo mobilųjį ir išėjo į koridorių paskambinti Stivui Abletui.

— Iš kur žinote, kad viskas vyko kaip tik tada, kai pusryčiavote? — paklausė jis Taunsendo. — Mes tik žinome, kad Eimė buvo dešimtą pastebėta išeinanti iš Loganų. Ar jums tai pranešė Martinas Rodžersonas?

Vyriškis papurtė galvą.

— Nežinojau, kad būtent tas laikas, išgirdau tik iš seržanto.

— Ar saugote visas savo sąskaitas?

— Visas, dėl kurių gali būti reiškiamos pretenzijas.

— Parodykit kitas.

Taunsendas apsimetė, kad naršo piniginę.

— Neseniai jas išmečiau. Su savimi neturiu nė vienos. Gal kelios liko automobilyje.

— Paprastai niekas vėliau nebereiškia pretenzijų dėl pietų, pone Taunsendai. Visi tai puikiai žinome. Kam laikyti tokią sąskaitą? Tikėjotės, kad reikės patvirtinti alibi?

— Tai naujausia sąskaita. Įsidedu jas visas čia, o vėliau peržiūriu.

— M3 važiavote į pietus ar į šiaurę?

— Pietus.

— Tada kam jums reikėjo važiuoti į Flito degalinę? Trumpiausias kelias į Gildfordą — per Kamberlį... Geros dešimt mylių prieš Flitą. Pakeliui daugybė degalinių, ir visose galima nusipirkti sumuštinį. — Norėjau šiek tiek atsipūsti, — buvo matyti sutrikimas. — Statybos Gildforde vyksta Alderšoto pusėje. Per Huką važiuoti ne ką ilgiau... O be to, ir maloniau.

Taileris į tai tik šyptelėjo ir dar kartą pažvelgė į suglamžymo paliktas linijas ant popieriaus skiautelės. Ši aiškiai buvo suglamžyta, o vėliau išlyginta. Inspektoriui toptelėjo į galvą, kad degalinių stovėjimo aikštelėse tokių šiukšlyčių pilna. Neatmestina galimybė, jog Taunsendas ten užsuko — grįždamas iš Gildfordo — tikėdamasis surasti tai, kas galėtų praversti. Šiaip jau beveik neįrodomas dalykas, nebent Flite įtaisyta stebėjimo kamera. Tačiau netgi ir tokiu atveju galimybė, kad Taunsendo automobilio numeriai matysis tarp tūkstančių automobilių, kasdien užsukančių į degalinę, menka.

— Gana įtikinama, — Taileris vėl palinko į priekį. — O kur nakvojote šiąnakt, pone Taunsendai? Tik ne namuose, nes iš Martino Rodžersono devintą vakaro sužinoję jūsų adresą, prie jūsų namo buvome atsiuntę automobilį. Tikėjomės, kad Eimė traukia pas jus.

— Buvau su drauge.

— Galėtumėte nurodyti jos pavardę?

Taunsendas papurtė galvą.

— Be jos sutikimo — ne. Ji ištekėjusi ir nenoriu be reikalo jos painioti. Pateikiau jums įrodymą, kurio prašėte, inspektoriau. Jeigu pageidaujate dar ko nors, kreipkitės į mano advokatą.

— Turite galvoje poną Rodžersoną?

— Žinoma.

— Įdomus bendravimas, sere. Kodėl jis vis dar atstovauja jums? Kiti vyrai juo dėti ant jūsų griežtų dantį, kad paveržėte iš jo žmoną.

Įtariamasis atsakė ne iš karto.

— Aš — geras klientas. Dažnai verslą tvarkydavau Martino patariamas. Kam jis turėtų kenkti sau, jeigu Lora vis tiek jį jau paliko?

Taileris sukikeno.

— Juk žmonės iš prigimties ne tokie kultūringi, ar ne? Ypač jei prasiveržia aistros.

Vyras patraukė pečiais.

— Martino aistra Lorai jau seniai užgesusi. Su ja ne pyragai, inspektoriau. Pernelyg jau nori sulipti su vyru, o tokiam Martinui reikia savos erdvės. Iš pradžių smagu. Pažeidžiamos moterys visada tokios — jos leidžia vyrui pasijusti galingam. Tačiau greitai, pasireiškus pavydui, ima varginti. Taileris pagalvojo apie savo iširusią santuoką. Išsiskyrimo priežastis buvo labai jau panaši.

— Tai kodėl jūs neatsisakėte jo paslaugų?

— Nesupratau klausimo.

— Atėmėte iš jo žmoną ir dukrą. Ar tai jums nekėlė nerimo?

— O kodėl turėjo kelti?

— Nenorėčiau, kad man advokatautų meilės reikalų varžovas.

Taunsendas tylėjo.

— Tačiau gal jis visai nėra jūsų varžovas? Galbūt su juo esate pernelyg glaudžiai susijęs, kad nutrauktumėt ryšius?

Taunsendas šyptelėjo.

— Gal ir taip.

— Tai kas jus sieja, sere? Koks tas verslas, kurį tvarkote pagal jo patarimus?

— Statybos.

— Turite galvoje „Etstone"?

— Taip.

— Hmmm, — Taileris metė į apklausiamąjį tiriamą žvilgsnį. — Tada kodėl Franė Gou man tvirtino, kad bendrovės reikalai prasti? Sakė, kad jus kažkas mulkina ir kad pasiuntat vos apie tai užsiminus.

Taunsendo akys vėl pradėjo lakstyti, tik nežinia, ar dėl to, kad išgirdo Franės Gou pavardę, ar dėl to, kad Taileris užsiminė apie jo bendrovės būklę.

— Jokia paslaptis, kad ieškome naujų investuotojų — tam skirtas ir šios dienos susitikimas. Turiu įtarimų, kad Stivas Abletas su savo žmonėmis nugraibo visą grietinėlę. Įspėjau jį, kad vos tik bendrovės reikalai pasitaisys, jie kuo tikriausiai susilauks teisminio persekiojimo ir bus atleisti.

Keistas atsakymas, pamanė Taileris. Įtarimų?.. Kuo tikriausiai?..
— Savo lagaminą ir kamerą palikote pas draugę, pone Taun-
sendai? Klausimas buvo toks netikėtas, kad vėl vyrą išmušė iš pusiau-
svyros. Dar vienas klausimas, kuriam nebuvo pasiruošęs. Taileris
matė, kaip jis negalėdamas apsispręsti svyruoja tarp „taip" ir „ne".
— Taip.
— Argi jos vyras nesusidomės, kieno jie?
— Jis išvykęs, — tarstelėjo Taunsendas.
— Tada tikriausiai šią naktį taip pat praleisite su ja. Jei ne, tai
bent jau jums tikrai prireiks dantų šepetėlio ir skustuvo. Ar sutinka-
te, kad kuris nors pareigūnas jus palydėtų? Mums tereikia patvirti-
nimo, kur praleidote praeitą naktį... Ir jeigu jos vyras išvykęs, nekils
jokių sunkumų.
Įtariamasis papurtė galvą, tačiau nepratarė nė žodžio.
— Gal norėtumėte pasitarti su advokatu?
Jis ir šįkart nieko neatsakė, taigi stojo tyla. Taileris svarstė, ko-
dėl tas vyras vengia išsikviesti Martiną Rodžersoną. Žino, kad jo čia
nėra? Įtaria, kad jam mobiliuoju skambino ne jis? O gal nenori, kad
Rodžersonas girdėtų jo atsakymus? Praėjus dar kokioms penkioms
minutėms pasirodė Batleris, ir sunku pasakyti, kuris iš dviejų vyrų
jį išvydęs lengviau atsikvėpė. Taileris pakankamai ilgai dirbo su
seržantu ir žinojo, kad šis jam duotų ženklą, jei tolesnė Taunsendo
apklausa būtų beprasmė.
— Ponas Abletas sako, kad susitikote maždaug pusę dvie-
jų, — pranešė Batleris abejingu balsu. Neskubėdamas jis atsisėdo į
savo vietą. — Jums žinutė nuo vado, — tarė Taileriui ir per stalą pastū-
mė sulankstytą popieriaus lapą. — Nori sulaukti atsakymo tuoj pat.
Taileris lapą išlankstė taip, kad Taunsendas negalėtų perskaity-
ti: *Jis meluoja. Reikia pasikalbėti kitur.*
— Atsiprašau, sere, — tarė jis Taunsendui kišdamasis popierių
į kišenę. — Grįšiu netrukus. Turiu prašyti jūsų dar šiek tiek palaukti.
Taunsendo žandikaulis piktai išsišovė.
— Jūs visai nesupratingas, inspektoriau. Aš čia iš paskutiniųjų
grumiuosi, kad išliktų mano bendrovė. Šis susitikimas gyvybiškai

svarbus. Jei bent vienas iš galimų investuotojų išeis, „Etstone" gali žlugti.

Taileris liko sėdėti.

— Todėl taip skubiai ir sugrįžote iš Maljorkos?

— Taip, — prakošė jis. — Paskambinęs Martinas pranešė, kad bankas atsisako skolinti pinigų. Todėl čia ir susirinkome. Pastarąsias dvidešimt keturias valandas neriuosi iš kailio, kad viskas nesugriūtų.

— Kodėl nepranešėte ponui Rodžersonui, kad grįžote?

— Nenorėjau įstumti jo į keblią padėtį. Įstatymai riboja akcijų pardavimą nemokumo atveju, ir jis tikriausiai būtų turėjęs elgtis pagal kreditorių interesus ir jau vakar būtų nutraukęs mūsų veiklą.

Taileris žvilgtelėjo į seržantą, ir šis vos pastebimai linktelėjo galvą durų link.

— Kodėl palikote Franę Gou?

Išblukusios akys suspindo pykčiu.

— Ji buvo girtutėlė. Nepastovėjo ant kojų, o ką jau kalbėti apie važiavimą į oro uostą.

— Mergina pateko į keblią padėtį. Išvykote neapmokėjęs sąskaitos.

— Taip jau viskas susiklostė. Kai paskambino Martinas, pamaniau, kad visos kreditinės gali būti užblokuotos. Liepiau jai tyliai išsprukti, sėsti į taksi ir oro uoste pasikeisti skrydžio laiką. Tai buvo viskas, ką galėjau padaryti. Jeigu buvo per daug girta, kad tai suprastų, — ne mano bėdos.

Taileris nė nemėgino slėpti, kad nelabai tuo tiki.

— Jeigu viskas taip blogai klojasi, ko jūs apskritai vykot į Maljorką? Kodėl nepasilikote čia ir nesiėmėte tvarkyti savo reikalų?

Ir į tai jis turėjo paruoštą atsakymą:

— Atrodė, kad jau buvau susitvarkęs. Tai jau buvo betrunką kelias savaites. Triūsdavau nuo ryto iki vakaro, kad tik reikalai neužstrigtų. Šios savaitės pabaigoje gavau vieno verslininko pažadą, kad pirmadienį ryte vos atsidarius bankams mums bus pervesta pusė milijono svarų. Laikiau, kad sutarėme tvirtai, ir pamaniau, kad trumpos atostogos būtų ne pro šalį. Ketvirtadienį paskambino Martinas ir pranešė, kad investuotojas atsisako pervesti pinigus, o bankas kredito neviršys. Kitą rytą vos prašvitus pirmu reisu grįžau atgal.

Taileris atsistojo ir galvos linktelėjimu davė ženklą Batleriui.

— Vis tiek prašysiu jūsų dar šiek tiek luktelėti, pone Taunsendai.

Šio žandikaulis atsikišo dar agresyviau.

— Kodėl?

— Manęs netenkina jūsų atsakymai.

Taunsendo nepasitenkinimas prasiveržė ir jis tvojo delnu per stalą.

— Turėsite palaukti, kol baigsis susitikimas, nes, velniai rautų, nesiruošiu visko prarasti dėl kažkokio sumauto kvaišelio, norinčio parodyti savo galią.

— Norite susisiekti su advokatu, sere?

— Taip, — drėbė jis, uždarė nešiojamąjį kompiuterį ir ėmė siekti švarko. — Noriu. Pasikalbėsiu su juo koridoriuje.

— Nesikelkite, sere. Jeigu mėginsite išeiti prieš mums su seržantu sugrįžtant, būsite sulaikytas papildomai apklausti ir greičiausiai pristatytas į artimiausią policijos nuovadą. O šie džentelmenai, — Taileris parodė ranka į uniformuotus konsteblius, — padės jums susirasti budintį advokatą.

— Nežaiskite su manimi, inspektoriau, — įtūžęs tėškė jis. — Reikalauju savo advokato.

— Apgailestauju, bet su ponu Rodžersonu susisiekti negalėsite, sere. Jis suimtas.

— Tikiuosi, kad neklystu, — Taileris kreipėsi į Garį Batlerį koridoriuje. Jis išsitraukė nosinę ir nusišluostė prakaitą. — Vienos spėlionės — statau oro pilis. Kol kas jis niekur nepaslydo. Ką sužinojai iš Stivo Ableto, kad sakai, jog meluoja?

Batleris dabar jau neatrodė toks įsitikinęs.

— Nieko ypatingo, — numykė jis, — ir, atvirai šnekant, Taunsendas į kai ką jau atsakė.

Taileris atsidusęs vėl susigrūdo nosinę į kišenę.

— Na gerai, klok, ką turi.

Seržantas ėmė skaityti savo užrašus:

— „Dėl stebėjimo kamerų statybose. Juostas tiekia kameras įtaisiusi bendrovė. Dėl verslo būklės"... — Jeigu tiesiai šviesiai — visiškas mėšlas. Prieš dvi savaites atleisti beveik visi darbininkai. Stivas Abletas su kitais trim vyrais įrengia pustuzinį jau paskubomis parduotų namų, kad būtų galima juos perduoti gyventojams. Nebaigti įrengti butai ir kitos patalpos jau pateiktos aukcionui. Jo manymu, tam šis susirinkimas ir skirtas, nors kontoros tarnautojai pranešė, kad jis įvyks kitą šeštadienį. — Batleris parodė galva posėdžių salės link. — „Dėl Taunsendo vakarykščio apsilankymo statybose. Kiek buvo žinoma Abletui, Taunsendas iki kitos savaitės pabaigos turėjo likti Maljorkoje."

Jis pervertė puslapį.

— „Taunsendas tarsi iš dangaus nukrito maždaug 13.30. Abletas ką tik buvo grįžęs iš būstinės Sautamptone, kur jam pranešė, kad užmokesčio nebus, o kontora nuo pirmadienio užsidarys. Jis atšaukė kitus tris žmones iš darbų ir grįžo į Portisfildą tvarkyti savo asmeninių reikalų prieš veiklos pabaigą."

Skaitydamas seržantas vedžiojo pirštu eilutes.

— „Po penkių minučių išdygo Taunsendas. Užsipuolė. Išvadino Abletą vagimi... Tvirtino, kad dėl jo kaltės žlunga statybos. Abletas davė grąžos, bet vos susilaikė nepaleidęs į darbą kumščių. Verslas stringa todėl, kad iš jo pasitraukė bankas, o tada tiekėjai nustojo tiekę medžiagas kreditan."

Batleris pakėlė akis nuo užrašų.

— Abletas buvo labai šnekus. Stebiuosi, kad jo balso nesigirdėjo apklausų kambaryje, šefe. Pasak jo, bankui kilo abejonių dėl to, kad Taunsendas pernelyg brangiai įsigijo sklypą, o dabar mėgina suversti kaltę darbininkams.

Taileris vėl išsitraukė nosinę ir nusišluostė išrasojusią kaktą.

— Beveik tas pats, ką papasakojo pats Taunsendas, išskyrus reikalą su banku. Tai rodo, kad jis nevykęs verslininkas.

Batleris vėl įniko į savo užrašus:

— „Abletas tvirtino, kad Taunsendo kaltinimai iš piršto laužti. Darbų pradžioje pastebėta keletas smulkių vagysčių, tačiau Abletui įtaisius stebėjimo kameras viskas susitvarkė. Atleido du darbininkus ir nuo tada dėl to neturi jokių rūpesčių. Jo manymu, Taunsendui tiesiog reikėjo su kuo nors susipliekti — su pirmu pasitaikiusiu, — nes siunta, kad verslas gali žlugti. Ant Ableto išsilieti buvo patogiausia, nes nuo pačio ryto apie kontorą besisukiojantys kreditoriai grasino gerai įkrėsti Taunsendui, kai tik jį suras."

— Hm, — Taileris suraukęs kaktą žvelgė išilgai koridoriaus kažką mąstydamas. — Gal jis žino, ko Taunsendas vyko į Maljorką? Man niekaip neišeina iš galvos, Gari. Ko ten vykti? Neįsitikinus, kad pusė milijono jau pervesta bankui?

— Aš neklausiau, tačiau jis pats atskleidė kai kurias detales, įsileidęs į tą vagystės istoriją, — Batleris pirštą nuvedė kiek žemiau. — Taunsendas griebiasi visų įmanomų būdų, kad tik išvengtų pridėtinės vertės ir kitų mokesčių. Be to, atlyginimai vėluoja, samdomi pirmi pasitaikę žmonės. Daugelis darbininkų — Vinčesterio kalėjimo senbuviai ir visi jį dabar medžioja, nes bendrovė vos kvėpuoja, o jie nori gauti uždirbtus pinigus, kol ji dar nežlugo. — Jis pakėlė akis. — Galbūt nusprendė pasislėpti, kol sulauks papildomų lėšų?

Taileris nepritariamai suraukė kaktą.

— Pasak Ableto, šis susitikimas vyksta savaite anksčiau. Ar nesužinojai priežasties?

— Nes bankas atsisakė skolinti pinigų atlyginimams išmokėti.

— Kaip Taunsendas sužinojo, kad susitikimas paankstintas? Juk turėjo lėktuvo bilietus kitam šeštadieniui.

— Greičiausiai jam pranešė Martinas Rodžersonas.

— Hmm. — Taileris ilgokai patylėjo. — Telefonu Taunsendas minėjo kitokią pavardę. Sakė, kad iš Džono Finčo sužinojęs, kas čia dedasi.

Batleris pervertė užrašų knygelės puslapį.

— Džonas Finčas dalyvauja šiame susitikime. Įrašytas kaip akcininkas. Gal patikrinti, ar dar neatvyko?

— Kol kas nereikia, — Taileris cakterėjo liežuviu. — Taunsendas sakosi šią naktį praleidęs su drauguže. Tvirtina, kad vaizdo kamerą ir lagaminą palikęs pas ją. Kam jam taip daryti? Kodėl tiesiog nepalikus bagažinėje?

Seržantas pabarbeno krumpliais į dantis.

— Gal tikėjosi vis tiek kada nors būti apklausiamas? — spėjo jis. — Tik paskutinis kvailys vežiotųsi su savimi juostas, kuriose nufilmuota į Eimę Bidulf panaši Franė Gou. Lagamine greičiausiai turi prisidėjęs visokiausių daikčiukų... Perukų... Mergaitiškų suknelių... Ir panašiai.

— Jo nesutrikdė klausimai apie Franę Gou, nes greičiausiai numanė, kad jau kalbėjomės su ja... Žinom, kokius dalykėlius jis filmuoja. Įdomu, kaip jį pasiekė žinia apie Eimę? Jeigu per radiją ar televiziją, negalėjo išgirsti anksčiau nei vakar devintą dešimtą vakaro. Tai kaip galėjo iš anksto pasirūpinti pietų meto alibi?

— Kažkas jį įspėjo. Rodžersonas mobiliuoju?

— Sakėsi mėginęs, bet nepavykę susisiekti.

— Jeigu sako teisybę.

— Greičiausiai. Kai paklausiau Taunsendo, kur jis yra, atsakė, kad Anglijoje. Taip neatsakytų, jeigu Rodžersonas jau būtų žinojęs, kad jis grįžo.

Seržantas patraukė pečiais.

— Tada per radiją. Koks skirtumas?

— Per radiją tik dešimtą pirmąkart pranešė, kad dingo mergaitė. Ir šis vyrukas turi alibi nuo pusės dvyliktos iki pusės dviejų. Puikiai žinojo, kad kaip tik šis laikas lemiamas, — Taileris susimąstė. — Paskui, užuot grįžęs namo ir ruošęsis šios dienos susitikimui, jis lekia pas kažkokią paslaptingą draugę ir palieka ten savo lagaminą. Kodėl neparvažiavo į namus ir ten jo nepasidėjo?

— Gal ir pasidėjo. Mūsų žmonės ten pradėjo budėti nuo devintos.

— Tada kodėl to iš karto ir nepasakius? — Taileris nelaukė atsakymo, nes tarsi svarstė balsu. — Ar Abletui jis nurodė priežastį, dėl kurios taip staiga pas jį pasirodė?

— Ne. Taunsendas tiesiog įgriuvo vidun žerdamas kaltinimus vagystėmis.

— Hm. Iškėlė sceną. — Vėl ilgokas susimąstymas. — Ar jis ką nors išsivežė? Dokumentus? Brėžinius? Juostas?

— Neklausiau. Gal jam dar sykį paskambinti?

Taileris linktelėjo.

— Dėl viso pikto. Nenoriu apsikvailinti, jeigu paaiškės, kad jis ištuštino kartoteką. Taip pat pasiteirauk apie Taunsendo automobilį. Ar pastebėjo jį? Ar viduje buvo lagaminas? Inspektorius luktelėjo, kol Batleris surinks numerį ir, pateikęs pirmąjį klausimą, kelias minutes klausysis atsakymo. Paskui, kad pašnekovas negirdėtų, ką pats kalbės, Batleris prispaudė ragelį prie švarko.

— Sako, kad surenkamajame namelyje beveik nieko nėra. Planai ir kartotekos perkelti į buveinę Sautamptone prieš savaitę, kad būtų po ranka. Mano, kad Taunsendas pasirodė tik tam, kad galėtų ant ko nors išsilieti. Sako, kad apvertė stalą ir sudaužė darbininkų puodelius. Paskui Abletas išėjo.

— Paklausk apie automobilį.

Batleris vėl kiek pasiklausė.

— Stovėjo prie surenkamojo namelio. Ant galinės sėdynės pastebėjo keletą kelioninių krepšių.

Taileris suraukė kaktą.

— Kokių kelioninių krepšių?

— Vienas juodas, kitas rudas.

— Franė Gou sakė, kad jis turėjo tik vieną, juodąjį. Ar daug vietos jie užėmė ant užpakalinės sėdynės?

— Beveik visą sėdynę.

— Tai kas buvo bagažinėje? Ne, Ableto to neklausk... Pasiteirauk, ar Taunsendas Abletui matant nebuvo jos atidaręs. — Kai Batleris papurtė galvą, Taileris kietai suspaudęs lūpas įtemptai galvojo. — Gal Taunsendas minėjo, kur žada paskui vykti?

Šį kartą atsakymas buvo ilgesnis ir karštesnis — net ten, kur stovėjo, Taileris girdėjo įtūžį vyro balse. Batleris prispaudė mobilųjį prie švarko.

— Vis dar niršta nuo to kivirčo. Abu svaidėsi įžeidinėjimais ir vadino vienas kitą vagimis. Abletas sako, kad juo galima pasitikėti tiek pat, kiek barškuole. Niekada nežinai, ar nepučia miglos į akis. Dėl išvykimo... Na, pasak Ableto, ne į Sautamptoną, nes Taunsendas tik nusijuokė išgirdęs, kad prie būstinės lūkuriuoja kreditoriai, pasiruošę nudirti jam kailį. Taunsendas sakėsi nesąs toks kvailas. Jis neketinąs pasirodyti Sautamptone anksčiau nei rytoj... Tai yra šiandien. Abletas spėjo, kad jis turi galvoje šį susirinkimą.

Staiga seržantas suraukė kaktą, tarsi staiga būtų supratęs kažką svarbaus.

Jis vėl prašneko į ragelį:

— Kas vadovauja? Kas paankstino susirinkimą bankui pasitraukus iš žaidimo? — Jo veide sušvito nuostaba. — Ponas *Rodžersonas*? Advokatas? — Įsmeigęs akis į inspektorių, kartojo, ką girdi: — Kontora uždaryta jo nurodymu... Darbuotojams šiandien pažadėta išmokėti algas.

Po ilgokos pauzės Batleris vėl uždengė ragelį.

— Rodžersonas — pagrindinis šio verslo dalininkas. Su jo pinigais Taunsendas prieš dešimtmetį ir iškilo. Bendrovei turėjo būti skelbiamas bankrotas dar prieš dvi savaites, tačiau jis panaudojo visus turimus ryšius, kad tik ji išsilaikytų. Dabar darbuotojai išsigandę, nes dingus Eimei Rodžersonas apleido tuos reikalus... O tik jis vienintelis gali išgelbėti jų darbo vietas...

DVIDEŠIMT ŠEŠTAS SKYRIUS

2001 m. liepos 28 d., šeštadienis
Baseto gatvės 6-ojo viduje

„FRANEKO GAJUMAS tiesiog kelia nuostabą", — pagalvojo Sofi, pamačiusi, kaip jis, sukaupęs visas jėgas, sėdasi. Jo rankos ir kojos buvo surištos Klaros Frenšam pėdkelnėmis, vis dėlto jam užteko jėgų atplėšti nuo grindų liemenį. Kai Klara atidarė duris, senis griūte įgriuvo per slenkstį. Jo veidas buvo išpiltas prakaito, o pats žiopčiodamas sunkiai gaudė orą — pirma natūrali moters reakcija buvo ištiesti jam ranką, kad jis galėtų atsiremti. Jau ruošėsi ištarti „vargšelis", kai Sofi staigiu judesiu ją sulaikė.

— Laikykis nuo jo atokiau, — įspėjo ji.

Moteris krūptelėjo.

— Bet jam sunku. Uždus jeigu neprakvėp...

— Daryk kaip sakau, Klara, — iškošė ji pro vis dar kraujuojančias lūpas. — *Tiesiog nesiartink prie jo!*

Prieš išeidamas Džimis smogė Franekui keliu į tarpkojį, kad šis pakankamai ilgai nepajėgtų nė krustelėti ir kad Sofi spėtų gerai jį surišti.

— Geriausia nailonu, — tarė jis. — Kuo įnirtingiau tampysis, kad išsilaisvintų, tuo mazgai tvirčiau susiverš.

Sofi kaip įmanydama stengėsi atgaivinti Nikolą, tačiau naudos nebuvo — tas pats, kas gaivinti numirėlį. O, kad čia būtų Bobas. Jis žinotų, ko griebtis, kad šitas žmogus išdrįstų pramerkti akis. „Tikriausiai gavo čia", — pagalvojo ji, pirštais čiuopdama pakaušį. Užčiuopė gumbą, kurį Franekas padarė, kai trenkė jam kėde, bet daugiau sužeidimų nebuvo. Galbūt jo pasąmonę siekia triukšmas iš Baseto gatvės, įspėjantis, kad vis dar gresia pavojus.

Prieškambaryje dukart suskambo telefonas, tačiau Klara Frenšam atrodė pernelyg sukrėsta, kad atsilieptų. Nors įkopusi į ketvirtą dešimtį, bet visada būdavo baugšti, o kraupūs operacijų pėdsakai sunaikino paskutinius pasitikėjimo likučius. Ji susirietusi kiūtojo fotelyje, laikydama ranką ant plastikinio protezo, dengiančio sužalotą nosį, ir spoksojo paeiliui tai į Sofi, tai į Franeką, nedrįsdama pasiteirauti, kodėl jų veidai tokie sužaloti ir kruvini. Sofi dar pamėgino pažadinti moterį iš stingulio, tačiau nieko nepešė, tad atsidususi ėmėsi toliau gaivinti Nikolą. Nenorėjo pati atsiliepti į skambutį, nes bijojo, kad Franekas, likęs vienas su Klara, gali nežinia ko prišnekėti ar griebtis.

— Nagi, Nikolai, — šūktelėjo ji, plekšnodama jam per skruostus, — viskas gerai. Mes išsikrapštėm iš namo ir esam kartu. Gali atsimerkti.

— Gal paskambinti policijai... Paprašyti pagalbos? — paklausė Franekas.

— Niekas nepadės... — nukirto ji. — Suksimės patys.

— Tada paskambink kitam daktarui. Išsiaiškink, ką daryti. Žinau, kaip būna Milošui. Gali ilgai toks gulėti, jeigu tėtis jo neapkabins ir nepakalbins.

— Užkišiu tau burną kojine, jeigu neužsičiaupsi, — įspėjo Sofi. — Labiau nei ko kito jis bijo tavęs.

Senis kreipėsi į Klarą švelniu maldaujamu balsu.

— *Jūs* paskambinkite, ledi. *Pasikalbėkite* su policija. Pasakykit jiems, kad šita daktarė nieko nesugeba. Perduokit, kad kėsinasi numarinti Franeką. Jūs liudininkė. Girdėjote, ką atsakė, kai norėjote pagelbėti. Pasakykite jiems, kad negras mušė Franeką. Perduokit, kad Franekas vos prakvėpuoja, nes yra surištas, o Milošas iš išgąsčio neatgauna sąmonės. Tegu priverčia Sofi atrišti Franeką, kad galėtų pagelbėti savo sūnui.

Moteris sujudėjo, tarsi lipšnus balsas lyrišku lenkišku akcentu būtų ją tiesiog užbūręs.

— Gal reikėtų, Sofi? — sumurmėjo ji prašomai pro ranka pridengtą burną. — Policija žinos, ką daryti, ar ne? Turiu galvoje... Na... *Neteisinga* žmones surišti... O tas juodaodis tikrai jam smogė.

Sofi atsitiesusi kimiai susijuokė.

— Tu tikrai fantastiškas, — nenoromis pripažino ji. — Nori viską apversti aukštyn kojom? Kad Klara liudytų mano ir Džimio nenaudai ir pakenktų bylai prieš tave?

Senio akyse taip pat šmėstelėjo pasigėrėjimas — džiugios ugnelės, — o galbūt jis tiesiog mėgavosi taip ją sužalojęs.

— Dėl ko tu man kelsi bylą? — Jis pakėlė smakrą, kad atsuktų savo žaizdas. — Tu pati pirmoji mane užpuolei stiklo šuke. Franekas tik suvargęs senas žmogus. Tu — jauna moteris pačiame jėgų žydėjime. Žinoma, Franekui neliko nieko kito, kaip gintis. Milošas tai matė. Policijai papasakos, kaip viskas buvo iš tikrųjų.

Ji spėliojo, ar tokiomis groteskiškomis melų pynėmis kas nors patikėtų.

— Dėl jo visiškai neabejoji, — tarė ji, paėmusi sūnaus riešą ir tikrindama pulsą. — Ar anksčiau dėl tavęs jis meluodavo?

— Sakau gryniausią tiesą, kaip buvo — atsakė jis. — Šita ledi bus mano liudininkė. Girdėjo, kaip jūs kalbėjotės... Matė, ką padarė negras.

Sofi žvilgtelėjo į Klarą. Ji nenorėjo išgąsdinti moters ir pasakyti, kas tokie Zelovskiai, tačiau taip pat nenorėjo, kad Franekas toliau sau nekliudomas skleistų melą.

— Ar tavo telefonas nešiojamas, Klara? — Moteris linktelėjo. — Tai gal atnešk jį čia? Pritariu tau. Policija turi žinoti, kas dedasi, ir aš noriu su jais pasikalbėti, bet negaliu palikti savo paciento be priežiūros.

Franekas pritariamai linktelėjo.

— Gerai. Visi kalbėsim. Tada policija išgirs visą tiesą.

Abu akimis palydėjo iš kambario išeinančią moterį.

— Kodėl ji taip prispaudus laiko ranką? — pasidomėjo senis. — Kas jai yra?

— Ne tavo susmirdęs reikalas, — atšovė Sofi, — ir jeigu bent žodeliu apie tai užsiminsi, prilipinsiu tau tiek pleistro ant veido, kad rėksi kaip skerdžiamas, kai jį plėš.

Jis sukikeno.

— Tai kuris iš mūsų sadistas?

— Patikėk, aš nejuokauju. Man nėmaž nerūpi, ar tau skaudės. Aš sau juoksiuos.

— Aha! — šūktelėjo jis patenkintas ir vėl sukrizeno. — Labai arši, kai Franekas suryštas... Drebėjai iš baimės, kai buvau ant tavęs užsiropštęs.

— O *tu* elgeisi kaip tikras drąsuolis, kai krypavai sodais, — atrėžė ji, ir pamėgdžiojo jo gerklinius priebalsius. — Vranekui sunku kvėpuoti... Vranekui baisu... Vranekas išsigandęs.

— Tu atrodei dar gėdingiau, — ir Franekas ėmė šaukti spigiu balsu. — Nikolai, padėk... Tas šlykštynė prie manęs lenda... Maldauju... Maldauju... Nikolai... Nikolai...

Sofi ant liežuvio galo jau sukosi nauji žodžiai, kuriais galėtų įgelti, tačiau staiga jai toptelėjo, kad pernelyg į visa tai įsijautė. Kaip kivirčydamasi su Bobu. *Tu sakei taip... O aš sakiau... Tu padarei tą... O aš padariau...* Rodos, šitas bjauruoklis senis atskleidė tai, kas ilgus metus tūnojo užgniaužta viduje, toje dalyje, kurioje ji galėjo iš visos širdies nekęsti, o gal net dar blogiau — tuo mėgautis. Senis mėgino ją išprievartauti, dėl Dievo meilės, o ji elgiasi su juo lyg su senu pažįstamu, kalba taip, kaip su kitais niekada nedrįstų, — ir jaučiasi visiškai gerai!

— Painioji mane su savo žmona, — šaltai atrėmė ji. — Galiu tik įsivaizduoti, kad šaukė Nikolą ne kartą prieš tau ją nugalabijant.

Pakili senio nuotaika išgaravo akimirksniu.

— Vėl meluoji.

— Galėsi įrodyti policijai, pone Holisai, nes pasirūpinau, kad to paklaustų.

— Franekas neblogas, — suurzgė jis. — Jie klausinėja ne mane... Ne mane įrašo į sąrašus... Ne dėl manęs prasidėjo visa šita kebeknė.

— Tai, kad tavo sūnus teistas, o tu — ne, dar nereiškia, kad esi nekaltas, — atsakė ji.

— Tuoj pat užsičiaupk, — piktai iškošė Franekas.

— Tu dar *labiau* kaltas, — varė Sofi toliau. — Tu — pats didžiausias pedofilas, nes naudojiesi savo vaiku, kad patenkintum iškrypėliškus savo potraukius. Iš pradžių kuo žiauriausiai elgeisi su žmona, o paskui ėmeisi sūnaus, nes žinojai, kad jis niekam neprasitars iš baimės netekti ir antrojo iš tėvų. Tu jį tokį *padarei*, pone Holisai. Jo daromų nusikaltimų išmokei tu.

Jis nukreipė žvilgsnį į šalį.

— Kaltini tik mane? Kodėl nepaklausi, kas vyko, kai Franekas dar buvo mažas berniukas? Manai, aš skriaudų nepatyriau? Klausimo prasmė suprantama, tačiau Sofi užuojautos nesukėlė.

— Tai ko neišsiverži iš to užburto rato? — šaltai pasiteiravo ji. — Vis kartoji, kad nesi kvailas, tačiau net paskutinis avigalvis suvoktų, kad žiaurumo ir prievartos pėdsakų neištrinsi kaskart tą patį kartodamas. Nieko nuostabaus, kad tave dažnai aplanko baimės priepuoliai. Visą laiką gyvenai drebėdamas sulaukti atpildo už savo darbus. — Sofi kiek patylėjo ir tęsė: — Vienintelis tavo, sulaukusio 71-erių, laimėjimas tas, kad tūkstančiams tapai neapykantos taikiniu. Dėl nieko kito atmintyje ir neišliksi. Ar apie tai svajoji, pone Holisai?

Senis atsisuko tik po kurio laiko, ir Sofi nustebo pastebėjusi, kad jo vokai pabrinkę.

— Jie manęs bent jau neužmirš. Kaip ir tu, mergyt. Negalėsi manęs išmesti iš galvos.

Naitingeilo sveikatos priežiūros centras

— Pagaliau kažkas atsiliepė, — vienu atsikvėpimu išbėrė Kenui Hiuitui Dženė. — Ponia Frenšam? Taip, jums skambina iš Naitingeilo sveikatos priežiūros centro. Mėginome su jumis susisiekti. Ar daktarė Morison pas jus? O, ačiū Dievui! — Pasiklausiusi pašnekovės Dženė toliau tęsė: — Ten riaušės, ponia Frenšam, šiuo metu su policija susisiekti neįmanoma... Suprantu, bet čia šalia yra policininkas. Policininkas Kenas Hiuitas. Perduodu ragelį jam. Jis galės geriau patarti nei aš.

Dženė paspaudė mygtuką „Išjungti garsą" ir kreipėsi į Keną:

— Nori kalbėtis su policija. Sofi surišo tėvą, o jis įkalbinėja ponią Frenšam jį atrišti. Tvirtina mirštantis, o Sofi nesuteikianti jam pagalbos... Ir ponia Frenšam bijo tapti žmogžudystės bendrininke, — Dženė ištiesė ragelį policininkui ir nuspaudė mygtuką, kad vėl įjungtų garsą. — Kalbėkite jūs, — sumurmėjo ji, — tačiau nudirsiu jums kailį, jeigu leisite tam ožiui dar sykį ją užpulti. — Aš — jūsų draugas, Džene, — švelniai tarė Kenas. — Galiu klysti... Galbūt nepavyks padėti... Tačiau palaikau *jus.* — Tai pirmyn. Jis prisistatė ir keletą minučių kantriai klausėsi. — Taip, suprantu. Sakėte, kad daktarė Morison dar kraujuoja, tačiau ji gali kalbėti? Gerai, tada gal būtumėte maloni ir perduotumėte ragelį jai? Sveiki, daktare Morison. Taip... Mes įsivaizduojame. Aš suprantu. Nenorite, kad girdėtų ponia Frenšam. Gerai. Pateiksiu keletą klausimų. Atsakykite „taip" arba „ne". Pirma. Manome, kad išprievartauti grasino vyresnysis Zelovskis? Taip. Antra. Ar jis... e? — Kenas išplėtęs akis reikšmingai pažvelgė į Dženę Monro. — Gerai. Pasak ponios Frenšam, jūs smarkiai sumušta? Vadinasi, tikriausiai kėsinosi? Taip. Jūs priešinotės? Taip. Todėl ir esate sužeista. Aišku. Žinome, kad jus išvedė Džimis Džeimsas — vaizdas stebimas iš sraigtasparnio, — tačiau tiesiog dėl protokolo paliudykit, kad turėjo svarią priežastį smogti ponui Zelovskiui. Gerai. Galbūt norėtumėte, kad aš paprašyčiau ponios Frenšam pereiti į kitą kambarį? Perduokite ragelį jai, gerai? Netrukus pokalbį tęsime.

Baseto gatvės 6-ojo viduje

Klara Frenšam metė išgąstingą žvilgsnį į Franeką, ištiesė ragelį Sofi ir išlėkė iš kambario. Subildėjo žingsniai ant laiptų ir trinktelėjo miegamojo durys.

— Ji išėjo, — Sofi tarė Kenui. — Ne, taip geriau. Labai išsigando. Stebiuosi, kad mus įsileido, — ji žvilgtelėjo į Franeką. — Ne, nieko rimta, išskyrus keletą įpjovimų veide. Blogiau sūnui. Jis komos būklės, ir nepavyksta išbudinti.

— Meluoja, — sušuko Franekas. — Franekui sunku kvėpuoti... Negras jam spyrė... Franekas nori kalbėtis su policija.

Sofi šyptelėjo.

— Jeigu man kas atsitiktų, — lėtai ir aiškiai tarė ji į ragelį, kad Franekas suprastų kiekvieną žodį, — noriu, kad Bobas — mano sužadėtinis — žinotų, kad tas niekšas trenkė man mažiausiai dvidešimt kartų, bet vis tiek nepajėgė manęs palaužti. Niekas... Visiškai niekas... Negalėtų manęs priversti pasiduoti tam šūdo gabalui, kuris nužudė savo žmoną... Ir sugriovė sūnaus gyvenimą, — ji atkišo priešais Franeką atlenktą vidurinį pirštą. — Ir jeigu ką nors vėliau ir prisiminsiu — tai Mel draugą Džimį, kaip jis, įgriuvęs pro duris, ištraukė mane iš pono Holiso vyresniojo nagų, kol jis manęs neišprievartavo ir nenužudė.

Naitingeilo sveikatos priežiūros centras

Žmonių ratelio, susispietusio aplink telefoną, pakraštyje laikėsi ir Fėja Boldvin. Ji klausėsi per garsiakalbį Sofi balso ir iš toliau atsklindančių Franeko šūkčiojimų. Girdėjo Sofi pasakojant apie tai, kas įvyko, išklausė, kaip Haris keliais žodžiais perpasakoja ataskaitą dėl Milošo Zelovskio psichikos būklės.

— Jis laikytas nepavojingu, — baigė jis, — tačiau kažkoks idiotas manė priešingai ir išsipliurpė apie jį kvartale. Mums pranešė, kad vienas vargšelis jaunuolis jau mirė nuo nudegimų. Dievas žino, kiek dar bus aukų.

Iš garsiakalbio aiškiai pasigirdo, kaip Sofi atsiduso.

— Tai Fėja Boldvin, — tarė ji nežinodama, ar moteris ją girdi, — tačiau nė nenutuokiu, iš kur ji galėjo sužinoti, kas tokie Zelovskiai ir kur jie gyvena, — ji dar kartą atsiduso. — Žinoma, negalima kaltės suversti vien Fėjai, Hari. Ji mėgino pasikalbėti su manimi apie pedofilą toje gatvėje, tačiau tik burnojo, kokia šliundra Melani Paterson, ir aš padariau klaidingas išvadas. Pamaniau, kad Fėja kaltina Mel ir jos vyrą seksualiniu vaikų išnaudojimu, todėl ją užčiaupiau, o ji įsiaudrinusi merginai išpliurpė, kad iškrypėliai tik ir taikosi pasičiupti mažylę Rozą. Manau, ši žinia ir įplieskė riaušes. Kažkokia nesąmonė... Niekaip neišeina iš galvos, kad jeigu būčiau išklausiusi tos kvaišos, nieko panašaus nebūtų įvykę. Ar žinote, kad Džimis Džeimsas su Milošu sėdėjo vienoje kameroje? Būtų pasakęs Mel, kad jis nepavojingas, jeigu būtų žinojęs tikrą jo pavardę.

— Tai ne tavo kaltė ir ne ponių Paterson, — tvirtai atsakė Haris. — Melani su savo mama tik suorganizavo demonstraciją. Tokios vyksta kasdien, tad nebuvo dingsties manyti, kad šįkart nutiks kas nors ypatingo. Niekas nekaltas, kad prie jų prisiplakė riaušininkai ir užvirė mūšis... Viskas pernelyg gerai suorganizuota, nepavadinsi to spontaniška akcija, — jis dirstelėjo į Fėją. — Bet kuriuo atveju būtų kilusios riaušės. Lygiai tokios riaušės su padegamojo skysčio užtaisais praeitą mėnesį įsiplieskė Bradforde ir Belfaste. Įkaitusi aplinka, o jaunimas piktas. Sprogstamasis mišinys.

Sofi ir vėl atsiduso.

— Pasak Džimio Džeimso, būtent Mel bandė tam užkirsti kelią. Ji tikra šaunuolė... Visada stengiasi iš paskutiniųjų, net jeigu ne viskas ir pavyksta. Anot Džimio, būtų mus iščirškinę gyvus, jeigu ji nebūtų sutrukdžiusi svaidyti padegamuosius užtaisus. Jis nuskubėjo ten išsivesti jos ir mažųjų.

— Žinome, — tarė Haris. — Mums praneša, kas vyksta, policijos pareigūnai, stebintys vaizdą iš sraigtasparnio. Todėl ir žinojom, kad jūs — pas ponią Frenšam. Dabar stengiamės surasti ką nors, kas galėtų prižiūrėti vyresnįjį Zelovskį, o jūs imtumėtės gaivinti Milošą.

— Dieve mano, tik atsargiai, — susirūpinusi sušuko ji. — Jeigu pasklis žinia, kad jis čia, gali mus užspeisti ir šiame name. Nepakelsiu to dar kartą, Hari. Gal verčiau palaukti, kol sugrįš Džimis su Mel? — Haris žvilgtelėjo į Keną Hiuitą, ir šis papurtė galvą. — Atrodo, jie gali būti patekę į bėdą, — nenoriai pratarė jis. — Minia puolė veržtis į namą ir Melani neišsilaikiusi pargriuvo tame sraute. Tiksliai dar nežinome, kas ten vyksta.

— Dieve mano! Ji neteks kūdikio, Hari. *Kam reikėjo* siųsti Džimį pas mane? Turėjo skubėti pas ją. Jis tėvas, dėl Dievo meilės.

— Tikimės, kad šalia jos motina, brolis. Taip pat ir Džimis. Stebintys padėtį matė, kaip jis įbėgo į namą pro galines duris. Ištrauks ją iš ten, Sofi.

Trumpam stojo tyla.
— Aš grįžtu, — staiga ryžtingai tarė ji. — Perduodu ragelį Franekui. Jo rankos surištos priekyje, tad jis gali jį laikyti. Tegu jam tai būna pamoka. Pasikalbėk su juo, Hari.
— Ne, Sofi, palauk!
Bet ji neatsiliepė, o ragelyje pasigirdo vyriškas balsas:
— Su kuo kalbu? — paklausė Franekas.
Haris išsitiesė ir mostelėjo Kenui prieiti.
— Su policija, pone Zelovski.
— O! Tai gerai. Papasakosiu, kaip viskas vyko iš tikrųjų.
Kenas šyptelėjęs išsitraukė bloknotą.
— Kaip norite, sere, tačiau privalau jus įspėti, kad daktarė Morison pateikė prieš jus keletą rimtų kaltinimų... O šio pokalbio klausysis dar keli liudininkai. Tai reiškia, kad viskas, ką pasakysite, gali būti panaudota prieš jus teisme. Galite tylėti, kol nepasitarsite su advokatu. Ar supratote, ką pasakiau?
— Viską supratau. Laikote Franeką kvailu? Papasakosiu, kad žinotumėt, kad senas ir paliegęs Franekas darė viską, kas pagal jo jėgas, kad tik išgelbėtų Milošui gyvybę...

„Hilton" viešbutis, Sautamptonas

Taileris iš administratoriaus kabineto paskambino į štabą budinčiam seržantui.
— Pakvieskite prie telefono Martiną Rodžersoną, — paprašė jis. — Reikia su juo pasikalbėti.
— Kokia ten velniava, sere? — suniurnėjo atsiliepęs žmogus. — Negaliu jo ilgiau laikyti, jeigu nepateiksite kaltinimų.
— Iš pradžių šnektelėsiu su juo, — jis laukdamas barbeno pirštais į stalą. — Taip, čia inspektorius Taileris, pone Rodžersonai, — jis truputį palaikė atitraukęs ragelį nuo ausies. — Greičiau iš čia išeisite, jeigu nusiraminsite ir išklausysite, ką pasakysiu, — tarė jis kitame laido gale išsikvėpus audrai. — Skambinu jums iš viešbučio „Hilton" Sautamptone ir šįkart norėčiau, kad nieko neslėpdamas atsakytumėt

į porą klausimų. Ne, sere. Tai ne gąsdinimas. Ponai Taunsendas ir Džonas Finčas nurodė tam tikras priežastis, dėl kurių ponas Taunsendas vakar ryte parskubėjo iš Maljorkos. Kai kurios turi kai ką bendro su jumis. Noriu išsiaiškinti, kiek jose tiesos, — inspektorius žvilgtelėjo į priešais atverstą bloknotą. — Ar tiesa, kad atkėlęs susirinkimą į šią dieną veikėte be pono Taunsendo žinios? — Iš ragelio pasipylė žodžių srautas. — Sakote, kad negalėjote kitaip pasielgti. Bankas siuntinėjo ultimatumus... Hm... Tada kaip Džonui Finčui pavyko su juo susisiekti?.. Hm... Nors Finčas mano, kad jūs banko pasitikėjimą ir sugriovėte, — kai iš ragelio pasipylė žodžių kruša, Taileris įsistebeilijo į sieną. — Nežinau, pone Rodžersonai, — sumurmėjo, kai pagaliau stojo tyla. — Manau, tai priklauso nuo to, kiek jūs kerštingas... Ir kiek jis kvailas. Nėra palankesnės padėties nei jūsiškė, norint jam pakenkti... Žinote visas juodas paslaptis...

Naitingeilo sveikatos priežiūros centras

Pro registratūros duris įgriuvo Bobas Skadamoras ir sustojo priešais rateliu telefoną apstojusius žmones. Haris jį pastebėjo pirmas. Jis, pridėjęs pirštą prie lūpų, davė ženklą tylėti ir mostelėjo prieiti. *Tėvas,* — Haris užrašė ant lapelio, — *Sofi saugioje vietoje. Sumušė, aplamdė, bet neišprievartavo. Apsigynė nuo jo. Tėvas dabar teisinasi. Skiedžia net susiriesdamas!*

Bobas pajutęs palengvėjimą kiek pastovėjo užsimerkęs, paskui atsimerkė ir ėmė klausytis išpuikėliškos iš garsiakalbio sklindančios žodžių virtinės:

— ...Tokia pasipūtusi... Iššaukiančiai rengiasi, kad atkreiptų vyrų dėmesį. „Jeigu nueisiu ir pasikalbėsiu su tais žmonėmis, — tvirtino ji, — paklausys manęs. Visi mane pažįsta... Visi mane myli. O ypač vyrai. Aš tokia žavinga." Franekas jai krito į akį... Neseniai sakė namo šeimininkės akivaizdoje... Tu fantastiškas, Franekai. Franekas jai atsakė, kad tu labai jau savimi patenkinta, gražuolėle, ir ji supyko... Sukūlė vazą, supjaustė Franekui veidą... Mėgino sudaužti kaktom Milošą su tėvu. Vis kalbino sūnų... Pažvelk į mane, gundė... Atkreipk dėmesį... Bet Milošas ja nesidomėjo... Jis jai atsakė...

Užteks to mėšlo!

Iš įtampos Bobui, kaskart pasigirdus Hario skambučiui, pasidarydavo silpna. Dabar visa tai išsiveržė nesulaikomu srautu. Jis prisikišo visiškai prie pat mikrofono.

— Čia aš, — tarė metaliniu balsu.

Stojo ilga tyla.

— Kas čia kalba?

— Sofi vyras.

— O kur policija?

— Čia esame tik mudu, susmirdęs pederaste.

— Aš su tavimi nesikalbėsiu.

Bobas gūdžiai nusijuokė.

— Kalbėsies, kai tave surasiu, — atsiliepė jis. — Ir negalėsi sustoti. Tu tik palauk... Išlupsiu tau smegenis. Ir lažinuosi, kad žinau, ką jose išvysiu. Verkšlenantį snarglių, kuris taip bijo savo tėvo, kad prišlapino į lovą pirmąkart sugulęs su moterimi. Ar ne?

Tyla net spengė.

Dženė Monro, tarsi norėdama įsiterpti, krustelėjo, tačiau Bobas pridėjo pirštą prie lūpų.

— Man reikia policijos. Duokit policiją.

— Aš niekur nedingau, pone Zelovski, — atsiliepė Kenas Hiuitas.

— Girdėjote? Jos vyras gąsdino Franeką.

— Tikriausiai tai buvo jūsų vaizduotės padarinys, — ramiai atsakė policininkas. — Niekas nieko negirdėjo.

DEVONO IR KORNVALIO POLICIJAI

➤ Dingusio žmogaus paieška — Eimė Rodžerson/Bidulf

➤ SKUBIAI APIEŠKOTI NURODYTU ADRESU

➤ Rožių kvartalas, Žemutinis Bertonas, Devonas

➤ Gautas kratos orderis

➤ Siunčiama detali informacija...

DVIDEŠIMT SEPTINTAS SKYRIUS

Humberto gatvės 23-iojo namo viduje

KAIP IR SOFI, Geinorai vėliau kartosis slogūs sapnai. Taip pat ir Džimiui. Dar ilgai po visko jie krūpčios ir pabus naktimis išpilti šalto prakaito, plačiai atmerktomis akimis stebeilysis į tamsą, o pirštai tuo metu karštligiškai ieškos jungiklio. Psichiatro pagalbos visi trys atsisakys. Sofi dėl to, kad šalia turės Bobą, kantriai padėsiantį jai užsimiršti; Geinora todėl, kad nenorės atsiminti tądien užgulusios graužiančios kaltės ir širdperšos; Džimis dėl to, kad galėtų viską vėl išgyventi ir taip prisiminti žuvusiuosius.

Nepaisydama savo baimės Geinora išdrįso prisiartinti prie 23-iojo namo galo. Ji spėliojo, kodėl virtuvės durys išlaužtos, tačiau jeigu Džimis pro jas išniro, tai turbūt čia išėjimas, drąsino save mintyse, norėdama žūtbūt pereiti į priekinę namo dalį. Ji matė, kaip Džimis jau anksčiau buvo pralaisvinęs kelią. Ir čia bus ne kitaip.

Moteris eidama pasieniu užmetė akį į miegamąjį ir įsitikino, kad jame nieko nėra, kaip ir virtuvėje. Ji peržengė vandens klaną ant grindų ir sustojusi tarpduryje šūktelėjo.

— Ei! Ar čia yra kas nors? Noriu patekti į Humberto gatvę. Pas savo vaikus.

Name buvo visiškai tylu. Jei kas jame ir yra, tai tūno kaip pelė po šluota.

Ji pabandė įeiti į miegamąjį, bet jis buvo užrakintas — *tuščias kambarys,* — pažvelgė į laiptus ir sustojo prie pravirų svetainės durų. Iš karto viską apmetė akimis. Išdaužtas langas. Sudriskusios užuolaidos. Suniokoti baldai. Nudaužtos nuo lubų lempos. Ant grindų pasklidę plytgaliai ir akmenys. Stiprus, aitrus degėsių tvaikas.

...ji pedofilo namuose...

Geinora jau buvo bešokanti atgal, tačiau pro langą tiesiai prieš save išvydo aukštą savo dukters figūrą, stovinčią nugara į namą. Tuo metu iš minios klegesio prasimušė keli paskiri šūksniai. Geinorai vienas balsas buvo pažįstamas, bet negalėjo prisiminti, kieno jis.

— Mes ilgiau nelauksim, kale!

— Ką tavo vyras ten veikia, Mel? Išdykauja su iškrypėliais?

— Galbūt jam nepatinka didžiapilvės? Kitą kartą laikyk kojas suglaudusi!

Vėl tas pats balsas, dar garsiau ir aršiau:

— Jeigu paaiškės, kad jiems padeda, sumalsim tave su broliuku į miltus. Kalbėjai kietai, kai gaminome bombas, Kolai, tik nesakei, kad bijai jas svaidyti.

„Veslis Barberis", — šmėkštelėjo išsigandusiai Geinorai. Avigalvis, prisivaręs krištolinio meto... Visiškai nuo jo apdujęs. Dieve mano! Ko griebtis? Eiti ir atsistoti greta Melani ir Kolino? Pasakyti visiems, kad Džimio viduje nebėra? *Jie nė už ką nepatikės.* Kur jis, *po galais,* galėjo eiti? Kas tie žmonės su juo? Ji karštligiškai ieškojo atsakymų. Gal tai buvo pedofilai? Bet kas ta mergina? Ir kas bus su Mel ir Kolu, jei paaiškės, kad Džimis padėjo iškrypėliams išnešti sveiką kailį?

Geinora ryžtingai nukirto visus svarstymus. Ji juk turi rasti išeitį. Mel ir Kolui nėra prasmės ginti tuščią namą. Geriausia bus išsmukti pro langą ir šnibžtelėti jiems, kad trauktųsi į šalį ir praleistų Veslį. Degėsių tvaikas jai neatrodė grėsmingas ženklas. Ugnis jau buvo užgesinta, o apie galimus padarinius visai gatvei, jeigu užsiliepsnotų 23-ias namas, Geinorai ir nešovė į galvą susimąstyti. Ji metėsi į viršų patikrinti miegamųjų.

Laikė save mačiusia ir šilto, ir šalto, beveik neišgąsdinama, bet išsigando, vos išvydusi kraują ant grindų. Nuo prakaito smarvės — tvankios, gaižios, keliančios pasišlykštėjimą — moterį ėmė pykinti, ir ji, delnu užspaudusi sau burną, puolė laiptais žemyn, verkdama iš baimės. Jai, kaip ir Kolinui, visko jau buvo per akis. Atsišliejusi į sieną ir palinkusi į priekį ji ėmė žiaukčioti.

— Kas tu? — suniurzgė kažkieno balsas.

Geinora pakėlė galvą. Svetainės tarpduryje stovėjo vyras ir rankoje laikė mačetę. Ji bandė kažką pasakyti... Tačiau iš gerklės išsiveržė tik klyksmas.

Lauke visi kuo aiškiausiai jį girdėjo. Džimis dar platesniais žingsniais pasileido per sodą. Melani, visa išbalusi kaip drobė, susižvalgė su Kolinu. Veslis su savo sėbrais puolė į priekį. — Kalė! — subliuvo jis, voždamas kumščiu Melani į pilvą. Kai mergina nugriuvo, vaikėzas stovėjo prie jos, kitoje rankoje vartaliodamas peilį. Jis — Veslis Snaipsas iš *Ašmenų*. Pabaisų vampyrų žudikas. *Baltųjų pabaisų*. Tai jo misija. Juk jis yra *Veslis Snaipsas...* Pasijuto juo vos tik išvydęs *Naująjį Džeko miestą*. Paprastas kietas juodaodis vyrukas, kuriam visas pasaulis po kojomis. Neatsitiktinai jo vardas *toks pat*. Ne, tai ne tėtis, Veslis Barberis vyresnysis. Tėvas nevykėlis. Vagiūkštis, neilgam išeinantis iš kalėjimo.

Kažkur Veslio apdujusiose, krištolinio meto užspaustose smegenyse pasigirdo jo motinos Kristianos balsas: *Tu negeras berniukas. Visai kaip tėvas. Vienintelis Jėzus tave myli. Tik per jį gali išsigelbėti. Įsileisk Viešpatį į širdį, kad mama galėtų tavimi didžiuotis.*

NE-EE! — Jis peilio kirčiu perrėžė Kolinui skruostą ir išsižergęs priešais save sudėjo rankas statmenai viena kitai. — MOČKRUŠY! Aš esu SKUSTUVAS!

Liuoktelėjęs per palangę jis nutykino per svetainę.

Humberto g. 23-iojo viduje

Džimis kaip įbestas sustojo virtuvės tarpduryje. Tiesiai priešais jį prie sienos susigūžusi spaudėsi Geinora, gindamasi nuo jo pažįstamo senojo kareivio, kuris lenkėsi prie jos, norėdamas padėti. Senio šalmas ant galvos buvo persikreipęs į šoną, ir iš jo kareiviškų šortų styrančios kojos atrodė lyg du šakaliukai. Senas kvėša, dėvintis džiunglių apranga, atrodė graudžiai.

Gąsdino tik jo mačetė. Mosikavo ja prie savęs, kad išlaikytų pusiausvyrą. Mačetė, kurios ašmenys nuo senumo jau buvo surūdijusios, švytravo pirmyn ir atgal. *O gal tai ne rūdys, o kraujas?*

Tačiau Džimiui tai mažiausiai rūpėjo, ir kreipdamasis į seną žmogų padrąsinamai šūktelėjo:

— Nebijok, Geinora, pažįstu šitą senioką. Ei, bičiuli! Padaryk paslaugą! Nuleisk mačetę. Gąsdini moterėlę.

Kareivis atsitiesė.

— A, tai tu, — atsiliepė. — Sekiau tave. Buvai atslinkęs čia vagiliauti.

Džimis kapituliuodamas pakėlė rankas.

— Prirėmėte mane prie sienos, sere. Aš jau toks. Vagišius Džimis Džeimsas. Toks buvau, toks ir liksiu. Palik tą moterį ir imkis manęs, — jis pridėjo ranką prie širdies. — Pasižadu nesipriešinti.

Seniokas sutrikęs dirstelėjo į Geinorą.

— Šitai moteriai reikia pagalbos.

— Ne, bičiuli, nereikia. Lauke jos vaikai. Duok jam ženklą, Geinora, kad tau viskas gerai. Kelk savo sėdynę nuo grindų ir atidaryk duris. Nueik ir perduok Mel ir Kolui, kad trauktų namo. Aš netrukus prisidėsiu prie jūsų. Gerai, brangute?

Geinora linktelėjo ir svirduliuodama nukreivojo durų link. Džimis pakėlė delnus ir prisiartino prie senojo kareivio.

— Paskubėk, drauguži. Čia pavojinga. Vyrukai lauke, prisišnioję krištolinio meto, įlėks vidun kaip uraganas. Nors aš ir „blogasis", bet žinau, ką sakau. Patikėk. Tada geriau laikytis atokiau.

Senio akys tiriamai įsispitrijo jam į akis. Sutrikusios. Išsigandusios. *Bet pasitikinčios...*

Džimis žengtelėjo dar žingsnį į priekį.

Per vėlu...

Iš svetainės išniro Veslis.

— Bėk, Geinora! — riktelėjo Džimis.

Vadovybės štabas. Vaizdas iš sraigtasparnio

Policijos kamera užfiksavo, kaip atsidaro lauko durys ir pro jas tiesiog išpuola Geinora Paterson. Ji pasistiebia ir desperatiškai ima mostaguoti rankomis, tačiau įsikarščiavusių jaunuolių banda, besiveržianti pro langą jai iš kairės vidun, nepaiso nei jos žodžių, nei rankų mostų. Tik štai, regis, ji kažką išgirdo? Gal išvydo ant žemės? Staiga stačia galva ji neria kumščiuodamasi ir spardydamasi kaip pašėlusi į tą maišalynę. Stebėtojai vadavietėje pamatė juodaodę moterį, stovinčią priešais Melani; ji svaido vaikėzus į šalis, galingomis savo rankomis dalydama antausius ir blokšdama juos šalin. Ji veikiausiai šaukia pagalbos, nes saujelė žmonių atsiskyrė nuo spoksančios minios ir pasileido prie jos.

Pora dešimčių vaikigalių spėjo sugarmėti pro langą vidun, kol pagaliau tarp puslankiu sustojusių žmonių ant žolės pasirodė tvirtai susiviję į krūvą Geinoros sūnus ir duktė. Netgi šaltas bejausmis objektyvas negalėjo paslėpti jaudinančių Kolino pastangų apsaugoti seserį. Jis guli skersai Melani kniūbsčias, plonomis, vaikiškomis rankomis apkabinęs ją per pečius, prisispaudęs skruostu prie sesers skruosto.

Ar jie dar gyvi? Visi nekantriai net palinko arčiau ekranų, trokšdami ir melsdami, kai Geinora parpuolusi ant kelių ėmė kilnoti jų rankas, plekšnojo veidus, kad atgaivintų. Tačiau vaikai nė nekrustelėjo. Gulėjo ramiai, tarsi mirę.

Humberto 23-iojo viduje

Veslis užspeitė senąjį karį, o kiti vaikiščiai sugužėjo į koridorių. Vienas jų kojos spyriu užtrenkė duris, kad netrukdytų iš lauko sklindantis triukšmas. Kiti užlėkė laiptais aukštyn. Veslį labiau domino jo laimikis. Jis kepštelėjo senajam kareiviui peiliu ranką ir sukrizeno šiam spygtelėjus iš skausmo.

— Šitas iškrypėlis? — paklausė jis Džimio, prirėmė senį prie sienos ir tirdamas prisikišo prie pat jo.

Džimis stovėjo ant virtuvės slenksčio nieko nesiimdamas, nes bijojo, kad menkiausias judesys — ir Veslis paleis į darbą peilį.

— Ne. Šitas vyrukas gyvena Baseto gatvėje.

— Tada ką jis čia veikia?

Džimis nesugalvojo nieko kito, kaip tik pasakyti tiesą.

— Jam pasirodė, kad aš čia švarinu... Atėjo man sutrukdyti.

— O tu — švarini?

— Taip, o ką? Čia nėra nė gyvos dvasios, Vesli. Namas tuštutėlis, — jis galva mostelėjo galinio kambario link. — Ten ištisa garso įrašų studija — gal tave domina? Vienas iškrypėlių muzikuoja.

Veslis išmušė mačetę seniui iš rankų.

— O kam šita?

— Tikriausiai nenorėjo persekioti manęs plikomis rankomis, — Džimis atsargiai žengė žingsnelį į priekį. — Palik jį, Vesli. Jis tik sukriošęs seniokas, norėjęs apsaugoti vaikus ten, gatvės gale, kad nesutryptų. Mainomės. Kišenėj turiu raktą nuo galinio kambario. Ketinau čia sugrįžti ir apsisukti, kol dar niekas neaplenkė, — jis prasegė kišenę, ištraukė raktą ir pasidėjo ant delno, kad Veslis galėtų jį matyti. — Atiduodu jį tau už senį. Ten tikras garso aparatūros sandėlis.

— Dursto tave, Vesai, — sukarkė kažkoks vaikėzas. — Tas raktas ne nuo tų durų. Saugo šiukšles.

Džimis prisimerkė.

— Gal prieisi arčiau ir pakartosi, močkrušy? — suurzgė jis gniauždamas kumščius ir žengtelėjo dar vieną žingsnį jų link, — vaikėzui ėmus trauktis atatupstam, Džimis kreivai šyptelėjo. — Gerai, pakartosiu tau dar kartą. Tai ne tas vyrukas, kurį medžiojate. Iškrypėliai paspruko pro namo galą. Patikrinau visur, ir vienintelis dėmesio vertas kambarys, kuriame yra ką veikti, štai šis. Ten aparatūros už kokius dešimt gabalų. Todėl jį ir užrakinau, — Džimis pakėlė ranką su raktu. — Jeigu Veslis toks asilas, kad nesusigaudo, ką siūlau, aš metu jį į viršų, ir kas pagaus, tam ir atiteks aukso puodas.

Veslis vartė akis, apsunkusiomis smegenimis mėgindamas suvokti, kas jam sakoma. Jis šiek tiek atleido savo gniaužtus nuo senioko ir atsisuko į sėbrus, kad įspėtų, kad niekas nedrįstų nieko daryti.

Prislinkęs per keletą žingsnių iki senio, Džimis sugriebė ploną blyš-
kią senojo kareivio ranką ir jau buvo betraukiąs jį savęs link, bet ant
laiptų sudundėjo žingsniai ir išgąstingas balsas sušuko:
— Jis nužudė Eimę. Visur kraujo klanai.

Džimis pajuto pirštų šilumą, išvydo jam mestą nuostabos
kupiną žvilgsnį iš po primerktų akių, o paskui — sunkų it vėzdo
mačetės, švilptelėjusios oru, kirtį.

Vadovybės štabas — vaizdas iš policijos sraigtasparnio

Senio nužudymas buvo pernelyg kraupus, kad būtų rodomas
visas, ir, be vadovybės štabo darbuotojų, nedaug kas matė visą ne-
sutrumpintą filmuotą medžiagą. Tarp jų buvo dvylika Veslio Barbe-
rio teismo prisiekusiųjų, nes teisėjas atmetė gynybos prašymus to
neleisti. Be jokių abejonių, tai buvo Veslio veidas. Jis pakėlė aukos
krauju aptiškusį veidą į sraigtasparnį ir ėmė šokinėti bei visaip stai-
pytis pro antrojo aukšto langą, sveikindamas visus iškeltu kumščiu.

Greičiau nei per pusvalandį prisiekusieji priėmė sprendimą
— pripažino jį kaltu. Savo darbą dirbo ir advokatai.

Kaip lengvinanti aplinkybė buvo nurodomi kvaišalai. Lizergo
rūgšties diatilamidas — LSD, arba rūgštis. Metedrinas, arba kriš-
tolinis metas — mėgstamiausias Džianio Versačės žudiko Endriu
Kananano kvaišalas. Kiekvienas atskirai — stiprus pykčio, agresy-
vumo ir paranojos dirgiklis. Kartu — tai tas dinamitas, nuo kurio
bet kas netektų realybės pojūčio. Ypač toks „socialiai pagedęs" ir
„protiškai atsilikęs" kaip Veslis Barberis. Atstumtasis. Nuskriaus-
tasis. Juodaodis.

Kalti kvaišalų prekeiviai. Iš kalėjimo neišeinantis tėvas. Religi-
jos fanatikė motina. Mokykla, užmerkusi akis į pamokų praleidinė-
jimą. Minia, raginusi veikti psichiškai nestabilų asmenį. Palydovai,
kurstę jo įkarštį ir po visko pradingę kaip į vandenį.

Dėl to nė kiek nesijaudinantis teisėjas, prieš paskelbdamas
nuosprendį, paprašė prisiekusiųjų pateikti savo sprendimą. Jis at-
kreipė dėmesį į tai, kad Veslis Barberis tą popietę buvo daugybę kar-

tų drausminamas. Aibė narsių žmonių bandė jį nuraminti, tačiau jis nesiklausė. Kvaišalai galėjo tapti tokių baisybių, kokių jis padarė, priežastimi, tačiau jis nematąs įrodymų, kad Veslis yra labiau „asocialus" nei jo aukos.

— Jokiam civilizuotam žmogui tiesiog netilps galvoje, — kalbėjo teisėjas, — kad toks ydingas asmuo kaip tu gali imtis teisti kitus. Tu pagedęs ir pavojingas. Per tavo trumpą gyvenimą visuomenė iš tavęs nesulaukė jokios naudos, tu iš jos nieko gero nepasimokei. Tikiuosi, kad per ilgus įkalinimo metus įgausi proto.

Senį pakorė. Kūno, ant virvės nuleisto pro antrojo aukšto langą, kojomis sruvo kraujas, nes genitalijos buvo nukirstos atšipusia mačete. Kurį laiką auka dar krutėjo, kol kaklą suveržė kilpa.

Apačioje visi isteriškai kvatojo, kai Veslis savo trofėjų kratė rankose.

Velnias!.. Čia tai geras!..

Juodaodis vaikiščias vaipėsi kaip beždžionė.

Ant tariamojo pedofilo galvos kėksojo šalmas, svyrinėjantis į šonus, kai auka siūbavo kilpoje.

DVIDEŠIMT AŠTUNTAS SKYRIUS

2001 m. liepos 28 d., šeštadienis
Rožių kvartalas, Žemutinis Bertonas, Devonas

DURYS PRASIVĖRĖ po ilgo policininkų beldimosi ir daugybę kartų pakartoto įspėjimo, kad nepaklusus jos bus išlaužtos. Privažiavę automobiliu jie pastebėjo kažką svetainėje sujudant. Lango kvadrate šmėkštelėjo ir pranyko šviesūs plaukai.

— Ko jums reikia? — pasigirdo išsigandęs balsas.

— Tu — Eimė Bidulf? — paklausė pareigūnas, plačiau atlapodamas duris.

Mergaitė kažkuo priminė tą iš turimos fotografijos, bet tik vos vos. Šioji atrodė lyg vyresnioji sesuo.

Ji iššaukiančiai išrietė kaklą.

— O ką, jei ir taip?

— Galime užeiti?

— Man liepta su niekuo nesišnekėti.

Pagaliau... Pagaliau!

— Mes iš policijos, Eime. Ieškojome tavęs, širdele. Mama vos neišsikraustė iš proto nerimaudama dėl tavęs.

Ji gūžtelėjo pečiais.

— Tai tik žodžiai. Jeigu jai rūpėčiau, nebūtų palikusi manęs su Bariu ir Kimberle.

— Nagi, brangute. Ji labai nusiminusi. Bijojo, kad tau neatsitiktų kas bloga.

— O kas čia gali atsitikti? Pati sugebu savimi pasirūpinti.

Pasirodė policininko porininkas, stovėjęs už namo ir saugojęs, kad kas nesumanytų sprukti per sodą. Jie iš pradžių manė, kad su ja turėtų būti dar kas nors, tačiau išgirdęs kalbantis prie durų, jis sugrįžo. Nugirdo tik paskutinį sakinį ir, akimirksniu įvertinęs mergaitės makiažą, peroksidinius plaukus, aptemptus marškinėlius, apnuogintą kaklą ir trumputį sijonėlį, pakėlė antakį.

— Kaip matau, gerai leidi laiką, Eime, — tarė jis.

Šis policininkas vyrėlesnis už savo bičiulį ir pats turi dukterų. Bematant sumetė, kad tai maištaujančio vaiko pabėgimas iš namų, nors dešimtmetei mergaitei toks elgesys, atrodytų, pernelyg ankstyvas.

— Tai nedraudžiama, — atrėžė ji atkišdama vos pastebimas savo krūtis. — Vaikai taip pat turi teises, juk žinote tai.

— Tik ne teisę gaišinti policiją, — griežtai tarė jis. — Argi nežiūrėjai televizoriaus? Nežinojai, kad pareigūnai ieško tavęs po visą šalį?

Išdažytose lūpose nušvito keista šypsenėlė.

— Ko gero, tapau įžymi.

— Gali neabejoti, — pašiepė ją pareigūnas. — Ir būsi dar įžymesnė, jeigu fotografai sumedžios tave taip išsidarkiusią. Viskas tik dėl to, Eime? Dėl penkiolikos šlovės minučių? Nepaisant to, kad tavo mamai vos neplyšo širdis.

Mergaitė nesuprato, ką policininkas turėjo galvoje sakydamas „penkiolika minučių šlovės". Būdama dešimties, paakinta dėmesio, kurį pelnydavosi šokdama, troško visą gyvenimą jame maudytis. Ji darsyk trūktelėjo pečiais.

— Ji manęs nemyli, — atsiliepė. — Pavyduliauja man. Jai nepatinka, kad vyrai manimi žavisi labiau nei ja.

Jeigu tai būtų girdėjęs Taileris, neabejotinai būtų prisiminęs Franę Gou ir tikrai būtų savęs mintyse paklausęs, iš kur vaikai ir prisigaudo tokių minčių. Vyresnysis pareigūnas mostelėjo jai išeiti.

— Keliaujam namo, Eime.

Ji užsiglaudė už durų.

— Nenoriu. Noriu likti čia.

Jaunesnysis policininkas papurtė galvą.

— Deja, pasilikti negali, širdele.

Ji atitraukė ranką, šiam pabandžius ją paimti.

— Skųsiuosi, kad graibėte man krūtinę, — įspėjo.

— Dieve šventas! — sududeno jo porininkas, per automobilio langą siekdamas radijo telefono. — Kur, po paraliais, jūs, mergaitės, to ir išmokstate? — Jis perdavė savo šaukinį. — Taip, ji čia. Sveika... Išsipuošusi kaip prostitutė... Atsisako važiuoti. Gąsdina mus apkaltinsianti netinkamu elgesiu. Taip... Policininkę ir socialinę darbuotoją, — pareigūnas dėbtelėjo į mergaitę. — Tikra mažytė madam... Tikrai užjaučiu motiną. Vaikelis manosi esąs Lolita... Bet panašesnė į apsiašarojusį Mokolį Kalkiną. Taip... *Vienas namuose*... Mėgaujasi.

Faksas seržantui Gariui Batleriui į
„Hilton" viešbutį Sautamptone

Telefoninis pranešimas

Kam: POLICIJOS INSPEKTORIUI Taileriui
Nuo: ponios Andželos Gou
Priėmė: POLICININKAS Driu
Data: 2001-07-28
Laikas: 16.15

Ponia Gou dabar svarsto, kad, galimas dalykas, Edvardas Taunsendas domėjosi Frančeska šantažo tikslais. Per antrąjį pokalbį Maljorkoje Frančeska savo kelionę nusakė tokiais žodžiais: „Edis užsiminė, kad geriausias būdas sužinoti, ar tave myli, yra išsiaiškinti, kiek yra pasirengę už tave sumokėti". Frančeska manė, kad jis kalba apie lėktuvo bilietus į priekį ir atgal bei apie viešbučio sąskaitą. Nusiminė, kad jis jos nemyli taip, kaip jai atrodė. Viską apsvarsčiusi ponia Gou spėja, kad jis rezga šantažą — t. y. sumokėk, arba nuogos dukters nuotraukos pasirodys *News of the World* puslapiuose. Ponia Gou apibūdina save kaip „vidutiniškai pasiturinčią".

Dž. Driu

DVIDEŠIMT DEVINTAS SKYRIUS

2001 m. liepos 28 d., šeštadienis
Administratoriaus kabinetas, „Hilton" viešbutis,
Sautamptonas

KAD DUKTĖ SVEIKA IR GYVA, Rodžersonui buvo pranešta, vos jis atvyko į viešbutį. Taileris pasitiko advokatą administratoriaus kabinete ir laukė, kol jis susitvardys. Buvo sunku pasakyti, ar jo ašaros tikros, tačiau Taileris buvo linkęs patikėti. Žmogus jaudinosi labiau, nei būtum galėjęs įsivaizduoti.

Jis tvirtino nežinojęs, o ir *negalėjęs* žinoti, kad jo klientas pagrobė jo dukterį. Išgirdęs apie tai, jis sutiko besąlygiškai bendradarbiauti su policija ir tučtuojau inspektoriui Taileriui nurodė kito namo, priklausančio Edvardui Taunsendui, adresą. Rodžersonas pripažino, kad įdėjo pinigų į „Etstone" tuo metu, kai jį paliko žmona, tačiau nenorėjo nurodyti tikslios sumos. Žinoma, tai turėjo būti dideli pinigai, tad abiem su Taunsendu buvo gyvybiškai svarbu išlaikyti gerus santykius, Lorai persikėlus į Sautamptoną.

Taileris nusistebėjo. Jis pasiteiravo, ar tai tik ne Trojos arklio principas? Lūkuriuoti tinkamos progos apsimetant, kad atsitrauki, ir pulti, priešui užsižiopsojus?

Ne mažiau nustebęs Rodžersonas tvirtino, kad, žinoma, jis negalįs kalbėti savo kliento vardu, tačiau jį stebino pono Taunsendo laikysena, tarsi jis galėtų nebaudžiamas pasigviešti svetimą moterį. Jis apibūdino tai kaip Džefrio Arčerio ar Bilo Klintono sindromą. Jis sumurmėjo, kad kai kurie vyrai apsigauna manydami, kad gali elgtis kaip panorėję.

Tačiau griežtai neigė siekęs „Etstone" žlugimo. Taip, kaip patarėjas, jis pažinojęs bendrovės reikalus tvarkančio banko valdytoją, tačiau atmetė bet kokias prielaidas, esą kada nors jam leidęs suprasti, kad ruošiasi pareikalauti grąžinti paskolą pagal prieš dešimtmetį sudarytą sutartį. Nežinojo, ar valdytojo pavardė Frimeisonas, taip pat negalėjo pasakyti, ar kažkada buvo susidūręs su juo advokatų ložėje. Bendrovę į sunkumus įstūmė Taunsendas, ne jis.

Rodžersono nuomone, kuriai pritaria ir dauguma akcininkų, vienintelis būdas išgelbėti verslą yra išpirkti Taunsendo akcijas ir pertvarkyti bendrovę. Tik dėl prastų Taunsendo sprendimų pašlijo pasitikėjimas statybomis Gildforde. Jis pernelyg brangiai įsigijo žemę, o architektai neleido statyti verslo kvartalo. Tada nuspręsta statyti pigius būstus, įkandamus ir jauniems žmonėms. Todėl Taunsendo skaičiavimai nuėjo šuniui ant uodegos, ir bankas, pabūgęs rizikos, atsisakė projektą finansuoti.

Be abejo, po nesėkmės Gildforde „Etstone" vertė smarkiai krito, ir Taunsendo kėdė ėmė braškėti. Jo namas Sautamptone, taip pat namukas Devone, buvo įkcisti, ir jam grėsė visiškas žlugimas. Rodžersonas tuo visiškai nesimėgavęs. Jis nesąs kerštingas žmogus ir mokąs skirti verslą nuo asmeninių santykių.

Ar jis laikąs Taunsendą kerštingu? Eimė — paguodos prizas, o gal išpirkos jaukas? Rodžersonas negalėjo to pasakyti. Jis užsispyręs tvirtino neturėjęs pagrindo įtarti, kad Taunsendas pedofilas.

Lora Bidulf verkė į telefono ragelį.

— Ačiū Dievui... Ačiū Dievui, — kūkčiojo ji.

Taileris pranešė, kad mergaitė yra gyva ir sveika, nors gydytojai jos dar neapžiūrėjo.

— Ji tvirtina, kad Edvardas nėra jos gašliai palietęs, — tarė jis, — o be to, Devono socialinė darbuotoja linkusi manyti, kad tai tiesa. Moteris teigia, kad mergaitė pakankamai subrendusi atskirti tinkamą ir netinkamą elgesį.

— Tada kodėl ją ten išsivežė?

— Jo dar neklausėme, — Taileris kiek patylėjo. — Pasak Eimės, atskubėjo pas ją, nes ji sakėsi esanti tokia nelaiminga, kad nusižudysianti.

Kūkčiojimas sustiprėjo.

— Kodėl ji man nieko nepasakė?

— Gal todėl, kad bijojote jos to paklausti, — švelniai atsakė Taileris, — o jis nebijojo.

Policijos automobilyje pakeliui iš viešbučio Sautamptone į Hempširo policijos komisariatą

Nepaisydamas įspėjimų apie teisę tylėti, Taunsendas degė noru pasiteisinti. Jis sėdėjo užpakalinėje policijos automobilio sėdynėje ir karštai įtikinėjo priekyje įsitaisiusį Tailerį. Garis Batleris vairuodamas per galinio vaizdo veidrodėlį stebėjo šmėkščiojančias jo veide emocijas.

— Nė pirštu nepaliečiau Eimės, — tarė jis. — Aš ne koks prievartautojas, inspektoriau. Nieku gyvu neversčiau jos ką nors daryti prievarta. Ji man pernelyg brangi... Skirtingai nei tėvai, laikantys ją savo daiktu. Tėvas ja naudojosi kaip įrankiu kovodamas su žmona. Motinai ji reikalinga, kad galėtų jausti didesnę savo vertę.

Taileris atsigręžė.

— O jūs tiesiog norite su ja mylėtis?

— Aš ne koks nors apsiseilėjęs vaikų tvirkintojas. Jeigu toks būčiau, Eimė nė už ką nebūtų sėdusi į mano automobilį. Viskas tik su jos sutikimu. Ir ne kitaip.

— Aš ne koks prievartautojas... Ne tvirkintojas... Viską daro savo noru... Dar pasakykit, kad ji pati siekė suartėjimo.

— Taip ir buvo. Išmoko iš mamos, kaip pamaloninti vyrą. Kartais sunku tam atsispirti. Ji labai domisi seksu. Kaip ir daugelis vaikų.

Taileris papurtė galvą, nusisuko ir įsistebeilijo pro langą.

— Mergaitei tik dešimt metų, pone Taunsendai. Žinoma, kad jai tai smalsu. Tačiau tai dar nereiškia, kad ji suvokia, ką daro. Kad sutiktum, reikia suprasti, kas tai yra, o Eimės metų vaikas dar nepajėgus įsisąmoninti, kad ją čiupinėjantis pedofilas jaučia visai ką kita nei šiaip vyrai liesdami moterį.

— Aš tik žinau...

Taileris jį nutraukė.

— Praeitą vakarą jos mama visa tai gerai apibūdino. Matyt, Kimberlė Logan apkaltino ją kišantis į Eimės gyvenimą, ir Lora atkirto, kad duktė pati negalinti nė išsirinkti, ką valgyti — žuvų lazdelių ar dešrelių, tai kaip gali tvarkyti savo gyvenimą?

— Niekada savanaudiškai netenkindavau savo jausmų.

— Jūs ją pagrobėte.

— *Išgelbėjau*. Sakėsi nusižudysianti, jeigu neišvešiu jos toliau nuo Loganų.

Taileris stebėjo, kaip pro šalį praplaukia automobilis, pilnas vaikų, krykštaujančių ir dūkstančių ant galinės automobilio sėdynės.

— Pasak ją radusių pareigūnų, buvo išsitaisiusi kaip kokia prostitutė, peroksidiniais plaukais ir visa išsidažiusi. Kieno tai mintis?

— Jos. Aš tik nupirkau, ko prašė. Norėjo atrodyti vyresnė. Man to nereikia. Patinka tokia, kokia yra.

— Pasak pareigūnų, atrodė klaikiai, ypač šviesinti plaukai. Susitikę gatvėje iš nuotraukos nebūtų pažinę, — inspektorius papurtė galvą. — Kaip jūs ketinote toliau elgtis? Slėpti ją Devone visą likusį gyvenimą?

— Taip toli neplanavau. Tiesiog *padariau* ir tiek. Tikriausiai tikėjausi, kad kurį laiką galėsime ten saugiai išlaukti, o paskui persikelti kur nors kitur. Skaičiau apie vieną mokytoją, išsivežusį mokinę į Italiją ir išgyvenusį ten ištisus metus, kol juos aptiko. Verta pamėginti.

— Turėjote numanyti, kad įkliūsite.

— Viskas galėjo baigtis ir kitaip, — Taunsendas pro Batlerio petį žvelgė į horizontą. Žvilgsnis buvo svajingas. — Maniau, labiau tikėtina, kad jai visa tai atsibos, ir ji užsimanys namo. Iš pat pradžių pasakiau jai, kad jeigu tik apsigalvos, grąžinsiu mamai.

— O kada viskas prasidėjo, pone Taunsendai? Kaip jūs į tai įsitraukėte?

— Jums įdomu, kodėl suaugęs vyras įsimyli dešimtmetę?

— Ne, — šyptelėjo inspektorius. — To suprasti aš nepajėgus. Man patinka moterys. Jeigu surasčiau kokią, turinčią galvą, krūtinę ir gerą humoro jausmą moterį, kuri nepurkštautų dėl mano profesijos ir maisto gaminimo, jausčiausi devintame danguje. Išlaikytinė dešimtmetė plaštakėlė po stiklu, su kuria nėra apie ką pasišnekėti, keltų man nuobodulį... Nebent ji būtų mano duktė. O tuo atveju greičiausiai žavėčiausi jos negrabiomis pastangomis būti vyresne. Tačiau *niekada* — *jokiomis* aplinkybėmis — nenorėčiau su ja mylėtis.

Batleris pastebėjo, kaip pilkšvose suimtojo akyse žybtelėjo linksmos ugnelės.

— Iš kur žinote, jeigu neturite dukters? Galbūt to ir nedarytumėte, tačiau per savo gyvenimą tikrai bent sykį pagalvotumėt.

Taileris žvilgtelėjo į seržantą, neatitraukiantį nuo kelio akių.

— Minėjote, kad Eimė grasino nusižudyti, — tęsė jis. — Kodėl palikote ją likimo valiai ir išskridote į Maljorką su Frane?

— Nepalikau jos likimo valiai. Nupirkau mobilųjį ir įvedžiau savo numerį, kad galėtų bet kada su manimi susisiekti.

Tai buvo tik pusė atsakymo, taigi Taileris varė toliau:

— Jūs — tas Emas ar Edas, kuriam skambino iš taksofono?

— Taip.

— Tai kodėl ji kalbėjo kito sąskaita, jeigu turėjo mobilųjį?

— Tada dar neturėjo.

— Ar skambino jums ir anksčiau?

Jis linktelėjo.

— Kasdien pakeliui iš mokyklos.

— O kai jiedvi su Lora buvo apsistojusios viešbutyje?

— Netoliese stovėjo taksofonas. Išsmukdavo lauk Lorai užmigus.

— Tai kas tokio įvyko?

— Atostogos. Ji be perstojo verkė... Nekentė Loganų... Nekentė jų patyčių... Nevykėlės mamos... Tėčio. Susitikinėdavom kiek galėdami dažniau, tačiau ilgainiui jie vis labiau slėgė.

— Įdomus sutapimas, ar ne?

— Koks?

— Maždaug tuo pačiu metu, kai jos tėvas praneša, kad ruošiasi atsiimti savo pinigus, jūs imate leisti laiką su jo dukterimi. O gal sakysite, kad šie dalykai niekaip nesusiję?

— Mano manymu, tikrai ne, — jis dar kartą trūktelėjo pečiais. — Nenorėjo palikti mano namų, inspektoriau. Jai reikia meilės. Vaikai nėra žiopliukai. Žino, kur jiems geriau.

— Kur ją kasdien veždavotės?

— Į Daunsą. Pajūrį. Ten, kur tėvai vežtųsi savo vaiką papramogauti. Bet ne kasdien... Tris, gal keturissyk... ne daugiau.

— Kur ji pradingdavo kitomis dienomis?

Jis sukikeno.

— Kiek žinau, niekur. Porą kartų skambino iš savo miegamojo... Sakė, kad Logano vaikai tokie stori, kad galima apie juos bėgioti ratais. Įlindusi palovy skaitydavo knygas. Aš pakišau jai mintį nuduoti jiems, kad turi paslaptingą bičiulį. Ji nusliūkindavo laiptais jiems žiūrint televizorių ir trinktelėdavo laukujomis durimis... Jie pamanydavo, kad išeina... Taip darydavo ypač tada, kai būdavo pikta arba nusiminusi.

Taileriui ausyse suskambėjo Kimberlės žodžiai: „Lažinuosi, kad kiurkso kur nors, kad galėtų pavaizduoti turinti draugą...“ Dvi to paties medalio pusės.

— Kada jai parūpinote mobilųjį?

— Po tų skambučių man, apie kuriuos pasakojo Loganai. Nenorėjau, kad jie apie tai prasitartų Lorai. Eimė kartojo, kad pasidarys galą, jeigu jai uždraus matytis...

Taunsendo balsas užlūžo.

Taileriui jo jausmai pasirodė tokie pat dirbtiniai, kaip ir įdegis.

— Tikiuosi, nesiruošiate teisme dėtis šventuoju, išgelbėjusiu mergaitę nuo savižudybės? — tėškė jis. — Grobimas yra sunkus nusikaltimas, pone Taunsendai.

— Žinau... Tačiau kaip kitaip turėjau pasielgti?

Taileris prunkštelėjo.

— Įsivaizduoju, kaip susigraudins teisėjas, kai sužinos, kad staiga išrūkote į Maljorką paišdykauti su Eimę primenančia mergaite, kai pati Eimė šaukte šaukėsi pagalbos.

— Neturėjau kitos išeities. Ant kulnų mynė kreditoriai. Išvykdamas palikau Džoną Finčą tvarkytis.

— Kodėl vykote su Frane?

— Ji visai neblogas pakaitalas.

— Eimės?

— Taip... Kol neapgirsdavo, — jis įsmeigė žvilgsnį į savo rankas. — Nesigiriu tuo, inspektoriau.

Taileris nusijuokė į šoną, kad Taunsendas nematytų jo veido išraiškos.

— Kodėl neprasitarėte Lorai, kad jos duktė kalba apie savižudybę?

— Ji išsivežė Eimę, nes pavydėjo, kad susibičiuliavome. Kaip, manote, ji būtų pasielgusi, jeigu būčiau paskambinęs ir pranešęs, kad Eimė ketina nusižudyti, nes labiau nori gyventi su manimi? Būtų uždraudusi visus skambučius, o vieną sykį grįžusi namo rastų ją kyburiuojančią ant turėklų ir pati išprotėtų.

Batleris stebėjo, kaip jis pakėlė ranką, tarsi prašydamas patikėti, ir vėl ją nuleido.

— Sakė, kad padarys sau galą, kol Panelė Kiaulaitė ir Šlykštynėlė dar miega. Ji tikėjosi, kad visi verks jai mirus, nes vienintelis žmogus, jaudinęsis dėl jos, buvo ji pati.

— Vaikai neretai varinėja tokias kalbeles.

— Aš ja patikėjau.

Taileris vėl atsisukęs pažvelgė į Taunsendą.

— Kodėl nepasikalbėjote su jos tėvu? — kandžiai pasiteiravo.

— Nieko nelaukdamas būtų susigrąžinęs pas save.

— O kam? Vis tvirtinate, kad jis visiškai jai abejingas.

— Taip ir yra. Jam reikia tik Loros — geriausia klūpančios — maldaujančios mergaitės. Jis toks. Valdingas... Savininkiškas... Negali jai atleisti, kad ryžosi jį palikti. Keršys kiek įmanydamas. Pažiūrėkit, kaip pasielgė su manimi.

Taileris linktelėjo. Net ir nesant įrodymų, jog Rodžersonas tyčia kenkė Taunsendo bendrovei, Taileris tą vyrą laikė iš tikrųjų kerštingu. *Bet...*

— Tada kam paveržėte jo žmoną? — šaltai paklausė jis. — Turėjote numanyti, kad tai atsirūgs.

— Nepagalvojau. Bent jau tada. Girdėdavau, kaip su ja kalbasi... Mačiau, kaip elgiasi su Eime... Kaip su kokiu įkyriai zyziančiu uodu... Niekada nebūčiau pamanęs, kad pavyduliaus joms išvykus. Kad ir kaip ten būtų, Lora pati jį paliko. Jeigu ne Eimė, man tai nebūtų rūpėję.

— Lora jūsų netraukė?

— Ne itin.

— Tai kam tada ją filmavote? Kam filmavote tas moteris, kurių dukterys jus traukė?

— Kad nesukelčiau įtarimo.

Garis Batleris, dirstelėjęs į veidrodėlį, susitiko Taunsendo žvilgsnį ir patylomis suabejojo atsakymų nuoširdumu. Labai jau jie sklandūs, tačiau kodėl jis taip veržiasi išsisakyti apie savo pedofiliją, lieka paslaptis.

— Ar Lora žinojo apie kitas juostas? — pasidomėjo Taileris. — Tas, kuriose nufilmavote žmoną ir podukrą? Martinas jai neprasitarė?

— Nemanau.

— Ar Martinas įspėjo jus nekišti nagų prie Eimės?

— Ne.

Taileris vėl atsisuko.

— Kada nors su juo kalbėjotės apie savo pedofiliją?

— Ne, — jo akyse vėl šmėstelėjo linksmos ugnelės. — Jis ne toks.

— Jis iš tų, kurie vaikų nuotraukų parsisiunčia internetu?

Taunsendas papurtė galvą.

— Ne vaikų.

— Moterų?

Taunsendas linktelėjo.

— Klausėte, kur juostos, kuriose Lora. Pas Martiną. Jos atsisveikinimo dovanėlė. „Pridėk prie savo kolekcijos", — pasiūlė ji. Tegu kokia nors kvaišelė jas žiūri, kad susijaudintų ir galėtų santykiauti su tavimi.

Taileris šyptelėjo.

— Aišku, numanote, kad ieškosime jūsų kompiuteriuose pornografijos įkalčių, pone Taunsendai, — ypač vaikiškos pornografijos, — parsisiųstos jūsų paties arba esamos jums priklausančiuose tinklapiuose. Gal sutaupysite brangaus laiko ir nurodysite, ko ieškoti? — Ten nieko nėra. Aš neužsiimu pornografija internete. Taileris vėl ėmėsi stebėti pro šalį slenkančius laukus. Jis tiesiog užuodė gudravimą. Žmonės netgi palaikys jį, išgirdę, kad mergaitė sveikutėlė ir nepalytėta. Netgi užjaus dėl jo dilemos. Gelbėti ar negelbėti? Pats galėtų jį užjausti, jeigu imtų ir patikėtų, kad Taunsendas gali mylėti ką nors kita, o ne save.

— Pučiate miglą, — prabilo jis po kurio laiko. — Dar patikėčiau, kad nenumaldomai traukia paauglės — matyti vos užmetus akį, — tačiau vargiai patikėsiu, kad taip traukia, jog trinatės su dešimtmetėmis. Tiesiog naudojatės jomis — tuo net neabejoju, — tačiau nepanašu, kad leistumėtės į draudžiamus lytinius santykius. Kaip koks prekeivis heroinu... Mielai prekiaujate tuo mėšlu, tačiau pats nesate toks kvailas, kad įsitrauktumėt.

— Aš neprekiauju vaikais.

— Kaip didelis prekiaujate. Kaip ir moterimis. Jūs internetinis sąvadautojas. Prisiknisim... Gal ir ne iš karto... Gal ne iki visko... Tačiau *pasodinsiu* jus už tai, pone Taunsendai. Spėju, kad viskas prasidėjo nuo pirmosios žmonos, kuri greičiausiai su džiaugsmu rangėsi prieš kamerą, todėl per skyrybas laikėsi nedrąsiai. Vėliau dairydavotės moterų su dukterimis, kurios trokštų prieš ką nors pasirodyti. Nes taip viskas paprasčiau.

— Kliedesiai, — netvirtai atrėmė suimtasis. — Kur tada pinigai?

— Bet kur. Šiais laikais galima nesunkiai iškaišioti po visą pasaulį, — inspektorius klausiamai pažiūrėjo į Taunsendą. — Gal tas klajojantis milijonas — dalis jų? Kas jam nutiko? Ar kas nors jus aplenkė ir gavo pirmas? O gal jo paprasčiausiai nebuvo?

Taunsendas atsilošė į sėdynės atkaltę ir įbedė žvilgsnį į automobilio stogą.

Taileris sukikeno.

— Jus vaikai traukia ne daugiau nei mane. Norite, kad mes tuo patikėtume. Atgailaujantis, prisipažįstantis, ką padaręs, anksčiau neteistas pedofilas, neturėjęs su pagrobta mergaite lytinių santykių (kaip ir su kitomis mergaitėmis), sulauks švelnesnės bausmės nei vyras, grobiantis mergaitę pasipelnymo tikslais.

Taunsendas toliau dėbsojo į lubas.

— Bandot spjaudyti prieš vėją, inspektoriau.

— Laikėte Eimę po ranka, kol jos reikėjo. Greičiausiai tas maskaradėlis turėjo vykti kitą savaitgalį, tačiau iš Džono Finčo jus pasiekė žinia, kad Rodžersonas atkėlė susitikimą. Tada parlėkėte atgal pas ją. Spėju, kad jūsų nešiojamajame kompiuteryje rasim įdomių kadrų su Rodžersono dukrele, vaidinančia prostitutę. Taip pat spėju, kad ketinote jam tai pademonstruoti prieš susitikimą, todėl jus taip pribloškė žinia, kad jis sulaikytas. Kuo gąsdinote jį, kad nusileistų? Parduoti ją iš varžytinių? Išplatinti vaizdus internete?

— Mano kompiuteryje aptiksite tik „Etstone" dokumentus, — pasakė įtariamasis.

— Labai jau jūs gerutis ir švarutis, pone Taunsendai. Anksčiau ar vėliau tai rasime.

— Ten nieko nėra. Paklauskite Eimės. Nekalti žaidimai.

— Dabar ji kartos tai, ką jai liepėte sakyti... Tačiau neilgai. Gal prie jos ir neprisilietėte, tačiau netruksime išsiaiškinti, ar įkalbėjote ją staipytis be kelnaičių, kad tėvas įsitikintų jūsų įtaka jai. Manau, esate nesveikas smirdžius, atvirai šnekant, bet ne iškrypėlis. Ne didesnis nei Martinas Rodžersonas. Kaip minėjote, jį traukia moterys... Tą patį jis sako apie jus, — Taileris vėl sukikeno, išvydęs vyriškio išraišką. — Greičiau įkišiu jus už pagrobimą ir pelnymąsi. Ilgai neišeisite. Negalima naudotis kitų meile savo vaikams, pone Taunsendai.

— Kokia meile? Iš kur ištraukėte, kad Martinas atsisakytų atsiimti pinigus dėl vaizdo įrašų? Bet kam akivaizdu, kad Eimė jam nė velnio nerūpi.

— Jūs tai vis kartojate, — sumurmėjo inspektorius, — ir jeigu be perstojo taip tvirtinsite, įtikinsite prisiekusiuosius. Tačiau Lora nepatikės. Niekas nepatikės, kad ji nemyli vaiko, — ir dūrė jo link pirštu. — *Už tai* aš jus ir nuskalpuosiu. Pažeidžiamą vaiką privertėte tikėti, kad mama jo nemyli. Kalbėjausi su ta moterimi. Kvočiau iš jos mažas nelinksmas paslaptis... Mačiau, kaip ji kankinasi... Kaltina save. Ir, *Dievas mato*, neteisiau jos. Ji puikiai suvokia nesanti tobula... Kad Eimė norėtų ją matyti visai kitokią... Tačiau tai dar neduoda teisės tokiam niekšeliui kaip jūs žongliruoti jos vaiko jausmais.

TRISDEŠIMTAS SKYRIUS

2001 m. liepos 28 d., šeštadienis
Humberto g. 23-iojo viduje

SOFI PRIKLAUPĖ PRIE pasliko Džimio. Trečdalis ausies kadarojo atkirsta nuo galvos, tačiau jis buvo gyvas. Tysojo ant virtuvės slenksčio veidu žemyn, kažką marmaliuodamas į grindis, o iš burnos tekėjo seilės. Apačioje daugiau nieko nebuvo. Galinio kambario durys liko praviros, tačiau visas triukšmas sklido iš antrojo aukšto. Kvatojimas ir dainos. Sofi pagavo jos žodžius:
We are the champions... We are the champions... We are the champions of the WORLD...*
Viršuje į grindis bildėjo kojos. *Džiūgauja? Atgarma žemyn?* Neaišku. Ji apvertė Džimį ir stipriai pliukštelėjo per veidą.
— Prabusk tu, žmogau! — šūktelėjo jam į kruviną ausį saugodamasi, kad jos neišgirstų tie viršuje. — Čia Sofi! Mel reikia pagalbos.
Jis pramerkė akį, ir ji dar sykį jam pliukštelėjo.
— Atstok, — suniurzgė jis. — Pavargau.
Ji sugriebė už pečių ir papurtė.
— Mel pavojuje, — bukštino ji. — Mums reikia eiti. Viršuje kažkas yra. Supranti?
Purtomam Džimiui suskaudo galvą ir jis kepštelėjo ranka sau per sužalotą ausį.
— *O, š-ū-ū-ū-das!* Koks čia *velnias!*
— PRABUSK! — Sofi dar sykį pliukštelėjo. — Man ĮGRISO ne laiku ir ne vietoje alpstantys vyrai!

---

* Mes — čempionai, mes — čempionai, mes — pasaulio čempionai.

Grįžtant sąmonei Džimis staigiai atsisėdo... Veslis... Mačetė... Kareivis... Jis apsidairė.

— Kur Veslis?

— Viršuje, — atsakė ji, sugriebusi jam už rankos ir skubindama keltis. — Negalime čia likti.

— Kur senis?

— Saugioje vietoje, — atsakė ji, manydama, kad jis turi galvoje Franeką. — Nagi, nagi, — ji skubino jį koridoriumi laukujų durų link. — Haris sakė, kad Mel pargriuvo po žmonių kojomis. Reikia ją ištraukti. Man neramu dėl kūdikio. Išneši ją.

Tiesiant ranką prie spynos, ją apėmė kraupi nuojauta. Prieš akis iškilo tas momentas, kai ji galėjo sau išeiti, bet neišėjo, kai paciento sūnus pasakė „ačiū", o ji luktelėjo ir jam atsakydama nusišypsojo. Sofi išgąstingai atsigręžė į Džimį.

— Man baisu, — tarė ji.

— Aha, — atsiliepė jis, — man irgi, — sugriebė jai už rankos ir paslėpė sau už nugaros. — Širdis jaučia kažką negero, — sumurmėjo vyrukas. — Sušiktai tylu.

Ji įsikabino jam į švarką.

— Ką darom?

Jis giliai įkvėpė ir atrakino užraktą.

— Pasiruoškite bėgti, — pasakė ir atidarė duris.

Vadovybės štabas — vaizdas iš policijos sraigtasparnio

Policija sekundžių tikslumu galėtų nustatyti, per kiek laiko nuo linčiavimo šėlsmo juokas virto išgąsčiu. Beveik visi užvertę galvas spoksojo į antrojo aukšto langą, kur Veslis demonstravo trofėjų. Senis trumpomis kelnėmis, kadaruojančiomis apie kelius, krauju aptekusiomis kojomis ir kilpa ant kaklo. Reakcija buvo įvairi. Aršumas. Linksmumas. Ar bent vienas susigaudė, kas čia iš tikrųjų vyksta? Ar pritaria tam? Gal supainiojo tikrovę su kinu?

Kas žino?

Šokas ištiko ne visus iš karto. Galbūt iš pradžių atrodė, kad tai lyg koks manekenas, kurį Veslis be jokių skrupulų išgrūdo pro langą kabaluoti ant virvės, nes veidais nuvilnijo juoko banga. Tačiau netrukus šypsenos užleido vietą sutrikimui. Kai kurie ir toliau stebėjo tuo „daiktu" mojuojantį Veslį, tačiau daugelis nusuko akis į šalį. Minia siūbtelėjo į pašalius. Viena mergaitė parpuolė ant kelių ir ėmė ant šaligatvio vemti. Pakraščiuose žmonės skubinosi slėptis išėjimuose.

Tai ne jų kaltė. Jie neprašė juodaodžio taip žmogėdriškai elgtis. Tai, ką jis iškrėtė, labai negerai, tačiau, po paraliais... Juk tai tik niekingas pedofilas!

Humberto g. 23-iojo lauke

Geinora pakėlė prakaitu išpiltą veidą į Džimį ir nė akimirką nesiliaudama gaivino Koliną. Abiem rankomis maigė jam krūtinę ties širdimi.

— Vienas, du, trys, keturi, penki, — prisilenkusi ji pūtė orą į plaučius. — Atrodo, Mel gyva — trys, keturi, penki, — dar sykį įkvėpė. — Padėk — trys, keturi, penki.

Sofi parpuolė ant kelių šalia juodaodės, pirštais čiuopiančios Melani riešą.

— Išplėšėm ją, — tarė ji ašaroms srūvant skruostais. — Matot. Tarsi *Ligoninės priimamajame*. Kvėpuoja. Yra pulsas. Juk taip?

Sofi pridėjo pirštus prie merginos kaklo.

— Taip, — patvirtino ji. — Dieve mano! Dieve mano! Ačiū. Ačiū, — ji pakėlė savo ašarų nuskalbtą veidą į Džimį. — Pasikalbėk su ja, Džimi. Pasakyk, kaip ją myli. Kuo greičiau atsipeikės, tuo geriau. Tegu girdi, kaip kalbi. Ji girdi tik tavo balsą. Niekieno kito. Vis kartodavo man, kaip tave myli.

Džimis susmuko ant kelių ir priglaudė delną prie mylimosios veido.

— Padėk Geinorai, — tarė jis. — Kolinas irgi jos vaikas.

Tačiau Kolinas buvo miręs.

2001 m. liepos 30 d., pirmadienis

RAPORTAS

Nuo:	POLICIJOS INSPEKTORIAUS Tailerio
Kam:	Vyr. inspektoriui Hamiltonui
Data:	2001-07-30
Dėl:	Kaltinimų Eimės Rodžerson/Bidulf pagrobimu

Sere,
<u>paskutinės žinios tokios:</u>

• Nėra jokių Martino Rodžersono lytinių santykių su dukterimi įrodymų. Lora su Eime neigia incestą. Lora patvirtino jo domėjimąsi lengva pornografija.

• Rodžersonas pripažįsta, kad jeigu Taunsendas būtų grasinęs išsiuntinėti juostas su jo dukterimi, „pozuojančia prieš kamerą", jo kolegoms ir klientams, jis būtų „tapęs sukalbamesnis" dėl Taunsendo bankroto atidėjimo. „Mano padėties žmogus negali sau leisti veltis į skandalą." Įdomu tai, kad mažiau nerimautų, jeigu tai patektų į internetą. „Niekas nežinotų, kas ji tokia."

• Rodžersonas pripažįsta buvęs nusiminęs ir įskaudintas to, ką Taunsendas įkalbėjo Lorą išdarinėti priešais kamerą. „Pavyduliavau. Prieš mane ji to niekad nedarydavo." Lora pripažįsta pati jam perdavusi juostas. „Norėjau jį įskaudinti."

• Galima daryti išvadą, kad Rodžersoną visada labiau traukė žmona, o ne duktė.

310 MINETTE WALTERS

Pasiūlymai dėl tolesnių veiksmų Martino Rodžersono atžvilgiu

Dėl: Edvardo Taunsendo

• Tyrinėjama medžiaga kompiuteriuose — numatomas tyri-
mo laikas: 2—3 savaitės

• Neigia filmavęs Lorą Bidulf, Franę Gou, moteris, mergaites
pornografijos tikslams

• Neigia užsiimantis pornografija internete

• Neigia pagrobęs Eimę pasipelnymo, šantažo, išpirkos
tikslais

Apklausa tęsiama

POLICIJOS INSPEKTORIUS Taileris

P.S. Šunsnukis melavo.

TRISDEŠIMT PIRMAS SKYRIUS

2001 m. liepos 30 d., pirmadienis

PRAĖJUS 24 valandoms policija galutinai nustatė, kad pakartasis — kapralas Artūras Mileris, Antrojo pasaulinio karo veteranas, našlys, tačiau spauda nesiryžo apie tai pranešti. Tik praslinkus keliolikai valandų po Kruvinojo šeštadienio, puolė ta tema spausdinti, bet atsisakė pranešti pavardę tuo patvirtindama Rūgšties kvartale sklandančius gandus: auka tapo pedofilas.

Tačiau pirmadienio numeriuose netgi bulvarinių laikraščių redaktoriai nesiryžo įdėti antraštės: „Vietoj seksualinio iškrypėlio sudorotas kareivis", bijodami būti apkaltinti linčiavimo, kaip būdo susidoroti su iškrypėliais, pateisinimu. Daugelis jų pasirinko neutralesnius „Senojo kario tragedija" arba „Nužudyta atsitiktinė auka".

Šalies žurnalistikos šviesuliai griebėsi šratinukų po Vidaus reikalų ministerijos patvirtinimo, kad į įskaitą įrašytas seksualinis prievartautojas, siekiant išvengti išpuolių prieš jį, buvo patylomis atkeltas į Humberto gatvę. Įsakyta saugumo sumetimais neatskleisti jo pavardės, tačiau jo bylos medžiaga nebuvo taip kruopščiai slepiama, nes Vidaus reikalų ministerija išnaudojo progą pabrėžti, kad vietos policija, pripažinusi jį nepavojingu, neklydo.

Kai kurie laikraščiai tai pateikė tik kaip įrodymą, kad jeigu jis būtų pristatytas viešai, sekant Megano įstatymu JAV, Kruvinojo šeštadienio nebūtų buvę. Dėl žinių stygiaus minia ir sukėlė riaušes. Jeigu jo tapatybė ir prievartos pobūdis būtų buvę žinomi plačiajai visuomenei, Rūgšties kvartalo gyventojai būtų žinoję, kad santūrus vyras, nuteistas už nežymų priekabiavimą prie šešiolikmečio ir septyniolikmečio, tikrai nekelia grėsmės jų vaikučiams.

Kiti karštai prieštaravo tvirtindami, kad atskleisti kokio nors pedofilo pavardę ir adresą — lygu kurstyti tokią neapykantą, kuri išsiliejo Kruvinąjį šeštadienį. Žmogus, apie kurį kalbama, jau buvo išguitas iš vieno kvartalo, nors jo nuosprendžio detalės ir buvo paskelbtos greta nuotraukos. Viską nulemdavo žodelis „pedofilas". Daugeliui tai asocijuojasi su blogiu, ir tik nedaugelis buvo pasirengę skirti savotiškai besielgiančius vyrus, kurie tik glamonėdavo, ir psichopatus, malonumo dėlei žalojančius ir žudančius vaikus.

Politikai apskritai siekė išvengti šitos temos, tik užsimindavo, kad riaušės kilo dėl kvartale išplitusio kvaišalų vartojimo.

O *plačiosios* visuomenės reakcija buvo nedviprasmiška. Išgirdę, kad senas karys buvo žiauriai nugalabytas per klaidą palaikius jį iškrypėliu, žmonės iš arti ir iš toli plaukte plaukė į Rūgšties gatvę ir nuklojo jos prieigas gėlėmis.

Tačiau per pirmąsias 24 valandas, kada nulinčiuotasis laikytas tiesiog sekso ieškančiu gyvuliu, nebuvo padėta nė menkiausio žiedelio.

2001 m. spalio 2 d., antradienis

(po dviejų mėnesių)

TRISDEŠIMT ANTRAS SKYRIUS

2001 m. spalio 2 d.
Basindeilo kvartalas

EILINA HINKLI PAPRIEKAIŠTAVO, kad Džimis užsiima niekais, kai šis išsitraukė iš savo krepšio ryškiaspalvį pledą ir užklojo vežimėlyje besiilsinčias jos kojas.

— Dovana jums, — tarė jis ir pranykęs ponios miegamajame ėmė varstyti ir naršyti jos spinteles.

— Jei dairaisi, ką čia nugvelbus, tik tuščiai švaistai laiką — linksmai šūktelėjo ji. — Vienintelis vertingas daiktas čia — mano sužadėtuvių žiedas... Ir norėdamas jį pasiimti gausi nukirsti su visu pirštu.

Džimis grįžo į svetainę, nešinas keletu skrybėlaičių.

— Tai jau taip, — pritarė jis. — Pastebėjau, kai pirmąkart lankiausi pas jus, — jis ištiesė raudoną beretę. — Gal šitą? Ne? Šitą, — Džimis likusias mestelėjo ant sofos ir ant retokų žilų moters plaukų šauniai pakreipęs uždėjo rudą fetrinę skrybėlę. — Puikiai.

— O kam man skrybėlė? — įtariai pasiteiravo ji, kai jis apsuko vežimėlį ir pastūmė durų link.

— Lauke šaltoka.

Liftas po to karto, kai pareigūnė Henson gulėjo kruvina ant jo grindų, buvo išvalytas ir perdažytas. Pasitaikydavo dar visko, ir vietos vaikėzai savaitgaliais čia dar lengvindavosi, tačiau gyventojai sudarė valymo tvarkaraštį, ir liftas pastaruoju metu dažniau atsiduodavo valikliais nei šlapimu. Matėsi ir kitų nežymių pokyčių. Kažkas į laiptinę atnešė gėlių vazonėlių, o nuorūkos imtos reguliariai šluoti. Džimis kartais pagalvodavo, kad netruks pasirodyti ir kilimėliai bei užuolaidėlės.

Jis išstūmė Eilinos vežimėlį pro duris į vėjuotą spalio popietę.

— Kur mes traukiam? — paklausė ji, ranka prilaikydama skrybėlaitę.

— Netoli.

Ji dar labiau apsikamšė kojas pledu.

— Ar minėjau, kad kitą dieną apsilankė Vendė Henson?

— Ta policininkė?

— Taip. Grįžo į koledžą, ruošiasi tapti aukle. Galvoja, kad jai geriau seksis su darželinukais.

— O kaip jums atrodo?

Senutė susijuokė.

— Man taip neatrodo. Išsigąs, vos tik jie pradės peštis. Per daug filmų prisižiūrėjo. Įsikalė sau į galvą, kad vaikučiai — maži angeliukai ir iki vidurinės būna tyrut tyrutėliai.

— Ar vis dar lanko tą senpalaikį, kuris ją sužalojo?

Eilina ėmė tarškėti:

— Tikrai labai jį nubaudė. Sako, kad jis sunkiai serga Alzheimeriu... Nepažįsta jos... Tačiau jaučia pareigą valandą per savaitę praleisti slaugos namuose. Ar girdėjai didesnę nesąmonę? Jis vos jos nenugalabijo, o ji mano, kad pati kalta, kad jį įerzino. Jai reikėtų tapti vienuole. Kančios ir šventumas jai prie širdies.

Džimis nusišypsojo.

— Lengvatikė. Kalbama, kad jo advokatas įtaisė jį į slaugos namus, kad išvengtų teismo. Juk jei iš tiesų sirgtų Alzheimeriu, nebūtų sugalvojęs jos nutempti į liftą ir ant durų užkabinti raštelį „Neveikia“. Vadinasi, smegenys dirba.

Jie pravažiavo pro prekybos centrą „Co-op“ — taip pat perdažytą ir pasikeitusį. Priešais jį puikavosi naujai pasodinti medeliai, valdžios paramą gavusios atsidarė kelios naujos parduotuvės. Eilina pastebėjo, kaip gražiai visa tai atrodo, ir ištempusi kaklą įsiklausė į tolumoje burzgiančius buldozerius.

— Ar jau ėmėsi Humberto gatvės?

— Aha. Vakar nugriovė pirmą namą.

— Iš tiesų viską išgriaus?

— Iki paskutinės plytos. Kaip ir Baseto gatvėje. Išvalys visą plotą tarp Basindeilo ir Miško gatvių ir statys iš naujo.

— Seniai laikas, — pasakė ponia Hinkli, — nors tai, ko gero, jau šaukštai po pietų. Ar gerai įsikūrei naujajame name, Džimi?

— Aišku. Palyginti su ankstesniuoju — tikri rūmai. Dabar mums priklauso visas sodas, be to, turime galimybę likti šitam name gyventi arba persikelti į naują, kai pastatys. Prieš nuspręsdami norim pamatyti, kaip tie naujieji atrodys.

Moteris atsigręžė ir pažvelgė į Džimį.

— Ten ir vykstam?

— Nesakysiu.

— Bus daugiau kokių žmonių? Dėl to apmuturiavai mane pledu ir užmaukšlinai skrybėlaitę? Gal gėdiniesi manęs, Džimi?

Jis uždėjo ranką jai ant peties ir spustelėjo.

— Didžiuojuosi jumis. Visi didžiuojasi. Jūs dabar pati įžymiausia Rūgšties kvartalo dama. Visų nuomone, išgelbėjote daugiau gyvybių nei kuris nors kitas, įkalbėjusi savo drauges ir jų pažįstamas atverti į bėdą patekusiems duris.

— Gaila, bet ne visus pavyko išgelbėti, — liudnai atsiliepė ji. — Vis neišeina iš galvos vargšelis Artūras Mileris ir Kolinas. Tokia baisi netektis, Džimi. Ar Geinora atsities, kaip manai?

— Ne, — neslėpdamas tarė jis, — tačiau kai ją įkalbėjote dalyvauti jūsiškėje „Draugystės linijoje", neturi tiek daug laiko apie tai galvoti. Ji imasi kartu Džonį, Beną ir mažylę Rozą, ir senutėms tai tikra atgaiva. Daugelis jų taip įsitraukia į bendravimą, kad jau laiko vaikučius savo anūkais... Pasijunta vėl turinčios šeimą.

— O kaip tu, Džimi? Ar kada visa tai užsimirš?

— Tikriausiai, — iškošė jis. — Kai jau neniežtės rankos nusukti sprandą Vesliui Barberiui ir tai kalei sveikatos prižiūrėtojai. Ji vis dar mėgina įteigti sakiusi Mel, kad Milošas nepavojingas... Tvirtina, kad ne jos kaltė, jei Mel nesusigaudė, apie ką ji kalba.

Eilina vėl atsigręžė.

— Bet ja niekas netiki, berniuk. Žmones vertina pagal jų darbus, o panelę Boldvin visą gyvenimą ėda pagieža. Visi aplinkui tai žino. Ji tikra kvėša. Ką pasėsi, tą ir pjausi, o ji prisėjo daug neapykantos. Pasak Vendės Henson, jos buvusiems bendradarbiams Fėjos inkštimas, kad esanti nekalta, jau stovi skersai gerklę, ir jie ruošiasi jai pateikti kaltinimus dėl riaušių kurstymo.

— Niekaip to neįrodys, — tarė Džimis.

— Gal ir ne, bet gal ji susivoks, ką padarė. Po saule pernelyg jau daug žmonių gyvatės liežuviais ir per mažai tyraširdžių, — Eilina ištiesė savo letenėlę ir patapšnojo vyrukui per ranką. — Kad ir kokių nuodėmių būtum pridaręs, Džimi, tu — tyraširdis. Tai reta, todėl gražu. Niekada neleisk, kad pyktis tave nublokštų į priešingą pusę. Jis pakštelėjo į reumato susuktus jos pirštus.

— Kokios dar nuodėmės? Neužmirškite, aš juk Džimis Didysis. Baisiosios valandos didvyris. Pirmą sykį gyvenime pasielgiau teisingai.

Ji vėl sukrizeno.

— O kaip tau sekasi ten?

— Nėra ko labai tikėtis, kai už grašius tenka vadovauti apšepusiam jaunimo centrui. Daugiausia laiko praleidžiu dalydamasis savo patirtimi, kad gaujos liautųsi viena kitą skerdusios. Tačiau yra ir keletas gabių muzikantų.

— Ten ir atsirado visa ta garso įranga?

— Kokia dar garso įranga?

— Ta, kuri paslaptingai išgaravo iš 23-iojo?

Jis nustebęs ėmė niurnėti:

— Anokia ten paslaptis. Milošas man ją padovanojo už tai, kad išgelbėjau jam gyvybę. Turiu net raštišką patvirtinimą.

— Sofi pasakojo, kad jis tris paras išgulėjo be sąmonės.

Džimis nusišypsojo.

— Buvau užsukęs jo aplankyti kelis sykius, kai operavo Mel. Apie antrą valandą nakties jam staiga nušvito sąmonė. Atsisėdo ir surašė dovanojimo aktą. Sakė, kad galiu pasiimti viską ir dar pridėjo geriausių linkėjimų.

Eilina sutarškėjo:

— Nustok čia muilinęs man akis, — linksmai tarė ji. — Nugvelbei viską, kol dar niekas tavęs neaplenkė. Dolė Kartju prasitarė, kad išvilkai viską pro galinį išėjimą, nes policija saugojo tik priekinį, ir sutempei savaitei į vieną tuščių jos kambarių.

— Kaip jūs kalbate, ponia Hinkli.

— Tai tavo bloga įtaka, Džimi. Keikiuosi... Esu nusikaltimo bendrininkė... Ir jau seniai nesijaučiau tokia naudinga.

Jo užkrečiamas juokas nugriaudėjo jai virš galvos.

— Vis tiek manau, kad verčiau jau būčiau iš čia išsinešdinęs su Mel ir vaikais. Pasidaryčiau šimtąkart daugiau pinigų Londone paaugliams gatvėse pardavinėdamas kvaišalus nei valdiškoj tarnyboj.

— Niekad negalėtum tuo užsiimti, — ramiai atsakė Eilina. — Tai irgi vaikų išnaudojimas. Tau tai pernelyg rūpi, va kur bėda. Jeigu nerūpėtų, nebūtum įspėjęs Milošo, kad dingtų.

— Iš kur žinote, kad įspėjau?

— Papasakojo Sofi.

Labai panašiai kalbėjo ir daktarė Sofi, tačiau įdomu, kad nei ji, nei Džimis nejautė Milošui nė menkiausios užuojautos.

— Mažam berniukui turėjo būti labai baisu visa tai pakelti, — tarė Eilina.

— Žinoma, — atsakė Džimis, — tačiau jis suaugo, ar ne? Niekada nevėlu pasikeisti. Turėjo tą savo šunsnukį tėtušį mesti į šalį jau seniai, užuot grįžęs gyventi pas jį. Būtent dėl to jis tikras močkrušys, net jeigu jo tvirtinimai sutampa su Sofi nuomone. Neturėjo leisti, kad taip atsitiktų... Neturėjo ramiai žiūrėti, kaip jo tėtukas talžo visas prostitutes iš eilės. Man nerūpi, kad jis įbaugintas... Mušti moteris negerai.

„Jis tikras geraširdis milžinas, — pamanė sau patylom Eilina. — Iš paviršiaus — kietas kaip uola, o viduje — minkštas kaip putėsis." Norėjosi pulti jį ir apkabinti.

— Judu su Sofi — iš vieno molio, — pasakė ji. — Didelės širdys... Tačiau jokio atlaidumo nuodėmingiesiems.

— Nelygu kokios nuodėmės, — atkirto jis. — Mūsų Kolas buvo vagišius... Bet man jis patiko. O Sofi turbūt pati drąsiausia. Aš nebūčiau taip ramiai žingsniavęs prie altoriaus tokiu „išgražintu" veidu kaip ji. Reikia būti kietam. Ji tokia, ir eina švilpt, kas ką sako... Toks jos būdas. Aš tai tuščiagarbis. Kai vesiu, norėčiau, kad žmonės kuždėtųsi: „Oho! Čia tai bent gražuolis".

Ponia Hinkli susijuokė.

— Taip sakytų, nors ir kaip išrodytum. Žmogaus vertė — jo elgesys, Džimi, o ne veidelių dailumas.

Jis pasuko į Dailidžių gatvę ir sustabdė vežimėlį prie trečiojo namo nuo sankryžos. Tada pritūpė priešais Eiliną ir uždėjo delnus jai ant kelių.

— Pasiruošusi? — paklausė.

— Kam?

Jis galva mostelėjo į duris.

— Susipažinti su mano dukrele. Sofiją priėmė čia, namuose, mūsų lovoje, trečią nakties. Žavingiausias padarėlis, nė kiek neperdedu.

Daug mačiusios Eilinos Hinkli akys užsidegė iš susijaudinimo.

— O, Džimi, tai puiku! — šūktelėjo ji ir suplojo rankomis. — Kuo ji vardu?

Jis nusišypsojo.

— Kolina Geinora Eilina Sofi Melani Džeims.

Ji susijuokė.

— Ar prisimins visą?

— Turės prisiminti, — atsakė jis ir čiupęs vežimėlį už rankenų, ėmė stumti viršun. — Šitais žodžiais prasideda jos istorija.

Walters, Minette
Va234   Rūgšties kvartalas: [romanas] /Minette Walters; [vertė Ugnius Keturakis]. — Kaunas: UAB „Jotema", 2004.— 320 p.

ISBN 9955-527-89-7

Savo rajoną vietiniai gyventojai praminė Rūgšties kvartalu. Čia, „niekieno žemėje", kaip sugeba, taip gyvena neįgalūs senukai ir vienišos motinos, o žiaurūs betėviai paaugliai, apkvaišę nuo narkotikų ir alkoholio, siautėja gatvėse: „Atostogos, jiems nuobodu."
    Tą dieną baigusi ligonių lankymą gydytoja Sofi Morison gauna dar vieną iškvietimą — pagelbėti dūstančiam žmogui. Nieko blogo neįtardama gydytoja atskuba į neseniai atsikrausčiusių pedofilų namus. Tuo momentu gatvę užplūsta didžiulė aršiai nusiteikusių žmonių minia, ketindama negailestingai susidoroti su iškrypėliais kaimynais, kurie, pasak sklandančių gandų, laiko pagrobę dešimtmetę Eimę. Išgelbėti vaikus — toks sukilusių kvartalo gyventojų tikslas, ir kraujo praliejimas kai kuriems iš jų atrodo neišvengiama šios akcijos dalis.

UDK 820-3

Minette Walters

RŪGŠTIES KVARTALAS

Redaktorė *Asta Kristinavičienė*
Rasa Kriaučionytė
Viršelio autorius *Audrius Arlauskas*
Maketavo *Teresė Vasiliauskienė*

SL 250. 20 sp. l. Užsak. Nr. 4.326
UAB „Jotema", Algirdo g. 54, 50154 Kaunas
Tel. 337695, el. paštas: jotema@omni.lt
Spausdino AB spaustuvė „Spindulys", Gedimino g. 10, 44318 Kaunas